FERRYMAN
摆渡人

【英】克莱儿·麦克福尔 著
付 强 译

百花洲文艺出版社
BAIHUAZHOU LITERATURE AND ART PRESS

图书在版编目（CIP）数据
摆渡人 / (英) 麦克福尔著；付强译. — 南昌：百花洲文艺出版社, 2015.6
ISBN 978-7-5500-1324-7

Ⅰ.①摆… Ⅱ.①麦… ②付… Ⅲ.①长篇小说－英国－现代 Ⅳ.①I561.45

中国版本图书馆CIP数据核字(2015)第060248号

江西省版权局著作权合同登记号：14-2015-002
Ferryman

Published by Templar Publishing, a division of Bonnier Publishing Co.

出 版 者　百花洲文艺出版社
社　　址　南昌市红谷滩世贸路898号博能中心9楼　　邮编：330038
电　　话　0791-86895108（发行热线）0791-86894790（编辑热线）
网　　址　http:www.bhzwy.com
E-mail　bhz@bhzwy.com

书　　名　摆渡人
作　　者　〔英〕克莱儿·麦克福尔
译　　者　付　强
出 版 人　姚雪雪
出 品 人　李国靖
特约监制　何亚娟　徐玉华
责任编辑　游灵通　程　玥
特约策划　王　瑜
特约编辑　高　蕙　王　瑜
封面设计　林　丽
经　　销　全国新华书店
印　　刷　三河市兴达印务有限公司
开　　本　1/32　880mm × 1230mm
印　　张　8.75
字　　数　220千字
版　　次　2015年6月第1版
印　　次　2015年6月第1次印刷
定　　价　36.00元
ISBN 978-7-5500-1324-7

赣版权登字：05-2015-103

序　幕

他坐在山坡上，等待着。

又是一天，又来活儿了。在他的面前，锈蚀的铁轨消失在隧道的入口。在这阴云密布的日子里，光线很难穿透入口处的石拱门。他的眼睛一直没有离开入口，他在等着盼着，心却累极了。

既无半分的兴奋也提不起丝毫的兴趣，他的好奇心早就用尽了。现在唯一要紧的是把差事完成。他冰冷漠然的眼睛没有一点生气。

起风了，冷气包裹着他，他却感受不到寒意。他的神情专注、警觉。

就要到了。

Chapter 1

硕大的雨滴时缓时急，杂乱地敲打着车站的白铁皮屋顶，宣告自己的降临。迪伦叹了口气，把脸深深地埋进自己厚实的冬衣里，尽力想暖和一下冻僵的鼻子。她感到脚已经麻木了，于是在四处开裂的水泥地上跺着脚，保持自己的血液循环。她闷闷不乐地盯着光滑的、黑黢黢的铁轨，上面散落着薯片的包装袋、已经生锈的巴氏牌健怡汽水罐，还有破雨伞的残骸。火车已经晚点一刻钟了，而她十分钟前就心急火燎地赶到了。现在，她除了站在这里盯着铁轨发呆，感受自己身上的热气一点点消散之外，无事可做。

雨势越来越大，身旁的陌生人倒是完全沉浸在免费小报上嗜血杀人案恐怖的案情当中，还想徒劳地继续读下去。可屋顶很难遮风挡雨，密集的雨点落在报纸上，炸开，扩散，油墨终于成了一摊污迹。那人小声嘟囔着，把报纸折起来夹在胳膊下面。他四处张望，寻找着新的消遣。迪伦赶紧把自己的目光挪开，她可不想和陌生人寒暄客套一番。

这可真是倒霉的一天啊。天知道到底是怎么回事，她的闹钟竟然没有响，之后就越来越糟糕了。

“起来！起床！你要迟到了。昨天晚上是不是又碰电脑了？要是你管不住自己，你社交方面的事我可要多操心了，你不希望这样吧！”

正梦到一个陌生的帅哥，母亲的大嗓门就骤然响起，扫兴地搅了那场美梦。她尖利的嗓门恐怕连玻璃都能穿透，所以迪伦的潜意识并未做过多的反抗。母亲一边穿过经济公寓长长的走廊返身回去，一边在继续抱怨。但迪伦不去理睬这些，她还在尽力回忆刚才的梦，想抓住这场迟来的白日梦里一鳞半爪的细节。步履缓慢……一只手，温暖的手搂着她……空气里弥漫着树叶和潮湿泥土的气息。迪伦笑了，感觉胸中一股暖意微微荡漾。可是还没等她在心里锁定他的脸，清晨的寒气就把这幻象吹散了。她叹口气，努力睁开眼，伸着懒腰，赖在厚羽绒被舒适的暖意中，然后乜斜着眼向左瞥了一下闹钟。

哦，天啊！

要迟到了。她在小屋里忙得团团转，想赶紧把校服穿戴整齐。棕色的齐肩长发中有一缕头发又照例卷成了一团。迪伦根本顾不上看镜子中的自己，伸手便去够橡皮筋，这东西能把她可怜巴巴的头发藏在不起眼的发髻当中。其他女孩子到底是怎么理出那么精巧、完美的发型来的呢？这对她来说仍是一个谜。不管她如何用吹风机吹、用手压，那一头乱发总能在她出门的瞬间故态复萌。

不淋浴是不可能的，但是今天她必须凑合着在滚烫的热水下冲一冲就赶紧走人，也不管是转哪个旋钮按哪个键。她拿着浴巾在身上蹭了蹭，赶紧穿上校服三件套：黑裙子、白衬衫和绿领带。匆忙间，一块参差不齐的指甲划过她最后一条紧身裤袜，在上面开了个大口子。她咬牙切齿地把袜子抛进垃圾箱，然后光着腿，噔噔噔地从大厅跑进厨房。

像这样不吃早饭就出门也是绝对无法忍受的。她先看了一眼冰箱，然后又满怀希望地偷偷看了看食品橱，结果却没有什么东西可以让她边跑边吃。她要是早起一会儿，就可以在上学途中冲进小餐馆，再买上一个培根肉卷吃，但是现在没时间了。她肯定会感到饿的，但至少学校饭卡上剩的钱足够她吃一顿大餐了。今天是周五，这就意味着可以吃到炸鱼薯条——尽管里面不放盐、不放醋，甚至连番茄酱都没有。学校注重健康都快神经质了，什么调料都没有。她想到这些，翻了个白眼。

"你行李收拾好了吗？"

迪伦一转身，看到母亲琼正站在厨房门口。她已经换上了自己的工作服，医院一个班要熬上十二个小时。

"还没有，我等放了学再收拾。火车要五点半才来呢，时间还很多呢。" 迪伦想，老想管我的事，有时就跟控制不住自己似的。

琼有些不满地挑了一下眉头，额头上的皱纹更深了。每天晚上她都不辞辛苦地往脸上涂抹各种昂贵的乳液和美容液，可依然于事无补。

"做事一点计划安排都没有。"琼又开始唠叨，"这些事你应该昨天晚上就做好，而不是在MSN上胡闹……"

"好了，"迪伦怒气冲冲地吼了一句，"不劳你操心了。"

琼看起来似乎还有很多话要说，但最后她只是摇了摇头，转身离开了。迪伦听着她的脚步声在客厅回响，要猜中她妈妈为什么心情那么糟其实也不难，她本就对迪伦在周末去见她父亲十分不满。那个琼曾经海誓山盟爱过的男人，那个曾发誓跟她相爱相守至死不渝的男人，现在已经甩下她们母女去过新生活了。

迪伦料到琼不会善罢甘休，所以赶紧穿上鞋，抓起校服帽子，顺着客厅跑下去，尽力忽略肚子里传来的咕噜声。这个早晨一定会很漫长。她停在门口，仿佛尽义务一般喊了句"再见"，却无人回应，她就这样拖着疲惫的脚步走入了雨中。

十五分钟后，当她走到学校时，身上那件廉价冬衣终于在和雨水的对抗中败下阵来，她感到水正渗进衬衫里。突然间一个可怕的念头让她在倾盆大雨中停下了脚步。白衬衫，大雨，衬衫湿了。她记得自己刚才翻过内衣橱想找出一件干净的文胸，结果只找到了一件——还是深蓝色的。

从她紧咬的牙关中蹦出来一个词，要是被她妈妈撞见她说这个词，她就该挨罚了。她匆匆扫了一眼手表，没时间跑回家了。其实，就算是飞奔过去，她还是会迟到。

糟糕。

迪伦低着头冲进雨中，她在街上跺着脚，经过封存着破碎梦想的慈善商店，只有廉价家具和贵得离谱的蛋糕的咖啡馆，一两家彩票投注站。再努力躲水坑已经没有任何意义了，她的脚已经湿透了，现在它们最不用她操心。有那么一瞬间，她想到了穿过马路，然后躲在公园里，一直躲到琼出门上班。不过她还不至于那样做，因为她没这样的胆量。迪伦低声吐出一连串的抱怨，中间夹杂着几句脏话，然后转过大街，走进了吉斯夏尔中学。

三层楼整齐划一的若干小隔间，年久失修的程度各不相同。迪伦确信，这所学校专门磨平人的热情、创造力，更重要的是，消磨人的意志。签到是在顶楼帕森小姐的教室——又一处“满目倦容”的立方体。帕森小姐尽力想用标语和展示墙给屋里增添一点生气，可奇怪的是，她的一番心血却让屋子看起来更加压抑了。特别是现在，屋子里坐了三十个人形机器人，个个都在说着毫无价值的废话，就好像正在演一出能改变生活的大戏。

迪伦呆头呆脑地走进教室，立刻就有锥子般的目光朝她射过来。她刚一坐下，老师那高八度的号叫就压倒了教室里的喧嚣，又是能刺穿玻璃的声音。

“迪伦，外套。”

学生必须要对老师彬彬有礼，老师却可以不用对学生以礼相待，真是咄咄怪事。迪伦心想。

“我得再穿会儿，外面太冷了。”其实这里也一样冷，她心里这么想，但却没有开口。

“我不管，脱掉外套。”

迪伦想要反抗，但知道反抗是徒劳的。而且，再多抱怨几句反而会招来更多人的注意，而平常她一直都在避免成为别人关注的焦点。迪伦叹了口气。她和外套的廉价拉链斗争了一会儿，终于将衣服脱了下来。周围人投过来的目光证实了她的担心，湿透的衬衫完全变得透明，里面的文胸像灯塔一样明显。她只有弓着腰趴在座位上，不知道自己能隐形多久不被发现。

答案四十五秒钟之后就揭晓了。自然是女生们先看到了，座位左侧传来了一声窃笑。

“什么？什么啊？”一片哂笑声中夹杂着绰号“鸽子”的大卫·麦克米兰挖苦人的尖嗓子。迪伦神色专注地直视黑板，心里却已经勾勒出了一幅异常清晰的画面：谢莉尔和她的死党们正乐不可支地用她们精心修剪过的指甲朝她的方向指指点点。这个“鸽子”也真够笨的，又花了好几秒钟才明白她们在指谁，平时非要给他一个超级明确的提示他才能明白笑点在哪儿。谢莉尔会帮他找到笑点的，她会用口型暗示他“看看她的文胸”，也可能做一个相应的下流手势，打手语更适合班里这些低能迟钝的男生。

接着就听到哈的一声，迪伦脑海里又出现一幅画面：“鸽子”终于明白过来了，于是口水掺着巴氏牌健怡汽水一同喷到桌上。“嘀，迪伦，我能看见你的胸啊！”迪伦蜷缩着，又往椅子下面出溜了一点。此时暗笑已经升级成了哄堂大笑，连老师也在笑。这贱婆娘！

自从凯蒂走了以后，这所学校里所有人给人的感觉就像跟迪伦不住在同一个星球一样，更别说是同一物种了。他们都是一群跟风盲从、不动脑子的人，所有人都是。男生们穿运动服，听嘻哈音乐，晚上泡在滑板场，不是去滑板，而是在里面搞破坏，有机会就喝得酩酊大醉。女生更糟，光是美黑霜就涂了五层，皮肤都变橘黄色了。看到E4频道上重播的青春剧，她们会像猫一样尖叫。要弄成她们这副“尊容”要十二罐发胶，似乎这些东西把她们的脑子也喷成了一团糨糊。因为要是不聊美黑，不聊那些令人作呕的流行乐，或是哪一位穿运动服的浪子最有魅力（这点最让人受不了），她们简直就无话可说了。当然了，也有些人不愿意同流合污，但他们总是喜欢独来独往，尽量不惹人注意，免得成了这群乌合之众的靶子。

凯蒂曾经是她的好朋友。她们俩从小学就认识了，两人经常在一起暗暗嘲笑她们的同班同学，密谋逃离这里的办法。但是去年一切都变了。凯蒂的父母一直瞧对方不顺眼，去年终于决定分手。自打迪伦认识凯蒂以来，她的父母就是一对冤家对头，所以她也不知道他们俩为什么非得走到这一步。但事情还是发生了。凯蒂要被迫做出选择，到底是跟着酗酒成性的父亲住在格拉斯哥，还是跟着偏执的母亲远走他乡。这两个选择迪伦哪一个也不羡慕。最后左右为难的凯蒂还是跟着母亲去了拉纳克郡一个叫莱斯马黑戈的小村子，这地方很有可能就在世界的另一头。自从她走了以后，迪伦的日子更难熬了，也愈加形单影只。迪伦想念自己的好友，凯蒂根本不会去嘲笑她的透视衬衫。

尽管一节课后衬衣已经干了大半，但恶果已然酿成了。不管她走到哪儿，都会有同年级的男生（有些她甚至都不认识）尾随着她看笑话，说一些风言风语，有的甚至还想去拨一下文胸的带子，看它是不是还在。到吃午餐时，迪伦终于受够了。她讨厌这些不成熟的小男孩对自己的奚落，她讨厌这些目中无人的女生脸上带着嘲讽的神情，她讨厌故意装聋作哑的蠢老师。第四节课的下课铃响之后，她径直走过食堂，完全不管自己正饿得胃痛难忍，而食堂的双扇门中此时正飘来鱼和炸薯条的香味。她走出校门，周围的人群要么去了油炸食品店，要么去了面包房。她走到了整排商店的尽头，仍未停下脚步。

现在她走的街道绝没有学生会在午饭时间闯进来，除非他们此时和她有一样的打算。她的心跳加快了。之前她从未逃过课，真的连想都没想过。她性格内向羞涩，做事从来都是一板一眼的。沉静、勤奋，但不是特别聪明。她所有的成绩都是靠努力换来的，如果你在班上乃至整个学校里都没什么朋友，就不愁没有好成绩了。可是今天，她决定叛逆一回。第五节课点名的时候，她的名字旁会记上一个A字母代表旷课（Absent）。就算他们给医院里的琼打电话，她也是束手无策、无计可施。到她下班的时候，迪伦到阿伯丁的路已经走完一半了。她把焦虑不安暂时抛到脑后。今天她还有更重要的事要考虑。

当迪伦回到自己家那条街上时格外小心，好在她谁也没撞见。她脚步沉重地爬楼梯到二楼，掏出了钥匙。钥匙刺耳的响声在楼梯间回荡，她一下子慌得连大气都不敢喘了。此时她最不希望遇见的就是贝莉夫人。她会从过道把鼻子探出来，然后刨根问底想知道迪伦此时回来意欲何为，如果再糟糕一点，她还会请迪伦进去聊聊，陷进去就出不来了。迪伦仔细听了听，没有老态龙钟慢吞吞的脚步声，于是赶紧打开了双道锁（琼老是很害怕有小偷进来），偷偷溜进屋里。

进门后第一件事就是把那件让她今天无比尴尬的校服衬衫赶紧脱掉。她把衣服扔进浴室的洗衣筐，然后晃进自己屋里，走到衣橱前。她仔仔细细地检视着自己的衣服。第一次和亲生父亲见面，到底穿什么才得体呢？一定要留下好的第一印象。绝不能穿太暴露的，那样会显得她太轻浮；绝不能穿印着卡通人物的，那会显得她很幼稚。要既漂亮又成熟稳重。她左看看，右瞧瞧，把几件衣服拉到一旁，走近一步想看看里面还有些什么。最后，她不得不承认自己的确没有任何一件衣服符合漂亮、成熟的要求。之后，她抓出来一件有点褪色的蓝色T恤，衣服前面的花纹是她最钟爱的乐队名字，外面套一件灰色带风帽的罩衫。她脱掉校服的裙子，换上舒适的牛仔裤，再加一双旧的耐克跑鞋，打扮完成。

她在琼房间里的穿衣镜前仔细打量了自己一番，这样一身行头蛮不错了。接下来她从大厅的壁橱里翻出一个旧包，把它扔在床上。她往里面又放了一条牛仔裤、一打T恤、几件内衣，还有一双平时在学校穿的鞋和一条绿裙子，以便他带她到外面吃饭之类的场合穿。手机、MP3，还有钱包都和化妆品一道塞进了包前面。然后她又从床上抓起最后一件重要物件——艾格伯特，她的泰迪熊。随着时间流逝，它已经变得灰暗、残破，失去了一只眼睛，背后也有轻微的裂缝，里面的填充物纷纷想跑出来。它从来没有赢得过选美比赛，但自从她还是婴儿时它就一直陪伴着她，有它在身边，她感到安全、舒适。

迪伦想带上它，但要是爸爸看到了艾格伯特，准会以为她还是个长不大的孩子。她把它放在胸口紧紧拥抱，心里不知如何是好。最后还是把它放到了床上。她撤回双手，望着它，它似乎也在目不转睛地看着她，眼神中满是无人怜爱被人抛弃的哀怨。迪伦立刻有一种负疚感，她紧紧抓起它，轻柔地放在自己的一堆衣服上面。她拉上包的拉链，然后又拉开一半，把它取了出来。这一次它脸朝下，没有再用满是埋怨的眼睛可怜巴巴地盯着她。她再次拉上拉链，然后毅然决然地走出了屋子，艾格伯特被遗弃在床正中。整整二十秒后，她又冲了回来，抓起它。

“对不起，艾格伯特。”她喃喃自语，飞快地吻了它一下，然后把它匆匆塞进包里，跑出了屋子。

要是抓紧时间的话，她能赶上较早的那趟车，给她爸爸一个惊喜。她怀着这个想法快步下楼，沿着街道疾行。去车站的路上会经过一个小食店，也许她能飞奔进去，先吃一个汉堡垫垫肚子，然后撑到晚餐。迪伦加快了脚步，一想到食物就忍不住口水直流。然而就在经过公园高高的金属大门时，她突然停了下来。她的目光穿过栅栏，盯在那些恣肆疯长的绿色植物上，其实她也不清楚自己到底在看什么。

似曾相识的感觉。

她眯着眼睛，使劲地想弄明白到底是什么触发了自己这种感觉。然而一阵男孩的咯咯笑声把她的遐思击得粉碎。定睛观瞧，一张脸上咧着一张嘴傻笑，那嘴里还叼着香烟，犹自喷云吐雾，正是麦克米兰和他的小伙伴们。迪伦厌恶地皱了皱鼻子，在他发现她之前就往回走了几步。

她晃晃头，赶走最后一丝梦境的回忆。然后穿过马路，目光定在了经济小吃店那块手绘的招牌上。

Chapter 2

“太不像话了！真是可耻！”那个陌生人显然已经拿定了主意，既然报纸看不成了，他下面要集中精力做的事就是开始抱怨了。迪伦满心疑虑地瞥了他一眼，她真的不想和这么一位穿着粗呢子衣服的中年人聊什么天，最后在去阿伯丁的漫漫长路上都要被迫参与这种尴尬的谈话。她耸耸肩，在厚实皮大衣的掩盖下这个动作几乎看不出来。

男人还在继续，身边的人缺乏谈兴，他却丝毫没受影响，“我是说，他们收那么贵的车票钱，你以为他们总该准点到吧，可是人家偏不。太可恶了，我在这儿都等了二十分钟了。你知道，车最后到这儿的时候肯定是没有座位的。服务太糟糕了！”

迪伦环顾四周。尽管在车站里好几个地方都有各色人等在走动，但站台上却没有几个人，她没办法悄悄溜掉，消失在茫茫人海之中。

穿粗呢子大衣的男人转过身看着她，“你说呢？”

这回迫于无奈要给出一个直截了当的回答了。迪伦尽量想含糊其词，于是只“嗯”了一声。

那男人大概是把这一声当成请他继续长篇大论的信号了，“还是铁路国营那个时代好啊，那时你知道什么时候上车，那时候车上的工作人员都是诚实本分的好人。现在是越来越糟了，现在管理铁路的都是一小撮吹牛皮的骗子。太不像话了。”

车现在在哪儿呢？迪伦暗自想，她急不可耐地想从眼前的社交游戏中解脱出来。正在这时，车来了，如同一个身着锈迹斑斑铠甲的骑士呼啸而来。

她伸手取过脚边的帆布背包，像她拥有的大部分物品一样，包已经褪色了，上面到处是磨损的痕迹。她抓住两根把手，把沉甸甸的背包举起来背在肩上，一声轻微的撕裂声不禁让她花容失色。要是背包开缝，再来阵阴风吹过，将她的内衣刮得满车站都是，那今天的倒霉事才真叫成双成对了。不幸之中的万幸，背包挺住了。迪伦等滑行的列车停稳，就拖着步子和其他疲惫不堪的旅客一起走上前。车完全停下来时传来液压装置的嘶嘶声，迪伦刚好站在两扇车门的正中。她快速瞄了一眼那个穿粗呢子大衣的男人往哪扇门跑，然后用尽全力负重朝另一扇门飞奔过去。

一坐进车厢，迪伦的眼睛就向左右扫了一眼，想看看周围有没有什么不正常的人——酒疯子啊、怪人啊，想把一生的故事都讲给你听的人啊（其中经常涉及被外星人绑架之类的离奇遭遇）以及那些非要和你一起探讨人生意义之类大道理的人。不知为什么，迪伦乘坐公共交通工具时，总能吸引这些人的注意。今天她的心事太多了，所以对他们避之唯恐不及。经过一番仔细观察，她筛选出来好几个空座位。没过多久，她就清楚了为什么在拥挤的列车上这几个座位一直空着。一位母亲带着一个高声哭闹的婴儿坐在一侧，孩子的红脸蛋皱巴巴的，一脸怒容。母子俩周围有一辆婴儿车和若干袋子，里面乱七八糟地摆满了婴儿的必需品。在过道的另一头，隔了几个座位，一对喝得醉醺醺的少年身穿蓝色流浪者队上衣，坐在一个双人空座对面。他们有些外行地把疑似为布克法斯特酒的瓶子藏在一个纸袋子里，大声唱着荒腔走板的曲子。

现在唯一的选择位于车厢中部，座位上压着旁边一位大块头女人一大堆购物袋。那女人已经把身旁的对面的座位都占了，摆出一副公然拒绝任何人做伴的架势。但是，不管她会不会瞪眼睛，选择在她这里就座是最有吸引力的。

“劳驾。”迪伦小声嘟囔一句，朝女人这边慢慢挪过来。

女人高声叹了口气，不满之情溢于言表，但还是把自己的袋子挪开了。迪伦脱掉外套，把它和背包一起放在头顶的架子上，然后坐好。刚才在等着上车的时候，她飞快地翻了一下包，取出了MP3和耳机。现在她把耳机随便往耳朵上一戴，闭目把音量调到最大，让她最喜欢的独立摇滚乐队高亢的鼓点声淹没周围的世界。她能想象得出那位购物袋女士此刻正对她和她可怕的音乐怒目而视，想到这里她露出了微笑。周围安静得听不到一点声音。列车吃力地嘎吱作响，加快速度朝阿伯丁全速前进。

她紧闭双眼，畅想着即将来临的周末。她想象自己走下火车，搜寻对她来说几乎完全陌生的父亲。她一会儿提心吊胆，一会儿又热血沸腾，胃部也跟着微微抽搐。几个月来她对琼晓之以理，动之以情，好话说尽，终于从她那儿要来了詹姆斯·米勒，也就是她父亲的电话。她先拨号、挂断，再拨号、又挂断，迪伦想起自己当时手抖得有多厉害。要是他不想和自己说话怎么办？要是现在他已经有了自己的家庭怎么办？最糟糕的是，要是他到最后让人非常失望怎么办？要是他是个酒鬼或是个罪犯呢？母亲没有给出更多关于他的细节，她们从不曾讨论过他。母亲要他离开，他就离开了，而且就像她要求的那样，从此再也没有打扰过她们母女。迪伦当时才只有五岁，十年过去了，父亲的相貌在她的记忆里已经很模糊了。

内心挣扎了两天后，迪伦终于在中午时分给他打了电话。打电话的地点选在学校操场一个僻静的地方，这里还没有被烟民、爱侣和流氓帮派霸占。她希望他此时正在工作或是无人接听，她如愿了。电话响了六声，每一声都几乎让她的心脏停跳，直到留言机发出嘟嘟的提示音。她突然意识到，自己根本没想好要说些什么。心慌意乱的她吞吞吐吐地说了几句不着边际的话——

“嗨，我找詹姆斯·米勒。我是迪伦，你女儿。”下面该说什么呢，“我，呃……我从妈妈那儿要了你的号码。我是说，琼。我觉得，也许，也许我们可以见一面，然后说说话。如果你想说的话。”深呼吸，“这是我的号码……”

刚一放下电话，她立刻又畏缩了。简直就是个白痴！她简直不敢相信自己事先竟连说什么都没想好，刚才的声音听起来像笨手笨脚的傻瓜。好了，现在除了等待没事可做了。整个下午她都感到胃不舒服，生物课和英文课稀里糊涂就上过去了。回到家，她木然地看着BBC二台的《厨王争霸》和新闻节目，甚至当愚不可及的肥皂剧开始时也没有换频道。他要是不回电怎么办呢？他有没有听到电话留言呢？他要是一直没有收到留言怎么办？迪伦仿佛看到一个女人的手拿起了电话听筒，听到留言后，缓缓地用涂得鲜红的指甲按了删除键。她只好两指交叉祈求好运，把手机一直放在伸手可及的地方。

等了两天，他真的回电了。四点钟，又是冒着大雨回到家里，袜子湿透了，肩膀也打湿了。正在这时，口袋里的手机突然振动起来，《很久以前》的主题曲钢琴和弦随之响起。他来电话了！迪伦急忙把手机拿出来，心脏似乎都停止了跳动。她匆匆扫了一眼来电显示，更确定就是他。虽然这是个陌生的号码，但地区代码正是阿伯丁的。她的手指划过手机玻璃屏，对着耳朵按下了接听键。

“你好！”她的声音听起来很嘶哑，像是有东西卡在喉咙里似的。她清清嗓子，尽量不发出一点声音。

“迪伦、迪伦，我是詹姆斯·米勒。我是你爸爸。”

一片沉默。她心想，迪伦，说话啊。爸，说话啊。两人谁也没再出声，然而在这无比紧张的时刻，沉默听起来却如同呐喊。

“听我说，”他先说话打破了沉默，融化了坚冰，“你能给我打电话我很高兴。这么长时间我一直都想和你联系。这下咱俩可有很多事情得好好聊聊了。”

迪伦闭上眼笑了。她深吸了一口气，开始说话。

之后一切都进展得很顺利。和他通话让她感觉很舒服，就像他们两个一直就是熟人似的。他们一直说到迪伦的手机没电。他想要了解她的一切，她的学校，她的爱好，她和谁一起出去玩，她最喜欢看什么电影，最喜欢读哪本书等等等等，唉，虽然在学校就那么几件事儿，实在没什么好多说的。他也告诉了她自己在阿伯丁的生活。他和安娜——他的狗生活在一起，没有妻子，也没有孩子。简简单单，无牵无挂。他希望迪伦能去看他。

离那次通话过去了一周时间。在这几天里，迪伦一直在为和他见面时而紧张，时而兴奋。这期间，她尽量不去招惹琼，后者已经明确表态反对她和生父联系。她没有人可以倾诉，只有在凯蒂疯疯癫癫的妈妈偶尔给她留五分钟时间独处时，她才能抓紧时间和凯蒂在MSN上聊聊。昨天晚上凯蒂的妈妈为庆祝圣诞前夜大采购去了，凯蒂讨厌在到处人山人海的时候出门，于是她们又偷偷摸摸在网上聊了天。凯蒂努力劝她明天还要上课，应该早点上床睡觉。迪伦收到这条消息两分钟后她们还在线上。

哦，上帝啊！我觉得她永远都不会离开商店了。谢天谢地还好有二十四小时不歇业的超市。

明白，过得怎么样？新学校也很讨厌吗？

新学校，还是一群傻蛋。这次换了一群乡下傻蛋。真高兴明年这个时候我们就去上大学了。我迫不及待想离开这儿！名声赫赫的吉斯夏尔中学最近怎么样了？

烦透了，不过还是出了点事。

哦，快点告诉我。

我给我爸打电话了。

迪伦按下了发送，等待着。她的心奇怪地狂跳起来，她盼望凯蒂能说几句好话，她盼着有人能告诉她自己这样做没错。像是停了很久很久之后，对话框终于出现了凯蒂的消息。

这样啊……情况怎么样？

谨慎的回复。好友不想插足她的事。

真的很棒！他想和我见面！他电话里的声音听起来很和蔼。不明白为什么琼那么恨他。

谁知道呢？父母总是很古怪。看看我吧，那两个人都有病！那他要过来看你吗？

不是，我要去他那儿，明天。

什么？这也太快了吧！你害怕吗？

不害怕，我激动死了。有什么好怕的啊？

凯蒂的回复倒也干脆利索——

骗人，你在吹牛皮！

迪伦不禁大笑起来，赶紧又用手紧紧捂住了嘴。要是琼知道她这么晚还在网上聊天非疯了不可。不愧是凯蒂，总能一眼识破她的伪装。

好吧，可能有一点吧。不想想太多了……有点担心要是真把自己现在做的事情仔细想一遍，可能会临阵脱逃。

很酷啊，不管怎么说你都需要和他见一面。要是你妈真的很讨厌他，让他俩就在两个城市待着不见面也是个好主意。你怎么去那儿？坐火车？

是啊，他给我买了票。他说想弥补失去的这十年。

此刻迪伦手里正握着那张车票。她应该给她爸发短信，告诉他自己已经上路了。他还会发短信，这让她印象深刻。琼连用手机打电话都不会。

现在身边堆满了那位瞪眼女士的袋子，迪伦费劲地把手探进口袋，取出了手机，开始写短信——

爸，我在车上。没有晚点太久。等不及了想见你。迪伦。

在她按下发送键时，窗外一片漆黑。好长的一条隧道，她想。手机是琼用加班费给她买的昂贵圣诞礼物。现在手机屏幕上一直滚动着“发送中”的字样。这行文字滚动了三次之后，手机发出了嘟嘟两声提示：发送失败。

“浑蛋！”迪伦不禁低声骂了一句。她有些荒唐地努力把手机举到头顶，尽管自己也知道这样做无济于事。他们现在还在隧道中，手机信号不可能穿透那么厚的岩石。她的手臂高举在空中，像一个微型的自由女神像。当那件事发生时，她还保持着这个姿势。灯光熄灭了，声音炸裂了，世界终结了。

Chapter 3

一片死寂。

应该有尖叫声啊、哭喊声啊，总该有点动静吧。迪伦想。

但是周围只有死寂。

漆黑一片，黑暗如一条厚厚的毯子一样笼罩着她。一瞬间恐惧袭来，她以为自己失明了。她狂躁地在脸前挥舞着手，什么也看不见，她设法用手戳了戳眼睛，刺痛产生的震惊让她思索了片刻。他们还在隧道里，所以才会这么黑。

她的双眼连一丝一毫微弱的光都看不到。刚才她被甩到了旁边的座位上，现在她尽力想站起来，但是不知被什么东西绊住了。她的身体扭向右侧，设法倒在两个座位间的地板上。左手落下时碰到了一些暖烘烘黏糊糊的东西，她赶紧抽手，在牛仔裤上蹭了蹭，尽力不去想那黏糊糊的东西可能是什么。她的右手在一个小物件上摸索着——那是她的手机，刚才乾坤倒转时一直握在她手里。她心里涌动起如释重负的感觉，但很快就失望了。屏幕一片空白，她的手指点着触摸屏，希望很快就破灭了。手机死机了。

迪伦爬到过道上，总算站了起来，结果头又重重地碰到了什么东西。

“该死，噢！”迪伦大叫了一声。她赶紧把头低下。手摸了摸正狂跳不已的太阳穴。似乎没有流血，可是疼得要命。这次她小心翼翼地抬起头来，用双手在前面给脑袋开道。四周太黑了，她连刚才撞到了什么都没看清。

“有人吗？”她怯生生地喊着。没人回应，连其他乘客走动时窸窸窣窣的脚步声也没有。刚才车上还坐满了人，现在人究竟都到哪儿去了？脑海里闪过刚才座位旁地板上那一大摊液体，她尽力不去想这些。

“有人吗？”这次她加大了声音，“有人听到我说话吗？有人吗？” 喊到最后声音已经有些沙哑了，恐慌又开始抬头。她的呼吸越来越急促，她努力想把心中无边的恐惧感想个清楚、弄个明白。眼前的黑暗让她产生了幽闭恐惧，她抓着自己的喉咙，像是有什么东西在掐着她似的。她现在孤身一人，周围是……是……她不敢想下去了。她只知道自己在车厢里再多待一秒都受不了了。

她想都没想就拼命往前冲，一路跌跌撞撞，不断费力地越过障碍物。她的脚落在某个柔软光滑的东西上面，运动鞋踩上去没有一点阻碍，她险些滑倒。她吓坏了，拔腿便跑，想离这堆像海绵一样的东西远点，但另一只鞋却找不到安全平坦的地方下脚。于是就像电影慢镜头一样，她不由自主地朝着地面和那一堆令人毛骨悚然的东西缓缓倒了下去。不！她喘着粗气，在身子摔倒时伸手自我保护。挥动的手臂正好触到一根金属栏杆，她的手指紧紧攥住杆子，于是身体下行戛然而止，全部压力都移到了肩部肌肉上。她乘势向前倾，脖子撞到冰冷的金属上，一阵剧痛。

迪伦顾不上脖子一阵阵的抽痛，双手紧紧抓着栏杆，就好像这样就抓住了现实一样。她心里想，这根栏杆就挨着车门，现在自己肯定也在车门口，于是她全身都放松了下来，思维也比刚才清楚了一些。她之所以现在孤身一人原因就在这儿，其他乘客肯定已经夺门而逃了。他们没注意到她是因为她刚才被压在那个胖女人身下。早知道就坐在流浪者队球迷身边了。想到这儿，她有气无力地笑了一下。

黑暗中，她不相信自己的腿，伸出手顺着与栏杆相连的隔板向前摸索，希望能摸到那扇打开的折叠门。她的指尖向前探，却一无所获。又慢慢向前挪了几步，她终于发现了门，却是关着的。

这就怪了！她想着，耸了耸肩。其他人一定都是从另一侧的出口逃生了。她的运气一贯如此。经过一番逻辑推理，她冷静了下来，思维也清晰了。她不愿意再折返回去，冒着又踩到软乎乎的东西的风险穿过车厢，那会让人更加焦虑不安。她四处摸索想找到开门的按钮，手指碰到了它凸起的边缘，使劲推了推，但门仍然紧闭。

“该死！”她小声嘀咕了一句。在撞车事故中，车上的电可能已经被切断了。她转头观瞧，这个动作做得毫无意义，因为什么也看不到。想象填补了视觉上的空白，她仿佛看到了整个车厢一路上尽是向上翘的座椅、行李，窗子上的碎玻璃还有些黏糊糊软塌塌的东西——在她的想象中这些东西便具体化为残肢断腿。不，她绝不能再回去了。

她把手平放在车门上使劲推。尽管门没有开，但她能感到门还是有点变形。她觉得只要自己力气够大就能推开门。她后退几步，深吸一口气，然后猛地向前，左脚后跟用尽了全力踹门。狭小的空间里传来砰的一声巨响，余音绕耳。这一下对膝盖和脚踝的冲击力不小，两个部位顿时感到一阵剧痛。但外面的新鲜空气吹到脸上，这让她看到了希望。她的双手一试，一扇门已经脱离了滑槽。如果她对着另一扇门也来这么一下子，两扇门之间的空隙就足够她挤出去了。这次她倒退了两步，使出十分的力气，用身体撞门。两扇金属门之间相互剐蹭，发出刺耳的声音，最后终于让出了一道豁口。

缺口不算大，幸运的是迪伦的身量也不大。她侧身从空隙中穿过去，拉链正好卡在身体和门之间，传来衣服撕裂的声音。接着她一下子失去了重心，身体朝着铁轨倒了下去。那一瞬间她感到毛骨悚然，但她的运动鞋马上嘎吱一声踩在了碎石子上。幽闭恐惧症的感觉随之消失，如同卡扼在喉咙上的锁链终于被割断了一样。

隧道里和车上一样黑，事故一定发生在隧道正中间。迪伦先看了看一端，又看看另一端。没用的，两边都是一点光都不透，除了空气轻轻穿过密闭空间时发出的声音，这里一片死寂。她在心里默念：小公鸡点到谁我便选谁[①]。叹口气，转向右边，然后吃力地向前走去。隧道口总会通向某个地方吧。

没有光照，她脚下磕磕绊绊，步履艰难。不时有东西从脚边闪避到一旁，她只盼那不是隧道里的老鼠。任何比兔子小的东西都能引发她心里莫名的恐惧，浴室里的一只蜘蛛就能让她情绪失控半小时，直到最后把琼喊进来解围才算完。要是这里有什么东西爬到她的鞋上，她知道自己的本能反应就是赶紧把它踢开。尽管四周一团漆黑，路面又凹凸不平，这样做很可能会让她栽个嘴啃泥。

隧道不停地向前延伸。她几乎要掉头回去，到另一条路上碰碰运气了。这时她看到前方豆大的一点亮光。她希望那是出口或是救援人员装备的手电，于是跌跌撞撞地加快了脚步，一心只想着走出去，重新沐浴在光明中。她走了很久，终于看清那豆大的光原来是一处拱顶。再往前能看到些许光亮，但光线不是很强。

最终她走出了隧道，外面此时小雨霏霏。她欢笑着仰面对着轻

①原文为“Eeny,meeny,miny,mo”，是英美童谣中经常出现的韵语，并无实在含义。如：“Eeny,Meeny,Miny,Mo /Catch a tiger by the toe/if he hollers, let him go/ Eeny,Meeny,Miny,Mo.”近于“一二三四五，上山打老虎”之类的中国童谣。译者在这里根据上下文将其翻译为“小公鸡点到谁我便选谁”。

柔的雨点。黑暗的隧道让她有一种不洁的感觉，眼前的蒙蒙细雨似乎洗刷掉了一些讨厌的污秽。她深吸了一口气，双手叉腰，观察起周围的环境来。

铁轨蜿蜒向前，消失在一片荒野之中，而此处除了这条铁轨外空空如也。她觉得自己肯定已经离格拉斯哥很远了。地平线上群山环绕，危峰高耸。低压压的云层掠过山顶，茫无涯际。原野上色彩缤纷，紫色的石楠花在一大片棕色的凤尾草中抢占了一席之地，四季常青的松树将山坡下染成深色，低矮的灌木丛杂生其间。靠近隧道的山坡地势平缓，起伏的山丘上百草丰茂。视野里既无市镇也无道路，甚至连一间孤零零的农舍也没有。迪伦一边咬着嘴唇，一边仔细打量着眼前的情景。这里看上去尚是一片不宜久留的蛮荒野地。

她本来还期望看到警车和救护车风驰电掣般赶到现场，横七竖八地停在周围。这里本该有一大群身着各种鲜艳制服的男男女女随时准备冲上前去，对她温言抚慰，检查伤口，还要询问她各种问题。隧道出口的空地上应该随处可见三五成群的幸存者，他们面如死灰，蜷缩在用以抵挡凛冽寒风的毯子里瑟瑟发抖，可现在这些统统没有出现。迪伦的脸上满是困惑和不安，其他人去哪儿了呢？

她又转身向黑漆漆的隧道口里张望，没有别的解释了：她一定是走错了方向。所有人一定都在隧道的另一头。她的眼中涌出了沮丧疲惫的泪水。一想到重新回到黑暗当中，一想到再次穿过列车，上面满是遇难者软塌塌的死尸，她心里就备受煎熬，可是又没办法绕道走。隧道是从巨大的山坡底部开凿出来的，长满凤尾草的山体在隧道两边巍然耸立，就像悬崖峭壁一样无法穿越。

她抬头仰望苍穹，仿佛在向天祈求转运，却只见铅灰色的流云悠然拂过天际。她一边低声啜泣，一边转身面对荒原，渴望发现一丝文明的痕迹，免得她重回黑暗的隧道。她手搭凉棚，遮挡着眼前的风雨，向地平线眺望，就在这时，她看到了他。

Chapter 4

他手抱膝坐在隧道口左侧的山坡上，眼睛紧盯着她。隔得这么远，她只能看清他是个男孩，也许十几岁的年纪，浅黄色的头发在风中飘动。他看到迪伦正在看着自己，却没有站起来，甚至笑也没笑一下，只是继续凝望着她。

他孤零零地坐在这么一个荒凉的地方，样子有点奇怪。迪伦想象不出他怎么会到那里，除非他也是车上的乘客。她朝他挥手，很高兴终于有人能和她一起分担这份恐惧感，但他却没有任何回应。她感觉自己能看到他坐直了一点，但离得太远了实在难以分辨清楚。

她的眼睛牢牢盯着他，生怕他一下子不见了踪影。她跌跌撞撞地顺着铁轨旁的砾石堆走，越过一条满是杂草的水沟。一道带铁丝网的栅栏将铁轨和乡野的空地隔开，迪伦小心翼翼地抓着两个扭在一起的金属结中间的铁丝网上端，使劲地把它往下拽。铁丝网稍稍垂下来一点，刚好可以让她毫无美感地把腿迈过去。当她迈另一条腿的时候，脚被绊了一下，人几乎栽倒。她尽力抓紧铁丝网，身体虽保持住了平衡，但铁丝却扎进手掌里，刺透了皮肤，血渗了出来。她匆匆查看了一下手上的伤口，在腿上蹭了蹭。牛仔裤上深色的斑点让她忍不住又看了一眼。大腿外侧的裤子上有一大片殷红，她盯着看了一会儿，突然想起手上曾经沾了车厢地板上那些黏糊糊的东西，然后又在腿上蹭掉了。认清这是什么之后，她的脸色吓得煞白，胃里也微微有些翻腾。

她摇摇头，想甩掉脑海里浮现的那些令人作呕的画面。她从栅栏那儿回过身，眼睛重新盯紧目标。他坐在距离自己大概五十多米高的山坡上，在这个距离，她可以看清他的脸。迪伦一笑，算是跟他打招呼，可他却毫无反应。受此冷遇不免让迪伦感到有些难为情，于是她在费力爬山一路向他走来的时候，眼睛一直盯着地。山路难行，没一会儿工夫她就气喘吁吁了。山坡陡峭，疯长的杂草不仅潮湿，而且极难爬过。迪伦只得低着头盯着自己的脚，正好有借口可以不用和他交换眼神。直到迫不得已时她才抬起头看他。

在迪伦朝自己走来时，山坡上的男孩只是在冷眼旁观。自从走出隧道口，他就一直注视着她。看着她像一只逃出洞穴的兔子一样惊魂未定。他没有高声喊叫以吸引她的注意，而是等着她看到自己。有那么一会儿，他还担心她会掉头返回隧道，想着要不要把她喊回来，但她很快又回心转意了。于是，他也就乐得静静等待，她早晚会看到自己的。

他想得没错。她注意到了他，当迪伦使劲朝他挥手时，他看到了她如释重负后眼中的那一汪泪水。他没有朝她挥手，他看到她神色微微有些迟疑，但过了一会儿，她还是离开了铁轨朝他走来。她笨手笨脚地挪着步子，自己卡在铁丝网围栏上，在湿漉漉的杂草间摔倒。当迪伦走得足够近，近到已经能看清他脸上表情的时候，他把脸扭到了一边，听着她离自己越来越近。

终于见面了。

迪伦终于走到了他坐的山坡，可以仔细端详他了。她对他年龄的猜测完全正确。这样的话，他最多比她大一岁。他穿着牛仔裤和跑鞋，一件看起来很温暖的深蓝色套衫，上面用橘红色花体字印着"Broncos"（野马）。虽然他就蜷腿坐在那里，但他的身材却很难推测，不过他看上去不是那种矮小孱弱的人。他皮肤黝黑，鼻子上有一排雀斑。迪伦一靠近他，他脸上就带了一副无动于衷、漠不关心的表情，眼神开始移到远处的荒野上。甚至当迪伦径直站在他面前时，他还是面色不改，眼神未变。这可真让人仓皇失措。迪伦站在那里手足无措，不知道该说些什么。

"嗨！我叫迪伦。"她最后还是嗫嚅着开了口，眼睛盯着地皮。她等着他回应，身体的重心在两只脚之间挪来挪去，最后干脆也朝他凝视的方向望去，想弄明白他究竟在看什么。

"崔斯坦。"他终于开了腔。他扫了她一眼，然后视线又转到别处了。

他总算有了点反应，这让迪伦松了一口气，赶紧见缝插针道："我猜你也是在火车上吧。还好我还不是一个人在这儿。我一定是在车厢里昏过去了。等我醒过来，就只剩我一个人了。"她说这一番话的时候语速很快，生怕又遭到冷遇，"其他乘客都已经逃出来了，很明显没有人注意到我。车上有个蠢女人，大包小包一大堆东西，我是被她的东西卡住了。我逃出车厢的时候，自己也不清楚其他人往哪边去了，但是我们一定是搞错了出隧道的方向。我敢打赌，现在消防队员、警察还有其他人都在隧道的另一头。"

"火车？"他朝她转过身子，直到此时，她才第一次看清他的眼睛，那双冰蓝色的眼睛冷冷的，钴蓝色。她感觉如果这双眼睛发了怒，一定能把她的血液都冻得凝固，不过此刻这双眼流露出的只有好奇。他打量了她半秒钟，然后又瞥了一眼隧道口，"对，那辆火车。"

她满怀期望地看着他，但他似乎不想再多说一句。迪伦咬着嘴唇，暗自诅咒自己的坏运气，在这儿就遇到这么一个人，结果还是个十几岁的小毛孩。要是个成年人，他肯定知道该怎么办。而且，尽管她不想承认，但是这样的男孩子总让她心情紧张。他们似乎酷酷的自信心满满。遇到他们，她老是张口结舌，感觉自己完全像个白痴。

“要不我们再从隧道里穿回去？”她建议道。尽管她的建议意味着要再次经过那列火车，但和人结伴而行似乎还不算是一个坏主意。然后他们就能遇到其他乘客和紧急救援人员，原来说好这个周末和老爸见面的，说不定还能补救。

男孩回头凝视着她，她自告奋勇想再退回去，这绝对不行。他的眼神中带着磁石一般的吸引力，似乎一下子就能把她看透。迪伦感觉自己在他的目光下似乎一览无遗，简直赤身裸体。她下意识地双臂交叉护住了胸。

“不，我们不能再穿回去了。”他的嗓音不带一点感情色彩，好像他对眼前的困境满不在乎，好像他可以在这个山坡上安安静静、快快乐乐地坐上一辈子。好吧，迪伦想，这我可做不到。盯了她很久之后，他重又回过头凝视群山。迪伦咬着下嘴唇，搜肠刮肚找别的话说。

“好吧，你有手机吧，我们给警察或者其他什么人打个电话总可以吧？我的手机在发生事故的时候死机了。我还要给我妈打个电话，她要是听说发生了什么，准保会疯掉。她的保护意识特别强，她想知道我是不是好好的，这样她就可以开始唠叨‘早就告诉过你了嘛’……”迪伦的声音越来越小，最后自己住了口。

这次他连看都没看她一眼就说：“电话在这儿打不通。”

“哦。”迪伦开始懊恼起来，他们就困在这里，困在隧道一个错误的出口。既没有大人，也没有办法联系其他人，而这个男孩一点忙又帮不上。但，这里毕竟只有他这一个人，“好吧，那我们该怎么办？”

他没有回答，而是突然站了起来。他笔直地站着，比她高出一大截，比她刚才目测的还要高得多。他俯视着她，嘴唇间半是幸灾乐祸的表情，然后开始向前走去。

迪伦的嘴张了几下，却一个音也发不出来。她愣在了那里，动也不动，一声也不吭，完全被这个陌生的男孩惊呆了、吓傻了。他要把她一个人丢在这儿吗？她很快就有了答案。他走出十米远，又停住脚步，回头看着她。

“你走吗？”

“去哪儿啊？”迪伦问，她不想离开事故现场。待在原地一定不是最明智的选择吗？要是走远了，别人怎么发现他们呢？而且，他又怎么知道要朝哪儿走呢？现在已经很晚了，天马上就要黑了。起风了，寒风凛冽。她不想迷路，打算就在野地凑合一晚上。

他的自信让迪伦开始怀疑自己的判断。他似乎看出了她脸上的犹豫，居高临下地看了她一眼，声音里满是优越感：“好吧，我可不会就坐在这儿等。你要是愿意就自己待在这儿吧。”

他暗暗观察，看迪伦听明白自己的话后是什么反应。

一想到要独自留在这里傻等，迪伦害怕地睁大了眼。要是夜幕降临一个人都没来怎么办？

“我觉得我们两个都应该留在这儿。”她刚一张嘴，他就已经在摇头了。就像是说话很不方便似的，他又往回走了几步，目不转睛地看着她。他们两人挨得非常近，近到她脸上能感受到男孩的呼吸。迪伦直视他的双眼，周围的一切都慢慢模糊起来。他的眼神有一种让人不得不看的魔力，哪怕迪伦想要把自己的目光移开也不可能。不用多说，迪伦被他催眠了。

“跟我走。”他用指挥官的口吻说道，语气中容不得丝毫商量的余地。这是命令，而他希望她服从。

奇怪，她的头脑里一片空白。迪伦连想也没想过要违抗他的命令，她木然地点点头，然后磕磕绊绊地跟着他向前走。

男孩崔斯坦甚至还没等她跟上就大踏步向山上走去，离隧道越来越远。他对她的倔强暗自称奇，这个人有一股子内在的力量。不过，不管怎么样，她都会跟他走的。

Chapter 5

“等等，停下！我们到底要去哪儿啊？”迪伦气鼓鼓地停下来，双脚牢牢站定，双臂交叉胸前。刚才她一直在没头没脑地跟着他走，可是他们就这样沉默着走了有二十分钟了，鬼知道在朝哪个方向走，除了那句简单粗暴的“跟我走”，他一句话也没说。当他命令迪伦跟他走的时候，她头脑中所有的疑问、所有在隧道口原地待援的理由都莫名其妙地消失了，现在它们统统又回来了，而且来势凶猛。照这样乱走真是愚蠢。

他继续大步流星地朝前走了几步，然后转身，眉头一挑地看着她说：“什么？”

“什么？！”迪伦的嗓音不可思议地高了八度，“我们刚刚经历一场撞车事故死里逃生，其他人好像都没影儿了。我都不知道我们现在在哪儿，你就让我们两个在这个荒无人烟的地方穿来穿去，离事故现场越来越远，别人要过来找我们怎么办？”

“那依你之见，谁会来找我们呢？”他问道，嘴角上重又浮现出一丝傲慢的笑。

迪伦皱了皱眉，被这个奇怪的问题弄糊涂了，然后她便将自己的想法一股脑地说了出来："比如说，警察吧，还有我父母。"第一次可以把父母亲合在一起说，迪伦心中微微有些激动，"火车没有到达下一站，你以为铁路公司会不想知道它的去向吗？"

她眉毛一扬，为自己的推理过程无懈可击而暗自得意，且看他怎么回应。

他笑了，笑声悦耳动听，但基调却是淡淡的嘲讽。他的反应让她既感到困惑又觉得愤怒。迪伦噘着嘴，等着他说出什么妙语来，但他只是笑笑而已，却不点明到底哪儿好笑。他笑起来时竟像换了一张脸，天生的一副冷面上也带了暖意，不过总有什么地方不对劲。他的笑发自肺腑，但笑意却没有传到眼睛上，那双眼依旧冰冷孤傲。

他走到迪伦身边，微微弯下身子，好直视她的眼睛。他靠得太近了，这让她有点不自在，但她仍然原地未动。

"要是我告诉你，你并不在你自以为在的地方，你又会怎么说？"他问道。

"什么？"迪伦完全糊涂了，也吓坏了。他一直态度傲慢，让人抓狂。他动不动就挖苦她，时不时还要冒出几句此类没头没脑的话。他这个问题除了糊弄她，让她自己怀疑自己外还有什么别的意义吗？

"没关系，"他观察着她的表情，恬然一笑，"转过身，你还能再找到那条隧道吗？"

迪伦回头望去，眼前的风景既空旷又陌生，所有的东西看起来都一模一样。触目所及只有风中的濯濯童山，山下沟壑纵横，到处是恣肆生长的植被，它们饱吸露水，乐得有大山替它们遮挡无休无止的狂风。隧道入口甚至连铁轨都无影无踪。怪了！他们并没有走多远。她意识到自己根本分辨不清他们来时的方向了，如果崔斯坦现在离开她的话，她就完全迷路了。一想到这些，她的胸口一阵发紧。

“找不到了。”她喃喃自语，心里明白自己给了这个不大友好的陌生人多少信任。

崔斯坦看着她脸上明白过来的表情，不由得好笑。她现在任由他摆布了。

“我猜你现在甩不掉我了。”他咧开嘴一声坏笑，然后又开始赶路了。迪伦站在那里一动也不动，心里还在纠结。但随着他们之间的距离越拉越大，她的脚像是害怕落单似的，不受她支配地自己动了起来。她爬上一小堆岩石，慢步穿过一片低矮的草地，最后终于赶了上来。他还在大步流星地往前走，两条长腿和大步幅让他能轻轻松松超过她。

“我们要往哪儿走你总该知道吧？”她气喘吁吁地说，脚下还在拼命跟上。

又是得意扬扬的一笑，让人气恼，“知道。”

“怎么知道的？”她要跟上他的脚步，只能把问题精简。

“因为我以前去过那儿。”他回答道。他似乎非常自信，一切尽在他的掌握之中，也包括她在内。尽管她讨厌承认这一点，但除非她想无依无靠地一个人在这儿流浪，除了欣然接受他之外别无选择。他还在继续大步向山上冲，而迪伦久不运动的双腿已经开始火辣辣地疼起来了。

“你慢一点好不好？”她气喘吁吁地说。

“哦，抱歉。”他说。尽管冷若冰霜，但他似乎真的感到了歉意，把速度降到了适中。心存感激的迪伦赶了上来，于是继续提问。

“附近有城镇之类的什么地方吗？有手机能通话的地方吗？”

“这片荒原上什么都没有。”崔斯坦小声嘟囔道。

迪伦咬着嘴唇，忧心忡忡。她到得越晚，她知道她的母亲就会越焦虑。琼同意她这趟旅行的条件之一就是：只要她一到地方见着了她父亲，她就给家里打电话。她不确定已经过去了多久——她刚才在车上昏迷了一会儿——但她确定琼期待她马上和家里联系。要是她打迪伦的电话，听到电话留言的声音，她就会开始担心的。

她也想到了父亲正在火车站等她。或许他会认为她不愿意来了，事到临头退缩了。要是那样就糟了。不，他知道自己坐哪趟车。他会听说火车出了事故，或者是动弹不了了等等诸如此类的事。但她需要让他知道自己现在没事。她觉得，等这场事故处理完了再去阿伯丁就太迟了。她希望父亲能再给她买张火车票，不过她觉得铁路公司至少应该给她一张免费的车票。但琼肯定不愿意放她再出一趟远门了。也许他会来格拉斯哥看她。

但是接下来她转念一想，不由得停下了脚步。如果附近没有城镇，现在天色也接近黄昏了，一旦天黑下来，他们又该怎么办呢？

她四处张望，试图搜寻文明的一点痕迹。但崔斯坦说得一点没错，四周什么都没有。

"你说你以前来过这儿？"她又开始发问了。此时他们刚刚拖着疲惫的脚步走到山顶，正在从另一侧非常陡峭的山坡向下行进，所以迪伦一直注视着地面，紧盯着每一步。如果她此前一直在观察崔斯坦表情的话，她就能看到他的目光一下子变得机警而谨慎了，"那是什么时候的事了？具体什么时候？"

走在她身边的男孩崔斯坦只是沉默不语。

"崔斯坦？"

一大堆的问题，这才刚刚开始呢。对崔斯坦来说，这是个不祥之兆。他尽力想通过微笑让心情放轻松，但迪伦拉着脸愁眉不展，这次她真的是直勾勾地盯着他。他调整了一下自己的面部表情，做出一副不容置辩的样子来。

"你老是要问这么多问题吗？"他眉头一挑说道。

迪伦被他刺得好一会儿说不出话。她转过身，抬头看着天空，望着青灰色的云。云层的颜色随着时间一分一秒的流逝变得越来越阴沉。崔斯坦明白了，“原来是这么回事。”

“怕黑吗？”他问。迪伦皱着鼻子不理他。“看。”崔斯坦采取主动又开了口，“我们还没到目的地，天早就黑了。恐怕今天晚上只能凑合在野外过了。”

迪伦做了个鬼脸。她没有野营的经历，但她很清楚，只要在外面过夜没有厨房做饭，没有浴室洗澡，也没有温暖的床睡觉，那她一定会觉得难受。

“我们没有帐篷，没有睡袋，什么吃的都没有。”她抱怨道，“或许我们应该回到隧道那儿，看看有没有人在找我们。”

他眼珠子一翻，又现出傲慢、自大的表情，“现在再回去也太晚了！最后的下场就是在黑漆漆的晚上四处瞎转。我知道有一个遮风挡雨的地方，我们会挺过来的。今天最糟糕的事你都已经经历过了。”他又补充了一句。

奇怪的是，迪伦一直没有过多地去想这次事故。她刚从隧道里出来，崔斯坦就完全掌控了全局，她只是跟着他，听他指挥。而且，一切都来得太快了，她都没闹明白到底发生了什么。

“看到了吗？”崔斯坦把迪伦从自己的思绪中拉了回来。他指着大约半英里外一处破败的简陋窝棚，小屋紧挨着山底一条狭长的山谷，看起来荒废已久，一面石墙摇摇欲坠，大致确定出屋子的边界。屋顶有几处大洞，门窗也已不知去向。看起来，只要再有个十年左右的时间，这几面正在剥落的老墙也将荡然无存。她木然地点了点头。他又接着说：“这房子御寒挡风还是能起很大作用的。”

迪伦不信，“你想让我们今晚就在那儿过夜吗？看看这屋子！它都快撑不住了。我是说，它只有一半屋顶！我们会冻死的！”

“不会，我们不会冻死的。”崔斯坦的声音中满是轻蔑，“现在雨不怎么下了，可能雨很快就停了，在那儿你就更淋不着、冻不着了。”

“我不会去那儿的。”迪伦态度坚决。要她在一个阴冷潮湿几乎要散架的破屋子里过夜，她想象不出有什么比这更难受的事了。

“不，你会的。除非你想一个人接着走。天很快就要黑了，祝你好运。”男孩撂下几句冷冷的话，迪伦确定他说得出做得出。她该怎么办呢?

走近了再看，小屋并没有变好看一点。花园已经开始重新归于荒芜。他们从前门走进去，费力地穿过蓟、荆棘和茂密的荒草丛。到了屋子里，情况略有改善。虽然没有门窗，风势却减了不少，而另一端的屋顶几乎完好无损。即使晚上下雨，那一半屋顶也能让他们不至于被淋湿。虽然这间屋子像是早就被搬空了，但以前的房主还是留下了许多物品和几件行将散架的家具。但几乎所有的东西都残破不堪，凌乱地堆在地上。

崔斯坦先进了屋，把桌椅扶正，把一个水桶倒扣过来坐在上面，又示意迪伦坐在椅子上。她小心翼翼地坐下，生怕自己一压椅子就垮了。椅子倒还坚固，但她还是不敢放松。听不到狂风呼啸的声音，屋里沉默的气氛愈加尴尬。而且她不用再手忙脚乱地走过那些危险的山路了，所以现在无事可干，只能枯坐在那里，尽量不去看崔斯坦。和一个完全陌生的人困在这么一间陋室里，她别提有多不自在了。可另一方面，此时回味白天受的苦，她又急切地想找个人聊聊刚发生的事故。她看着崔斯坦，不知道如何才能打破沉默。

“你觉得发生了什么意外?我是说，那趟火车。”

“我也不知道。我想，就是撞车了吧。也许是隧道塌方或者别的什么吧。”他耸耸肩，仰头看着头顶上方。他的各种身体语言都告诉她他对聊这个没兴趣，但迪伦不是那种轻易就放弃的人。

“可其他人都怎么了?我们不可能是唯一的幸存者。你那节车厢情况怎么样？”她的眼睛里满是好奇。

他又耸了耸肩，一副爱答不理、事不关己的样子，“我想跟你们那儿情况一样吧。”他的神色飘忽，迪伦看得出他有些不自在。他怎么可能不想谈这些呢？迪伦实在理解不了。

“当时你为什么在那儿呢？”听到这话，他猛然抬头，像受了惊吓似的。迪伦赶紧解释：“我的意思是，你是在哪儿上的车？要去看谁？”话一出口迪伦就后悔了。他的眼神中闪现出戒备之色，迪伦可不喜欢这样。

“我是去看人，”他说，“我姑妈住在那儿。”他的语气像是在下结论，没办法聊下去了。

迪伦在桌面上敲着手指，一边敲一边琢磨这个人。看望姑妈似乎是光明正大，但她怀疑这背后是不是有什么罪恶勾当。这人神神秘秘的，老叫人捉摸不透，除了搞阴谋诡计外还有什么别的解释吗？她现在孤零零地待在这片荒野，和她共处一室的人是不是名罪犯啊？也许她是吓昏了头了——这些只是她受惊吓后的偏执妄想？

“我们怎么吃饭呢？”她这样问主要是想换个话题，因为他的高傲太让人紧张不安了。

“你饿了吗？”他的声音听起来有点吃惊。

迪伦仔细想了想，吃惊地发现自己竟然不饿。她上一顿饭还是下课后去火车站的路上吃的。从路边的小吃店买了一个汉堡，匆匆忙忙就着一杯热健怡可乐吞下去。那已经是好几个小时前的事了。她虽然很瘦，但饭量一向不小。琼总是开玩笑说，哪一天她一觉醒来会变成一个体重二十英石[①]的大胖子。她一直都觉得自己很贪吃。或许现在没胃口是受了惊吓的缘故。

“至少我们需要喝点水吧。”她说，尽管话一出口她就意识到

①英石（stone），英制重量单位，相当于14磅。20英石相当于280磅，约等于254斤。

自己一点也不渴。

“好吧，房子背后有条小河，”他答道，语气有些诙谐，“但我可不敢说水有多干净。”

迪伦仔细考虑了一番，自己到底要不要喝污秽的河水。水里可能有污泥和虫子，这建议真不怎么诱人。她又想到，我要是喝了水，就需要上厕所，这儿看起来可没什么能当厕所的地方。乌云让夜晚来得格外的快，她可不想在黑漆漆的晚上一个人出去找地方方便。想想外面那些荨麻和蓟吧，何况她害怕走得太远，在大家的耳朵都能听到的地方方便总有些顾虑，这也太尴尬了。

崔斯坦似乎透过眼神读懂了她内心的想法。尽管他把脸转向一旁，凝视着窗外的暮色，但迪伦看到他的脸微微抬了一下，这说明他在嘲笑自己。她眼睛一眯，怒气冲冲地朝别的方向看。屋子原来后窗的位置上有个破洞，迪伦透过破洞向外望，除了远处山峦的轮廓外什么也看不见。晚上才刚开始，她就觉得紧张了。

“你觉得我们在这儿安全吗？”她问。

他转过脸看着她，眼神让人捉摸不透，“别担心，”他说，“外面什么也没有。”他话里那种与世隔绝的意味让人不寒而栗，就像想到黑暗里不知名的东西在快速乱爬一样。迪伦情不自禁地打了个寒战。

“冷吗？”他没等她回答，“那边有壁炉，我带有火柴——也许我能把炉子点着。”

他站起来，迈着大步走到石砌的壁炉前。壁炉上方是残存的一截屋顶，炉腔肯定对墙体起了加固作用，因为整个屋子就数这块地方保养得最好。壁炉旁的地上堆着几根原木，他把木头拢在一起，小心地搭成一个摇摇欲坠的圆锥形。迪伦看着他忙活，他平心静气、全神贯注地做事的样子吸引了她。他伸进口袋里摸火柴时朝她的方向瞥了一眼，她赶忙回头继续望向窗外。她脸上泛起红晕，希望他刚才没有注意到自己在看他。壁炉方向传来的低沉笑声证明她的希望落空了，折了面子的她在椅子上坐立不安。耳边传来划火柴的声音，与此同时飘来一缕淡淡的烟。她想象着他把火柴塞进木柴中，尽力引火的样子，但坚决不看他一眼。

"要是不突然刮一阵大风，过个几分钟我们就暖和点了。"他说着站起身来，悠然地踱回他的临时座位。

"谢谢。"迪伦嗫嚅着说。她是由衷地感谢这堆火，火赶走了慢慢降临大地的黑暗。她微微欠身，注视着壁炉里的火焰，观察着木柴上火焰的每一次跳跃。很快，壁炉里的热气开始向外扩散，他们两个都沐浴在温暖中。

崔斯坦又开始向窗外望去，即使外面什么也看不到。刚才的几次谈话总是刚开了头就被打断了，迪伦已经用尽了自己所有的勇气，她不敢在他沉思的时候打搅他。她两臂相交靠在桌上，下巴支在胳膊上，目光躲着崔斯坦，只盯着那团火焰出神。跳动的火苗让她犯困，不一会儿的工夫她的眼皮就垂了下来。

睡意如帷幕般一点点笼罩着她，她听到风在摇摇欲坠的破墙间回旋激荡。虽然她感受不到风吹过时的寒气，但她听得到风呼啸着穿过罅隙与裂缝，想要钻进屋里时的呜咽声，这声音听起来非常古怪吓人。她不安地颤抖起来，但趁着崔斯坦没注意，她尽量控制着身体，不让自己抖得太厉害。

不过是风而已。

Chapter 6

迪伦睁开眼睛的时候，她又坐回了列车上。她眨眨眼，困惑了好一会儿，最后还是轻轻耸了耸肩，接受了这匪夷所思的变化。火车越过道岔时车身剧烈晃动颤抖，随后又安定下来，轻柔地晃动着，发出低沉的隆隆声。她又闭上了眼，头靠在座位上休息。

好像只过了一秒钟，等她再次睁开眼时，有种异样的感觉。她困惑地皱起了眉头。她刚才一定是又打了个盹。车厢里的灯光刺得她把眼睛眯了起来，她轻轻晃晃脑袋好让头脑清醒些。迪伦在座位上有些不自在地换了个姿势。那个女人的袋子占了周围很大一块空间，简直太离谱了。一个橙黄色的手提袋里有东西硌得她肋骨难受。

她想起自己答应给爸爸发个短信，告诉他她现在已经上车了。她有些困难地把手机从口袋里掏出来。一个超大号的购物袋也跟着动了一下，滚到了座位边缘，险些掉下去。对面的女人手向前一伸，又把袋子推了上去。迪伦听到她生气地啧了一声，但没有理会这些。她把手机屏幕解锁，然后开始编辑短信。

爸爸，我在车上。没有晚点太久……

车身猛然颠簸了一下，她的胳膊肘一震，手机从手指间掉了下去。她用另一只手来抓，但只碰到了手机的底部，手机一下子飞得离自己更远了。可怕吧啪嗒一声，手机落到了地面上。迪伦听到手机滑过车厢时剐蹭的声音。

她暗自叫了声“完蛋了”，手指在地板上摸索了几秒钟，终于碰到了自己的手机。手机上黏糊糊的，肯定是哪个蠢货把果汁洒在地上了。迪伦把手机拿起来检查一下受损情况。

不是果汁，手机上满是黏稠的暗红色物质，顺着她的心形手机吊坠慢慢往下淌，把膝盖部位的牛仔裤打湿了一小片。她一抬头，目光与对面女人的眼睛第一次相遇，那双眼也在凝视着自己，没有一丝生气。鲜血顺着她的头皮往下流淌，她的嘴大张着，乌青的嘴唇在尖叫声中向后收缩。迪伦漫无目的地四处张望，正好看到之前她想躲着的两位流浪者队球迷。他们相互搂着躺在那里，两个人头的位置怎么看都不对劲。车身又是一阵颠簸，两人竟然像牵线木偶一样扑通向前栽倒。他们的头跟脖子之间只连着几根细细的筋。乾坤倒转，迪伦张开嘴大叫起来。

一开始先是传来可怕而尖锐的噪声，这声音让迪伦烦躁不安，像是把她身体里的每段神经都锯开了，那是金属之间相互摩擦撕扯的声音。灯光闪烁，整列火车似乎就在她的脚下颠簸痉挛。一股巨大的力量把她从座位上向前甩，她挣扎着穿过车厢，一头栽到前面那个可怕的女人身上。女人的胳膊像是准备拥抱她似的，她大张着的嘴咧得更开了，似在狰狞地大笑。

“迪伦！”一个起先有些陌生的声音唤回了她的知觉，“迪伦，醒醒！”有人在使劲摇她的肩膀。

迪伦大口喘着粗气，猛地把头从桌子上抬起来，刚才她一定是枕在上面睡着了。这时她看到了一双湛蓝色的眼睛，满是关切之色。

“你刚才一直在大叫。”崔斯坦说，他的嗓音中第一次流露出担心和焦虑。

恐惧的梦境还历历如新，女人的死亡大笑还在迪伦的眼前晃来晃去，血管里的肾上腺素还在喷涌。这都不是真的，不是真的。随着意识逐渐恢复，她的呼吸也慢慢平缓下来。

“噩梦。”她小声嘀咕着，无比尴尬。她挺直身子，躲闪着他的目光，四处打量。壁炉里的火早就灭了，但第一缕晨光已经开始照亮天空，周围的环境也已经清晰可见了。

晨光下的小屋看起来要冷一点。四面墙以前都粉刷过，但早已经褪色并开始剥落了。屋顶上的破洞和消失的窗户让湿气渗进墙里，一片片苔藓在上面蔓延。那些被主人随意丢弃的家具和物品看起来都带着些许悲凉。迪伦想象着某个人，在过去某个时间，曾经非常精心地布置房间，屋里的每件陈设都凝聚着特殊的意义和情感。而现在它们全都荒废在此，无人理睬。

不知搭错了哪根筋，一想到这些，迪伦竟呜咽起来。她的喉头一紧，泪水马上就要夺眶而出，涌下脸颊。她这是怎么了？

“我们要走了。”崔斯坦打断了她的思绪，重新把她拉回到现实中。

“好的。”她有些激动，嗓音也变得沙哑了。崔斯坦瞥了她一眼。

“你还好吗？”

“没事。”迪伦做了一个深呼吸，想给崔斯坦一个微笑。她感觉自己这话没什么说服力，但她希望崔斯坦对自己了解不深，看不透自己的心事。他的眼睛微微眯起，但还是点了点头。

“那，有什么打算？”她故意显得轻松愉快，把刚才尴尬的一幕掩饰过去。从某种程度上说，这还真奏效了。

他扬起半边嘴露出微笑，然后向门走去，“我们走路，朝那边。”他用手一指，然后双手叉腰，等着她加入。

“现在吗？”迪伦问，有些不敢相信。

“对。”他应了一声就消失在门外。迪伦望着他刚穿过的门框，一时感到愕然。他们不能就这样走，河里的水都没喝一口，也没去找点吃的，连简简单单冲洗一下都没有。她想知道要是自己就坐在这儿不跟他走，他会有什么反应。也许，他会继续走下去吧。

“崔斯坦，这太荒唐了。”

“还有呢？”他回身看着迪伦，眼中显然含着怒气。

“我们已经走了好多好多好多个小时。”

“还有呢？”

“火车发生事故的地方离格拉斯哥北不过一个小时的车程。这片苏格兰荒地上根本就无路可走，走到最后就是一无所有，一无所获。”

他看着迪伦，狡黠地打量着她，“你想说什么？”他问。

“我想说的是，我们肯定是在兜圈子。要是你真的知道我们要到哪儿去，现在我们早就到了。”迪伦双手叉着腰，准备跟他展开辩论。但让她吃惊的是，崔斯坦的脸看起来几乎是如释重负。这倒让她有点糊涂了，“我们不能就这样一直走个不停。”她又补充了一句。

“你有什么更好的主意吗？”

“是的，更好的主意就是待在铁路隧道那里，总有人会发现我们的。”

他又笑了。早晨对她的关切早已烟消云散，那个傲慢、喜欢嘲笑人的崔斯坦又回来了。

“现在回去太晚了。”他窃笑着说，然后转过身接着朝前走。迪伦满腹狐疑地望着他的背影。他又粗鲁又专横，简直不可思议。

“不，崔斯坦，我是认真的，停下来！”她尽量想在自己的声音里加入点权威的口气，可连她自己的耳朵听起来都像是在绝望哀求。

哪怕隔了十米远，她依然能听到他不耐烦的叹息。

我想要回去。

他又一次转过脸对着她，看得出来，他是尽量克制才保持了一副冷静表情的，“不行。”

她目瞪口呆地看着他。他究竟以为自己是谁啊？他只是个十几岁的小子，又不是她妈。她不敢相信他竟然自以为可以把她使唤得团团转。她把原本叉着腰的手换成抱臂姿势，站稳脚跟，做好动手的准备。

“你说不行是什么意思？你可不能决定我要去哪儿，没人给你这样的权力。你和我一样都迷了路。我现在要回去。”她把最后一句话每个音节都加重了语气，就好像她的话本来就有这么大分量似的。

“你不能回去了，迪伦。已经不见了。”

迪伦被他的话弄糊涂了，她皱着眉头，嘴唇抿成了一条线，“你在说什么啊？什么不见了？”他神秘莫测的话开始让她心烦意乱。

“不存在了，明白吗？没有了。”他摇着头，似乎正在搜肠刮肚想出一个恰当的词，“嘿，相信我吧。”他灼人的目光盯着迪伦的眼睛，“我们已经走了这么远。要回去找到隧道又要走很远。我真的知道我们要去哪儿，我保证。”

迪伦的双脚来回换着重心，她又犹豫了。她急着要回到事故发生的地方，她确信总有负责的人，总有处理事故的人在那儿。但另一方面，她一个人不可能找到那儿，而且她也害怕被抛弃在荒野。崔斯坦似乎觉察出她拿不定主意，回身走到她身旁，两人的距离近得让她感觉不舒服。他弯下膝盖，目光与迪伦的视线平齐。她想往后退几步，但却像一只被汽车前灯照到的兔子一样，定在原地一动不动。迪伦的记忆里忽而浮现出似曾相识的画面，但随后他一直直视着她，两人的目光挨得如此之近，她的思绪又恍惚了。

“我们需要走这边，”他像是在催眠似的轻声说，“你得跟我走。”

他目不转睛地看着她，注视着她的瞳孔逐渐放大，最后几乎掩盖了眼球的碧色，然后满意地笑了。

“来吧。”他下了命令。

迪伦想也没想，脚就顺从地跟了过来。

走啊、走啊、走啊，他们似乎永远在高地上的泥泞沼泽艰难跋涉。迪伦的双腿在呻吟，跑鞋也早就湿了。每走一步，鞋子都要咯吱作响。她的喇叭牛仔裤吸饱了水，几乎快要湿到膝盖了。每一步都异常艰难。

而无论是她怒目而视，还是小声抱怨，崔斯坦都不为所动。他无情地按着自己的节奏走，不言不语，意志坚定，一直保持着在她前方一米左右的距离。偶尔她绊倒的时候，他会把头扭过来看看。然而一旦他确定她没事了，又会决绝地继续向前走去。

迪伦开始觉得越来越别扭。他们之间的沉默像一堵完全穿不透的砖墙。他似乎很讨厌跟她待在一起，好像他当初是迫于无奈才做出承诺，答应照顾她这个很麻烦的小妹妹似的。而她别无选择，只能继续演好她的角色——因为不能随心所欲而怒气冲冲的小女孩，拖着疲惫的脚步继续跟着他走。迪伦现在变得畏畏缩缩，不敢对他那些极不友好甚至可以说是充满敌意的举动稍有抵触。她把下巴缩进外套里，叹了口气。她低头看着脚下的萋萋荒草，草地上的洞和各种奇形怪状的土块都想把她绊倒，她尽量避开这些地方走，但依然徒劳。她轻声细语地哀叹几句，又继续步履沉重地跟着崔斯坦走下去。

又到了一座山的山顶，他终于停了下来，“需要歇一会儿吗？”

迪伦抬眼看看，她埋着头走了很久，现在有点分不清东南西北。

“好啊，那太好了。”她感觉自己很长时间都没出声，现在需要低声说几句话。然而话刚出口，就被刺骨的山风卷走了。不过，他似乎也听懂了。杂草和石楠花间兀立着一块巨石，他缓步走上前，冷冷地靠在石头上，像在站岗放哨似的，远眺着荒原。

迪伦没有那么多精力来找一处合适又干燥的地方。她就地瘫倒，野草上的水一下子就渗进了外套。但是她的鞋和牛仔裤早就湿透了，所以她几乎察觉不到有什么异样。她太累了，一句话也不想说，甚至什么也不愿意想。她现在变得失魂落魄，崔斯坦把她往哪儿领，她就没头没脑地跟在后面。也许他一直就是这么计划来着，她愠怒地想。

很奇怪，她心底里明明知道有好些事都不对劲。实际上，这两天的大部分时间里他们都在走路，却一个人也没遇到；实际上，自从事故以后她一直都没吃没喝，但是却既不饿也不渴；最后一个事实——也是最可怕的一点——她已经四十八小时没有跟父母联系了，他们不知道她在哪儿，也不知道她没事了。不知怎的，这些想法总在头脑里挥之不去，一直在困扰着她，但这些困扰也只是隐隐地发作，就像在奔腾驰骋的骏马尾巴上轻轻拽了几下。她没法把精力集中在这些事情上。

突然，崔斯坦望了她一眼，她正沉浸在自己的思绪里，没有及时把目光移到别处。

“怎么了？”他问道。

迪伦咬着嘴唇，心里纠结自己攒的一百万个问题先问他哪个好。和他聊天太费劲了，他也从来不问任何关于她本人的问题。难道他一点也不好奇吗？迪伦能得出的唯一结论就是他宁愿她当时根本不在那儿。也许他宁愿当时一出隧道就开始走路，根本不用等着看还有什么人出现。迪伦也不确定，要是那样的话，对她来说会不会更好。她本可以就待在隧道口。如果没有人来的话，她本可以劝说自己重新穿回隧道，从另一头出来。那样现在她早就回家了，说不定正在为再去一次阿伯丁和琼吵得不可开交呢。

左侧传来一声遥远的号叫，声音高亢而凄厉，像是动物痛苦的哀鸣。这叫声似乎在周围的群山间回荡，又添了几分怪诞和诡异。迪伦不由得打了个寒战。

“那是什么？”她问崔斯坦。

他耸耸肩，显然没把这个放在心上，“一只动物而已，前一阵子他们带回来几匹狼。别担心。”他说完看着她一脸的紧张，又笑着补了一句，“这儿周围有很多鹿供它们吃，它们不会来找你麻烦的。”

他抬头看了看越来越阴沉的天空。在迪伦不知不觉间，又到了黄昏时分。他们肯定没有走那么久吧？她抱着臂，好让自己暖和一点。风势陡然转强，吹得她乱发拂面。长发在眼前飞舞，如同波影荡漾。她想把头发捋到一边，可伸出来的手指只抓到空气。

崔斯坦离开他靠着的石头，望着暮色说：“不过我们还是得动身了。我们可不想天黑的时候还困在山顶。”

才一会儿工夫天色就很暗了，简直快得不可思议。他们费力地往山下走，迪伦发现自己很难看清路。山顶的这一侧全是碎石子，脚踩上去就打滑。而且最近刚下过雨，山上的岩石也是滑溜溜的。她尽量小心翼翼地往前走，先慢慢挪一小步，一只脚稳稳站定后，另一只脚才开始犹犹豫豫地在地上探。这样走起来异常缓慢，她能感受到崔斯坦又不耐烦了。不过，他还是折返回去和她并排而行，离她最近的一只胳膊半伸着，随时准备在她摔倒时拉住她，这让她略感放心。除了风声和她的呼吸声，她隐隐听得到夜行动物的号叫。

“停。”崔斯坦伸出胳膊挡在迪伦身前。他突然停下，让迪伦吃惊不小，她转过头瞪大了眼看着他。等她看清他的站姿时，不禁吓得浑身一凛。他站在那里一动不动，异常警觉。身上的每块肌肉都绷紧了，严阵以待。他的眼睛紧盯着前方，一边四下扫视，一边迈着小碎步疾行。他双眉紧锁，双唇紧绷。不管前方是什么，肯定来者不善。

Chapter 7

“是什么？”迪伦顺着他凝视的目光看过去，但昏暗中并没有看到什么奇异的东西。她只能分辨出远处群山的轮廓，还有他们刚刚走下来的那条小路。尽管她目不转睛地盯了很久，但没有看到什么东西在动。她刚想张嘴问问他到底看到了什么，崔斯坦就伸手示意她安静。

他把手指放在了嘴唇上。

迪伦赶紧闭上嘴，神情专注地看着他，观察他的反应。他仍然一动不动，眼睛在黑暗中搜索着什么。迪伦又朝他注视的方向瞥了一眼，还是看不出到底是什么让他这样如临大敌。但他的紧张感却能传染，她感到自己的胃正在紧缩，心跳也越来越快。她只能先小心翼翼地用鼻子吸几口气，尽量控制自己的呼吸。

崔斯坦锐利的目光继续盯着前方，过了一会儿，他回头看看迪伦。就在那一瞬间，他的眼睛发出明艳的光芒，如同蓝色的火焰。迪伦不禁屏住了呼吸，但一秒钟过后，暗夜中那双眼又变得像煤炭一样黑了。她只能呆立在那里，心里纳闷刚才是不是自己的想象。

他们站在那里，风力似乎增强了，像鞭子抽打在身上。迪伦的耳边响起一阵噪声，她觉得自己听到的是微弱的号叫声，就像之前听到的动物发出的吼叫。崔斯坦说过它们没什么好担心的，而他此时凝然不动的姿势告诉她完全不是这么回事。

“是狼吗？”她用嘴唇示意，心里害怕极了，不敢出一点声音。他点点头。迪伦再看看前方，目光搜索着黑漆漆的草丛，想找出狼的轮廓，可是前方空空如也。

“我们该怎么办？”她小声问。满心的焦虑让她不由自主地靠近他寻求保护，她对着他的耳朵低语。

“山脚下有一间废弃的小木屋，”他也用耳语在说，但语气急迫，“我们要到那儿去。我们得快一点了，迪伦。”

“但是它们在哪儿呢？”她小声问。

“现在这个不重要。我们得离开这儿。”

他的话让迪伦不寒而栗。她朝黑暗中扫视，既盼着危险能自己现形，又盼着它千万别出现。她什么也看不见，但黑暗却越来越浓重了，连脚下的路也变得一团黑。要是她走快的话，她就会摔倒，或许会把崔斯坦一块儿带倒。

“崔斯坦，我看不见。”她小声嘀咕着，生怕声音被听到了。

“我会拉着你的。”他说，他声音里的果敢自信给了她勇气，让她冰冷的胸口涌动起一股暖意。他伸手去够她的手，他们的手指紧紧扣在一起。迪伦忽然一下子意识到这是他们第一次身体接触。还好天黑了。尽管此时深感恐惧，但她还是对这次牵手有些紧张不安。他的手非常温暖，她的手指被他牢牢抓着，她一下子感觉安全多了。他的一言一语、一举一动中都透着自信，这也给了她自信。

“我们走吧。”他说。

他在前面带路，步伐快了许多。迪伦想尽力跟上，但夜色深沉，她根本看不见岩石和草丛，所以一路不停地磕磕绊绊、跌跌撞撞，下陡坡的时候身子已经失去了平衡。她的跑鞋已经旧了，鞋底都烂了。她的一只脚重重踩在一片碎石子上，石子在脚下一滑。她的另一只脚本想找一个牢靠的立足点站稳，但落地时的角度很别扭，她只能把全部重心都放在这只脚上，踝骨上的肌肉承受了她的全部重量，一阵痉挛紧张。随着下肢的关节一扭，她感到一阵刺痛，腿一弯，身体不由自主地往下倒。但崔斯坦的手牢牢地抓着她，胳膊一使劲，猛地把她拉起，当她的后脑勺快要撞到冰冷地面的时候，一切都戛然而止了。在这一刻，他似乎无比强壮。他只用一只手就拽着她的后背，几乎把她离地举起，最后稳稳地把她放在地上。

“就快到了。”他有点上气不接下气地说。

迪伦向前看，能够辨认出前方不远处一间房子模糊的轮廓。正像崔斯坦说的那样，这是间小木屋。他们离屋子越来越近，小屋的细部也开始呈现在眼前。屋门还算完整，一边一扇玻璃窗子，屋顶是个陡峭的尖顶，从屋顶一端伸出一根略有些倾斜的烟囱。按崔斯坦现在的速度，他们几分钟之内就能到了。

现在脚下的路平坦了，迪伦大步向前走的时候好受多了。她每走一步，脚踝都会有一阵抽痛，但她确定脚只是崴了一下，还没有伤及筋骨。崔斯坦催着她再走快一点。有他在旁边打气，她干脆忽快忽慢地小跑起来。

“你真棒，迪伦，继续。”他对她说。

动物的哀号声越来越响亮，离他们越来越近。现在噪声持续不断，已经交织在一起。迪伦猜不出到底有多少野兽包围了他们。尽管她的眼睛左一眼右一眼地瞥，但始终没看见一只狼。不过，他们快要到了，他们就要成功了。头天晚上他们不得已留宿的小屋简直破败不堪，这间木屋看起来要比那间坚固多了，她不禁心中一喜。他们现在距离小屋已经近在咫尺了，迪伦几乎能看到自己那张受惊吓的脸映在窗玻璃上的倒影。

突然，她感觉自己的心脏周围弥漫着一股冷气，随后肺里的呼吸几乎冻结凝固了。天太黑她看不见它们。她只能分辨出空气中有东西在动，一个黑影接着一个黑影。它们在她的身前旋转，在它们迂回包围她的时候，她能感受到搅动的空气打在皮肤上。

它们不是狼。

“它们来了。”崔斯坦的声音充满了恐惧，这静静的声音好像不是在和她说话。但迪伦听到了，没有什么比这句话更让她感到恐怖了。他说话的样子有点怪，就好像他事先已经知道这些动物要来，就好像他知道它们是什么。他有什么秘密要瞒着自己呢？

有东西从她身边飞驰而过。尽管她的头迅速往回一收，但那东西还是在她脸上划出一道口子。她的鼻梁和脸颊一阵火辣辣地疼。她手一抹感觉湿湿的，她在流血。

“崔斯坦，发生了什么？”她大喊起来，声音飘荡在风声和号叫声之上。那令人恐惧的号叫越来越响亮，夹杂着嘶嘶声和呐喊声。她的胸口冰凉，呼吸间一阵阵刺痛。

前方一片昏暗中，一个黑影闪过，直奔她而来。她没有时间做出反应去闪到路的一旁，她连做好应付的准备都来不及。但是等待中的一击却没有出现。令人惊奇的是，那个阴影似乎直接穿过了她。她不确定是不是自己产生了幻觉，但她感觉像是有一支冰封的利箭穿过了身体。她松开崔斯坦的手，手捂着腹部，想要找到伤口或者破洞，但外套却完好无缺。

“迪伦，不，不要放开我的手！”

她感觉有手指在摸索着找她，于是也在空中够他的手，结果什么也没摸到。紧接着突然间，她感觉像是有成百上千只手抓住了她，那些手无影无形，轻如风烟，但力道又极强。她感觉它们人多势众，要把她往下拖，又不知要把她拖向何方。出于本能，她双臂拼命挣扎，尽力想甩脱它们，但是她的手在空中一无所获。现在到底是怎么回事？既不是鸟也不是兽。她不再动弹，感觉这无形的东西马上退了回去。她该怎样和自己摸不到的东西搏斗呢？在这些生物的合力之下，她的腿一软，瘫倒在地上。

“迪伦！”

尽管他就在她的身边站着，但崔斯坦的声音却像是从非常遥远的地方传来。在群魔狂欢的咆哮和尖叫声中，他的声音几乎难以察觉。现在那些东西全都朝她一窝蜂扑过来。她能感到它们在自己的胳膊上和腿上，穿过她的肚子，甚至爬到她的脸上。它们触碰着她身体的各个部位，火辣辣的，就像结霜的金属贴在裸露的皮肤上一样。越来越多的黑影穿过她的身体，寒气入骨。现在恐惧感不会再让她情绪激动了，相反，恐惧感让她变得虚弱。她没有力气继续和这些无法击败的东西搏斗下去了。

“崔斯坦，”她低声喊，“救命。”

她的声音有气无力，如同在喉咙里嘟囔了一声。她感觉全身无比虚弱，就像是有人把自己的精力全都抽干了似的。那一双双手不达目的绝不罢休，现在很难拒绝它们拖拽的力量。朝着地面，往下，往下，往下，然后令人震惊的是，竟然穿过了地面。尘土和岩石似乎并不像它们看上去那么坚固。迪伦感觉自己可以穿过它们向下滑，好像它们是水做的一样。

“迪伦，”崔斯坦的声音就像从水下传来似的，声音听着既失真又模糊，“迪伦，听我说！”

她能听出他语调里的恐惧，她想安慰他。现在她感觉自己几乎平静了下来，身子轻飘飘的，心里很安静。他也应该冷静下来了。

一只手从她正面粗暴地抓住了她的外衣，攥得她生疼。周围的空气中立刻充满了愤怒的嘶嘶声，那只手攥得很紧，然后把她向上提。她感觉自己像是陷入了一场拔河比赛中。

嘶嘶声越来越强烈，那一双双拉扯着她的手也变成了凶猛的利爪一般，像钢针一样扎在她身上。它们撕扯她的衣服，缠进她的头发里，把她的头硬扳过来，拽着她的嘴唇，疼得她直叫。这些不知名的凶手们似乎很享受这一切，而那嘶嘶声变成了咯咯的笑声，一种带着威胁的尖叫声直接钻进了迪伦的心脏，让她的心冷得战栗。

突然，迪伦被向上拖去。抓着她衣服正面的手把她往上提，一只胳膊绕到了她的膝盖下面，把她举向空中。她两脚悬在半空，头无力地靠在后面，直到攒足了劲才把头抬起来。他知道自己现在在崔斯坦的臂弯里。尽管他把她紧紧搂在胸口，护着她，她却没有时间来难为情，因为那些怪物没有死心。它们抓着她的脚，围着崔斯坦。它们扯着他的衣服和头发，愤怒地在他脸前连劈带砍。崔斯坦没有理会它们，他紧紧地拽着她开始疯跑。那些利爪一击不中，但仍一次次想要抓住他们。当它们飞快地移动包围她的时候，迪伦能感到呼啸而过的空气声。它们又靠近了，近到在她的皮肤上抓出了浅浅的伤口，但它们还是没有抓到她。崔斯坦正领着她飞奔下山朝小屋跑去。

当崔斯坦快要接近那间避难的小屋时，那些东西意识到它们即将失去猎物，尖叫声达到了狂热的地步。它们加紧了进攻，因为它们的攻击对崔斯坦不起作用，于是把目标全对准了迪伦，抓挠撕扯着她的脑袋和头发。迪伦只好把脸躲进崔斯坦的肩膀，寻求保护。

现在，小木屋已经近在咫尺了。崔斯坦飞快地跑过最后几米，脚撞在铺路石上发出砰砰声。他依然没有放开迪伦，打开门冲了进去。迪伦最后只听到怪叫声一齐响起，如同雷鸣。听不到它们说话，但是这一片刺耳的咆哮声中蕴含的情绪很明确：它们非常愤怒。

Chapter 8

他们跨过小屋的门槛后终于安全了，这一刻迪伦记得很清楚，因为那些喧嚣的噪声马上停止了。崔斯坦砰地关上门，手一松让她站了起来，就好像刚才搂着她把他给烫伤了似的。她呆立在那里，害怕地张大了嘴，而他则走到窗边向外望去。

这间小屋跟昨天晚上的那间一样，也没有什么家具陈设。靠着后墙有一条长凳，迪伦跌跌撞撞地走过去，一屁股坐在粗木凳子上，头埋进双手中。恐惧感飞快地传遍全身的血管，她的心跳时急时缓，她尽力控制着，呜咽的泪滴从指缝间滑落。崔斯坦回身看了她一眼，脸上的表情深不可测，但他仍然没有离开窗边的“瞭望哨”。

她把手从脸上挪开，检查了一下自己的胳膊。虽然屋里非常昏暗，她仍然可以看到皮肤上那些纵横交错的抓痕。有些只是擦伤，而有些伤口凿进肉里很深，从伤口往外渗着血。她全身的皮肤都火辣辣地痛。然而，肾上腺素在她的身体里奔涌，让她的手不停地颤抖，她几乎察觉不出自己的痛了。

小屋里也有壁炉。过了几分钟，崔斯坦走过去，在壁炉前弯下腰。没有木柴，迪伦没有听到划火柴的声音，然而很快壁炉里就燃起了一堆火。摇曳的火光中，恐怖的黑影在墙上闪来闪去，给小屋里添了些诡异的氛围。尽管对于火是怎么点着的没有什么合情合理的解释，但迪伦并没有质疑这堆突然而至的炉火。她有太多太多更加重要、更加不可思议的想法。这些念头在她的脑子里纠缠在一起，你争我抢，互不相让。这些念头在她的意识深处寻衅滋事，相互打斗，挣扎着要钻出来，要求得到她的倾听。她的问题太多了，一时反而不知从何说起。

他们就这样待了很久。崔斯坦雕塑一般靠窗站着，表情平静。迪伦坐在椅子上蜷缩成一团，偶尔默默流泪，静静地喘息一下，这是刚才肾上腺素泛滥的副作用。外面寂然无声。不管刚才那些东西是什么，它们现在都退走了。

最后，迪伦终于抬起了头，“崔斯坦。”

他没有看她，似乎还在铆足劲儿准备对付什么东西。

“崔斯坦，看着我。”迪伦等着，终于他慢慢地、不情不愿地回过了头，“那是什么？”她努力让自己的声音平静，然而刚刚哭过，说起话来嗓音依然沙哑，一双碧眼中已然泪水莹莹，但仍然盯着他，希望他能对自己坦诚相待。不管那些东西是什么，崔斯坦认出了它们。他一直在小声嘟囔，自言自语道：“它们就在附近。”当她放开他的手时，他已经知道会发生什么了。他是怎么知道的？他还有什么事情瞒着她？

崔斯坦叹了口气。他知道这一刻早晚要来临，但仍然希望能拖多久就拖多久。但靠宴会助兴时耍的小把戏是掩饰不过去的。迪伦看到了那些东西，亲身感受到了它们。不可能把它们说成是野生动物搪塞过关。他只能老老实实对待她。他不知道从何谈起，用一种她理解的方式解释这一切，也不知道把实情告诉她，又能不能把她的痛苦减到最小。

他不情不愿地穿过屋子挨着她坐在凳子上。他没有看她，眼睛盯着自己交错的手指，好像希望从那里找到答案。

如果他躲不过去，不得不把真相如实相告，他从来都会直截了当脱口而出的。他告诉自己，长痛不如短痛。但实际上这样做是因为他根本就不在乎。不管他们是痛哭流涕、呜咽啜泣、苦苦哀求还是跟他讨价还价，一切都无法改变了。他就在那里无声无息，不闻不问，等着他们接受命运的安排。然后两个人就会心有默契地继续走下去。但是这次……这次他不愿意这样做。

他们靠得很近，他的脸上能感觉到她的呼吸。他转过头，凝视着那一双碧眼。那绮丽的深绿色让他想起树林和大自然，让他的胃部痉挛，让他的胸口发紧。他不想伤害她。他也不清楚自己为什么会这样，但他有一种想保护这个人的渴望，这种渴望比对其他人的都要强烈。

“迪伦，我一直没有对你说实话。”他还是开了口。

他看到她的瞳孔微微放大，但没有别的反应。他顿时醒悟，她已经知道了。她只是不知道他瞒了她什么事情。

“我当时不在那趟车上。”

他顿了顿，揣摩着她的反应。他以为她会抛出一连串问题，一大堆请求和连声控诉打断自己，但她只是等着，如一块石头一样一动不动。她的眼中满是惊恐和迷茫。她对他可能会说出的话感到害怕，但还是决心听下去。

“我当时是……”崔斯坦的声音颤抖，又停住了。该怎么说呢？“我当时是在等你。”

她困惑地把眉毛拢成一堆，但没有说话，这让他略感欣慰。听不到她的声音时，崔斯坦似乎更容易把话说出口。不过他不想说话的时候眼睛不看她，从而伤害她的感情。

“迪伦，你不是事故中的唯一幸存者。”他的声音小得几近耳语，就好像减弱声音对她的打击就能减轻似的，“你是唯一一个没有逃出来的人。”

话说得很清楚，但是它们似乎只是浮在迪伦的脑海，形成不了任何意义。她把自己的视线强行从崔斯坦身上移开，好像要把他说的话加工一下，只专注地看着地上一块破瓦。

崔斯坦不安地在她身边挪了挪身体，等着她的反应。整整一分钟过去了，接着又一分钟过去了。她纹丝不动，只有嘴唇间的一颤才让她看上去不至于像一尊雕塑。

“我很抱歉，迪伦。”他又说了一句。这句话说得很真诚，不是临时想起来后加上去的。虽然他也不知道到底是怎么回事，但自己就是不愿意让她难过伤心。他真想把刚才那番话收回去，但是覆水难收，事情已然无法挽回了。他没有改变这一切的法力，即使他能改变，这样做也是错误的，还轮不到他来充当造物主。他察觉到她的眼睛眨了两下，看着她慢慢明白过来了。现在她随时有可能情绪失控。他几乎不敢呼吸了，提心吊胆地等待着。他害怕她的眼泪。

结果她让他吃了一惊。

“我死了吗？”她最后问。

他点点头，不敢让自己说话。他预想她会将自己的痛苦统统宣泄出来，于是向她伸出双臂，想给她安慰。然而，她却出奇的冷静。她点点头，轻叹一声，然后淡淡地笑了一下。

“我想，也许在冥冥之中我已经知道了。”

不，自己说得还不准确，迪伦想。在这以前她并不知道……但在内心深处某个地方，自己的潜意识一直在密切注意所有不对劲的地方，所有不合乎情理的事情。这些事情太诡异了、太蹊跷了，完全不像是真实的生活。最终承认事实时她觉得没什么可怕的，心里反而如释重负，尽管连她自己也说不清这是为什么。

她想到自己再也见不到琼和凯蒂了，再也不能和父亲见面，享受他们本该有的天伦之乐了，再也不能进入职场、结婚生子了。她感到悲从中来，心情沉重，然而一种内心的宁静感又遮住了忧伤的思绪。如果这一切都是真的，而她也已经预感到了这一点，那么木已成舟，不可更改了。她还在这儿，她还是她，如此已经是万幸了。

“我现在在哪儿？”她静静地问。

“荒原。”崔斯坦回答。她抬头看着她，等着他说下去，“它位于两个世界的中间，你必须要穿过它。每个人都要穿过他们自己的荒原。在这个地方发现你已经死去的真相，然后无可奈何地接受。”

“那些东西呢？”迪伦指指窗外，“它们又是什么？”

尽管噪声已经平息，但迪伦确信那些奇怪的生物没有离开。它们只是潜伏起来，伺机进攻。

“魔鬼，我想你会这样叫它们的。食腐者、恶鬼。它们会拼命抓住穿越路上的孤魂。越是靠近世界的另一端，它们就会越来越孤注一掷，它们的攻击也会越来越疯狂。”

“它们抓我们干什么？”她的声音比耳语大不了多少。

崔斯坦耸了耸肩，不愿回答了。

“告诉我吧。”她恳求道。知道这些做好准备很重要。她不想再被蒙在鼓里了。

崔斯坦叹了口气说：“它们现在还没抓到你，一旦抓到了，它们就会把你卷入水下。一旦被抓到，我们就再也见不着了。”

“一旦在水下又会怎么样呢？”迪伦不解地抬起了眉头。

“我也不是很清楚。”崔斯坦平静地回答。她面露愁容，心里对这个回答并不满意，但她能感觉到这次崔斯坦没有哄她，“但是等它们完事了之后，你就会成为它们中的一员——阴险邪恶、饥肠辘辘、举止疯狂的黑烟恶魔。”

迪伦对空凝视，她一想到要变成那些东西不由得毛骨悚然。惊声尖叫，不顾一切，凶残暴戾。这些东西真的让人厌恶。

“我们在这儿安全吗？”

“安全。”崔斯坦马上答道。他想尽自己所能宽慰她，“这些房子是安全屋，它们进不来的。”

她平静地接受了他的话，但他知道她肯定还有更多的问题，还想知道更多的真相。他会把能告诉她的事情统统告诉她的。至少她应该知道这些。

“你呢？”

她只说了两个字，可后面却潜藏了一千个问题。他是谁？他靠什么过活？在这个世界他是什么身份？等等等等。其中大部分的问题他都是无法回答的，实际上这些答案他也不是都能说得清楚。但有些事他可以告诉她，她有权利知道。

“我是摆渡人。”他开口说道。他刚才一直在盯着自己的手，但会偷偷瞥一眼她的脸。她脸上只有好奇的表情。他松了口气，继续说道：“我引导灵魂穿过荒原，保护他们免遭恶魔毒手。我告诉他们真相，然后把他们送到他们要去的地方。”

“那是哪儿呢？”

关键问题来了，“我不知道。”他苦笑了一下，“我从来都没去过。”

她看起来对这个回答难以置信，“但是你怎么知道到了目的地呢？你把人扔下就自己走了吗？你也知道，这儿是地狱的大门口啊！”

他神情专注地点了点头，但是回答却不容置辩，“我就是知道。”

她噘噘嘴，看来这个回答根本没有说服她，但她没有在这个问题上继续纠缠。崔斯坦长出了一口气，他不想对她说谎，但有些事情是不许他告诉别人的。

“多少人被你……”迪伦顿了顿，不知道该怎么措辞好，“引导过？”

他抬头仰视，这一次他的眼神真的很忧伤，“我真的不能告诉你。成千上万，也许几十万。我做这个已经很久了。”

“你多大了？”迪伦问。

这个问题他能回答，却不想说。他预感如果她知道了真相，如果她知道自己在这里停留了多长时间——不读书，也不长大，没有经历人类的生活，只是这么活着——那他们之间那层微妙的关系也会随即结束。她会把自己当作老人，一个古怪的异类。他发觉自己并不希望那样，于是他决定开个玩笑。

“你觉得我有多大？”他伸出胳膊，让她检查。

“十六，”她说，“但你不可能才那么大。这是你死时候的年纪吗？你不会变老吗？”

“严格意义上来说，我从来就没活过。”他回答道，眼中闪过一丝惆怅。然而很快，那一缕忧思就被戒备的表情取代了。他已经吐露了一些自己不该说的话。万幸的是，她似乎从他的表情中明白了这一点，没有再问更多的问题。

环顾四周，迪伦第一次仔仔细细地观察了一下周围的环境。小木屋是一间长长的房间，屋里的家具与它完全不搭，由于长时间无人照管而破损严重。但比起昨晚的小屋，这间屋子的状况还算不错。门窗都完好无损，壁炉里的炉火很旺，屋子里暖洋洋的。在迪伦和崔斯坦坐着的长凳边有一张旧床，上面没有毯子，只是铺着床垫。虽然看起来这张床已经风光不再，上面已然污迹斑斑，但此时此刻它却显得很诱人。屋里的另一头还有一张厨案和水槽。

她僵直地站起来——她已经不知不觉地在凳子上坐了许久——穿过屋子走到小厨房的位置。她感觉脏兮兮的很不舒服，她想洗个手，但是水槽看起来很古老，已经有很多年很多年没用了。靠近看也不容乐观，两个水龙头上锈迹斑斑。她抓住一个拧了拧，没有出水，她又试了试另外一个。这个龙头也锈住了，她手上加了劲，感觉龙头尖慢慢戳进掌心。她感觉有东西开始流出来，于是希望复萌，又加了点劲连挤带拧。当啷一声闷响，整个龙头的上部都被掰了下来握在她手中，锈蚀已经让金属脆弱不堪了。

“哎呀。”她回过身苦着脸看着崔斯坦，给他看那半截龙头。

他对她咧嘴一笑，然后耸耸肩，“别担心，那个龙头已经坏了好多年了。”

迪伦点点头，负疚感顿时减轻了不少，她把这块破铜烂铁扔进了水槽。她回头快步走到了床边。她感觉崔斯坦正在看自己。她身子一扭，坐在了垫子上，注意到他审视的目光。

“怎么了？”她微微一笑问道。现在真相已经挑明，可奇怪的是，她反而感觉跟他待在一起自在多了。就好像这个秘密是一根把她挡在门外寒风中的楔子一样。

他忍不住也对她笑了起来，“我只是对你的反应很吃惊，仅此而已。你居然一滴眼泪都没掉。”他的声音越来越小，笑容也收敛了起来，脸上又现出愁色。

“哭有什么用呢？”她问，语气中带着一种老道的成年人才有的睿智。她叹了口气，“我要睡觉了。”

“你在这儿很安全，我会守着你的。”

她的确感觉安心，知道他在这儿，夙夜警觉。她的保护人。

“我很高兴是你。”倦意袭来时她小声嘟囔了一句。

崔斯坦面露疑惑，不清楚她这话是什么意思，但听她这样说他还是很高兴。他久久地看着她酣然入睡，看着摇曳的火光在她脸上晃动。她的脸在无意识中异常平静。他心中突然萌生了一种奇怪的渴望，想要抚摸她，手指顺着她光滑的脸颊慢慢滑下去，帮她把盖在眼上的头发拂到一边。但是他没有从坐的地方站起来。他告诫自己，他之所以产生这样的感觉只是因为她年纪轻轻又娇小柔弱。他是她的向导，她暂时的保护人，除此无他。

那天晚上，迪伦又做起了梦。尽管遇到群魔可以为一场梦魇提供足够的素材了，但是魔鬼并不是她梦中的主角。她梦到了崔斯坦。

梦中的他们没有身处荒原，但非常奇怪的是，迪伦却有一种似曾相识的感觉。他们在一片满是高大橡树的树林里，树干粗糙多节，久历风霜，树枝恣肆蔓生，交叠错落，宛如华盖，高举在他们头顶。虽已是夜间，但月光透过树缝漏下来，树叶随风摇摆，树影斑驳，如微波荡漾。清风吹动了她的长发，脖子和肩膀上酥酥麻麻的。他们脚下的路上铺着厚厚一层落叶，有些地方肯定是最近刚下过雨，空气闻起来有淡淡的潮气和大自然的味道。她能听到左手边不知何处潺潺的流水声，简直太细腻婉约了。

在梦中，崔斯坦牵着她的手，缓步在树木间穿来穿去。他们没有走现成的路，而是选择了一条不知通向何处的蜿蜒小道。她被他的手碰到的地方，皮肤就像火烧火燎一般。但她更害怕他松手，要把她的手指从他的掌心抽出来。

两个人都没有说话，但迪伦没有感觉有什么不自在。他们互相依偎已经心满意足，此时任何言语反而会破坏这良辰美景，一派宁静。

小木屋里，在她进入梦乡时，崔斯坦看到她露出了微笑。

Chapter 9

清晨第一缕阳光透过小屋的窗子涌进来。虽然经过了窗格上灰尘和污垢的过滤，但光线依然很强，足够把迪伦唤醒。她虚弱无力地醒过来，把脸上的头发轻轻拂到一边，揉了揉眼睛。一瞬间她竟不知身在何处。她静静地躺着，打量着周围的一切。

这张床既陌生又狭窄，床垫凹凸不平。头顶天花板上的椽子木料坚固结实，看起来它们已经顽强挺立百年了。她眨了两下眼睛，尽力想分辨清楚东南西北。

“早上好。”从左边传来一声温柔的问候，她朝声音的方向猛地转头。

“哎呀！”动作太急了，拧痛了脖子上的一根筋。她一边用手揉着脖子缓解疼痛，一边循声望去，脑子渐渐清醒过来。

“早上好。”她柔声回答，脸上泛过一片红晕。尽管两人昨晚大部分时间都待在一起，但迪伦还是感到尴尬，紧张不安。

“睡得还好吗？”崔斯坦一句正常的礼貌问候听起来却和这里的环境有些格格不入，恶鬼屯于阶前犹不失礼貌。她忍不住笑了起来。

“还不错，你呢？”

他笑了，“我不需要睡觉，这是荒原上的一大怪事。其实你也不需要睡觉的，你只是心里面觉得这有必要，于是就非睡不可。最后你会忘掉睡眠的，要花一点时间慢慢适应。”

她盯着她，一时无语。过了一会儿她才说：“不睡觉？”

他摇摇头，“不睡觉，不吃饭，不喝水。你的身体只是你心像的投射，你的真实躯壳留在车上了。”

迪伦惊得嘴开开合合了几次。这话听起来就像奇奇怪怪的科幻电影。难道她已经身处矩阵？崔斯坦告诉她的所有事情都似乎荒诞不经、难以置信。但当她俯视自己的双手时，她才发现尽管上面全是厚厚的淤泥，但这双手却光滑无瑕，魔鬼留在自己手上的深深抓痕已经不治自愈了。

她的心中千言万语，最后却只是嘿了一声。她向窗外望去，“现在出去安全吗？”她不清楚昨晚上那些怪兽——恶魔是不是在白天也会造成威胁。

“现在安全。它们在阳光下就不活跃。当然，如果天色多云而阴沉，它们足够拼命的话也可能会出现。”崔斯坦看看她害怕的表情，“不过今天我们应该会安然无恙的。大晴天。”他朝窗子指了指。

“那接下来呢？”

“该走了。我们还有很长的路要走。下一个安全屋在离这儿十英里远的地方，这儿的天黑得似乎特别快。”他朝窗外皱了皱眉，似乎在责备这阴晴不定的天气让他们身处险境。

“我已经死在荒原的冬天里了吗？”迪伦的眼神中有一丝调皮，但同时也带着好奇。她想知道更多关于这个奇怪地方的事情。

崔斯坦看着她，心里掂量着话要说到几分。向导们的职责就是护送灵魂穿过荒原，仅此而已。大多数情况下，一旦那些灵魂发现自己现在不过是孤魂野鬼，自家已经身遭不测，他们就会沉浸在自己的痛苦中难以自拔，自伤自怜，对这趟跨越阴阳的旅程再提不起半分兴趣。迪伦和他之前见过的灵魂不一样，她已经平静地接受了现实，完全没有什么过激反应。现在那双探询的眼睛中只有疑问和好奇。他在心里劝自己，多给她一点信息可以让她更容易接受、理解现实。然而实际上，他是想把这一切跟她和盘托出，他是想找个办法跟她走得更近。他深吸一口气，做出了选择。

"是的。"他笑着说，"这是你的错。"

他不得不咬着嘴唇好让自己不笑出声来。她的反应跟他预想的一样：一头雾水还有点生气。她眉头一皱嘴一噘，那双碧眼也眯了起来。

"我的错？怎么是我的错呢？我什么也没做啊！"

他恬然一笑，"我的意思是，这片荒原是你造成的。"她的表情变得既惊愕又困惑，双目圆睁，泪光闪闪，像阳光下波光粼粼的池塘，"走吧。"他从椅子上站起身，走到门边打开了门，"我在路上会给你解释的。"

迪伦走出屋子，外面很暖和。一阵微风绕墙而过，轻拂她的头发，把几束不安分的头发吹到了她脸上。阳光普照，给荒原涂上了一抹亮色。湿漉漉的草叶上，露珠闪烁着微光。群山界破青天色，峻岭巍峨入云霄。万物净洁如洗，迪伦深吸一口气，在清新的早晨身心迷醉。然而地平线的方向上乌云星罗棋布。她希望太阳把乌云驱散，好让他们悄无声息地度过美好的一天。

她跟在崔斯坦后面谨慎前行，尽量避开在碎石间潜滋暗长的蓟和荨麻。崔斯坦就在几步之外等着，身体重心不停地从一只脚换到另一只脚，潜台词是他急着赶路。

迪伦做了一个鬼脸。更远的跋涉。她现在明白了他们要去往何地，为什么必须尽快赶到那儿，但这并没有让这趟旅程多一点吸引力。

“为什么荒原不能稍微平坦一点呢？”她走到崔斯坦跟前，小声地抱怨。

他得意地笑笑，没有回答，而是脚跟一转，接着大踏步向前走。迪伦叹口气，把牛仔裤稍稍往上提，只盼这样裤子不至于湿透，但心里清楚，这样做完全于事无补。

他们的这段旅程在小屋的一端开始，沿着一条狭窄的土路前行。小路蜿蜒曲折，穿过一片茂盛的草地。野花杂生其间，在一片绿色海洋中不时冒出星星点点的紫色、黄色和红色。这片草地如同山间半隐半现的绿洲，面积相当于一片足球场，但毫无疑问要比球场美丽得多。迪伦想缓步慢行，饱览美景，手指在草叶间拂过，任花草轻轻挠着手。而对于崔斯坦来说，这只是另一个要克服的障碍。他大步流星，对两边的美景看也不看一眼。他们花了十分钟穿过草地。迪伦很快发觉自己到了今天要翻越的第一座山脚下，不免惊慌失措地抬头仰视。而崔斯坦此时已经开始往山上走了，迪伦紧走几步跟上。

他每一步的步幅都很大，步履坚定。迪伦刚一赶上他，马上就打开了话匣子，“为什么这些……”她指了指荒凉的群山，“都是我的错？”

“而且全都是上坡路，也是你的错。”说完，崔斯坦神秘兮兮地一笑。

“好吧，山不都是这个样子。”迪伦喘着粗气嘟囔了一句，同时对崔斯坦神秘莫测的回答很生气。崔斯坦没有一点羞愧的意思，反而笑起来，脸上露出了几条笑纹。

“我之前就说过，你的身体是你心像的投射。这片荒原也是一样的。”他停了一下，看她踉踉跄跄的，赶紧抓住她的胳膊。她的全部注意力都放在他说的话上，没有注意脚下，“当你从隧道出来的时候，你估摸着自己离阿伯丁还有一半路——身处高原的某个地方，一个偏远、多山、荒凉的地方——所以荒原也就成了这个样子。你不喜欢锻炼，所以只要一走路，你的心情就糟透了。这片地方反映了你的所思所感。当你生气的时候，这里就阴云密布，狂风大作……一片漆黑。你的心里越阴郁，夜晚也就越黑暗。”他望着她，尽力读懂她心里的反应。她回望着他，入神地听着他的每一句话。一丝狡黠的微笑浮上了他的嘴角，“实际上，我之所以看起来是这个样子也是因为你。”

听到这话，她眉头一皱，低着头全神贯注地盯着地面，心里慢慢消化他的话，但是无法一直看他的脸。

“为什么？”终于她还是问了一句，他最后那句话让她大感不解。

“每一个灵魂的向导都应当看起来没有一点威胁。你们必须信任我们，跟着我们。所以我们的相貌自然要看起来对你们有吸引力。”

迪伦仍旧低着头，但双眼圆睁，满脸通红，还是把她的心事暴露了。

“所以，”崔斯坦继续津津有味地说，“如果我没有做错的话，你应该对我有好感才对。”

迪伦突然停了下来，双手叉腰，脸臊得更红了。

“什么？那个是……那只是……我没有！”她气呼呼地说。

他又往前走了几步，然后转身面对着她，咧着嘴乐。

“我没有。”她又重复了一遍。

他笑得更开心了，“好吧。”他回了一句，语气听起来像是在说反话。

“你这个……”迪伦似乎想不起合适的词骂他，于是发足向山上狂奔，每走一步都怒气冲冲的，也不转身看看崔斯坦是不是跟在后面。十分钟前还环绕天边的乌云现在隆隆地朝前压过来，遮天蔽日，一时间天昏地暗。

崔斯坦看了一眼天，对眼前的变化皱了皱眉。他开始追赶迪伦，走起陡坡来如履平地。

“对不起。”他一赶上她，就忙不迭地道歉，“我刚才是逗你的。”

迪伦头也不回，似乎完全没听见。

“迪伦，请你停一下。”他伸手一把拽住她的胳膊。

她试图挣脱他的手，然而他的手抓得很牢，“放开我。”话是从牙缝里挤出来的。迪伦此时羞愤交加。

“听我解释嘛。”他说，声音很柔，几乎是在哀求她。

他们面对面站着。迪伦又累又怒，呼吸声非常沉重。崔斯坦显得很冷静，只有眼神透着小心谨慎。他又扫了一眼天空，云几乎是黑色的。开始下雨了，密集而冰冷的水珠在他们的衣服上留下斑斑点点黑色的污迹。

“瞧，”他终于开了口，“这雨太讨厌了。对不起，但是你瞧，我们必须得让你们跟着我们。如果你们不愿意跟着我们走，如果你们自己在这里走来走去……好吧，你已经看见那些东西了。你一天也挺不下去，即使它们不抓你，你也找不到穿过荒原的路，你就会永远在这儿漂泊下去。”他搜索着她的眼神，观察她对这番话的反应，但是她依然无动于衷。

“我的模样在我看来能给人安慰。有时，比如说和你在一起的时候，我会选择一种看起来应该很有魅力的样子，有时候，我会变成看起来让人望而生畏的样子，这取决于哪种相貌更能打动某个人。”

“那你是怎么知道的？”迪伦好奇地问。

崔斯坦肩一耸，“我就是知道。我了解他们的内心世界，他们的过去，他们的爱憎，他们的感情、希望和梦想。”他说话时迪伦把眼睁得老大。那么，他都了解自己的什么？一连串的秘密、私密的时刻一下子都浮现在她的脑海，迪伦不禁干咽了一下。但是崔斯坦还在接着说：“有时候，我会化身为他们已经失去的人，比如配偶。”他看了看她的脸色，马上发觉自己说得太多了。

“你假装是别人的爱人，他们的精神伴侣，然后骗他们相信你？”迪伦厉声质问道，心里说不出的厌恶。他怎么能如此利用、玩弄一个人最珍贵的记忆呢？这让她觉得恶心反胃。

他的表情变得凝重，“这不是游戏，迪伦。”他的声音低沉且满含感情，“如果那些东西抓到了你，你就完了。我们只是做了必须做的事。”

雨下得更大了，雨水打在地上四处飞溅。迪伦的头发已经淋透了，水顺着脸往下淌，看上去如同泪水。风势也加强了，狂风掠过山峦，钻进他们衣服上的每一个缝隙。迪伦浑身颤抖，抱臂护住前胸想暖和一点，却无济于事。

“你到底长什么样子？”迪伦问。她想看看在这谎言背后他的真面目。

他的眼神微变，但盛怒之下迪伦竟没有察觉。他没有回答，但迪伦不耐烦地扬了扬眉毛。最后，他垂下目光对着地出神。

“我不知道。”他小声说。

一惊之下，迪伦的怒气减了大半，“这话是什么意思？”她问。

他抬起头望着她，痛苦似乎让他的蓝眼睛也黯然失色，变得乌蒙蒙的。他耸耸肩，声音听起来很不安：“我用最合适的相貌出现在每个灵魂面前。在遇到下一个灵魂之前，我一直保持这样的相貌。我不知道自己遇到第一个灵魂之前是什么模样。如果我真的存在，我的存在也是因为有你们的需要。”

迪伦望着他，雨开始变小了。她胸中满是对他的同情。这时乌云忽然散开了，一缕阳光破云而出。她伸出一只手安慰他，而崔斯坦却躲到了一边，脸上悲哀的表情又换成了一张冷脸。她看着他又把自己封闭了起来。

“对不起。”她小声说。

“我们该走了。”他说。望着前面的地平线，想着还有很远的路等着他们走，迪伦木然地点了点头，跟着他往山上走。

此后整个早晨他们都沉浸在各自的思绪中一声不响地走路。崔斯坦心里生气，恨自己开她的玩笑招来一场争吵，连她都变得有点面目可憎了。她让他感觉自己虚伪狡诈，就像那些骗子一样，通常利用人们的感情得到自己想要的东西。他并不指望她能够理解自己，但是她也见识过那些恶魔了，她知道要冒多大的风险。有时候必须要残忍，有时候为达目的真的可以不择手段。

而迪伦心中满是内疚和同情。她知道自己指责他麻木不仁的时候已经伤害了他。这样的恶言恶语并不是出于她的本心，但一想到有人假装成你的母亲、你的父亲，或者更糟的是，假装成你生命中的挚爱……这样的想法太可怕了。但是，或许他这样做是对的。在这个地方，做出错误决定的代价让人不寒而栗。这是生死攸关的大事，重要性甚至超越了生死。那些在她以前的生命中看似重要的争吵，其实都是鸡毛蒜皮的小事，跟这个相比更是有天壤之别。

她也尽力去想象如果一个人没有了自己的身份该是什么样的感受。自我完全由身边的人界定，永远没有独处的时刻，甚至连自己本来的相貌都不知道。她想不下去了。这一次她很欣慰自己还是自己。

正午时分，他们下山的路走了一半，暂时在一处微微向外突出的岩石那里歇脚。这里可以避风，还能一览连绵不绝、令人惊叹的山野景色。云层很厚，但看起来没有蓄雨。迪伦坐在岩石上，岩石渗出的寒气穿透了她厚厚的牛仔裤，但她丝毫不在乎。她伸着腿，靠着山岩。崔斯坦没有坐在她旁边，而是站在岩架前面俯瞰群山，背对着迪伦。这个姿势似乎像是在自我保护，但迪伦清楚他只是想躲着不和她说话。她咬着参差不齐的指甲，想要缓和一下关系，却不知该怎样做才能重归于好。她不想旧事重提，生怕把事情弄得更糟，然而一时又想不出该说些什么才能听起来不那么刻意。她该怎样才能回到之前的心境中去呢？怎样才能重新唤醒那个开开玩笑、无忧无虑的崔斯坦呢？

崔斯坦突然转过身，俯视着她说："该走了。"

Chapter 10

那晚他们住进了另一座小木屋，穿越荒原途中的又一间庇护所。下午过得很快，他们行进的速度让迪伦觉得崔斯坦是在尽力弥补因为吵架浪费的时间，他们在太阳消失在地平线之前就走到了。距离木屋还有半英里的时候，迪伦觉得自己听到了遥远的地方的号叫声。尽管那声音在风中听得不是很真切，但崔斯坦已经再一次加快了步伐，抓着她的胳膊，催着她加紧赶路，这也证实了她刚才的怀疑，危险就潜伏在附近。

他们刚一进入小屋，他马上就放松了。刚才出于担心下颌部紧绷的肌肉也松弛了下来，天然带着几分笑意。他松开了紧锁的眉头，额头上的抬头纹也平复了。

小屋跟之前两个晚上他们待过的那些地方非常像：一间大屋，破烂的家具横七竖八地堆在地上。前门两侧各有一扇窗，后面也有两扇窗。窗子由小玻璃窗格构成，每一扇窗户上都有几面窗格已经破损，风呼啸着顺着破洞钻进屋里。崔斯坦从床边抓起一些碎料，开始修补这些小洞。而迪伦则走到椅子边，颓然坐下。走了一天的路她已经精疲力竭了。但是，如果她不需要睡觉，那她真的会感觉疲惫吗？管他呢，她想。她的肌肉很痛，但也许只是她觉得它们应该在痛。她把这些胡思乱想尽力抛到脑后，只盯着忙碌的崔斯坦。

忙完了补窗户的活后，崔斯坦又开始张罗着生火。他花的时间要比昨天晚上更长，把那堆木头摆弄来摆弄去，又把树枝折断码成一座标准的金字塔形。哪怕火已经噼噼啪啪地发出了欢乐的响声，他还是在壁炉前蹲着没动，好像被催眠了一般，呆呆地对着火苗出神。迪伦终于明白了，他这是在躲着自己。在这个有限的空间里，他这样的小伎俩几乎是行不通的。她决定试着说几句俏皮话，把他从沉思中拉回来。

“如果这个地方是我造出来的，为什么所有的小屋子都是破破烂烂的？难道我的想象力就不能想出稍微体面一点的休息场所吗？配一个按摩浴缸或者一台电视的那种。”

崔斯坦转过头，对着她勉强地笑了笑。迪伦回敬了一个鬼脸，一门心思想让他摆脱郁闷的心情。她看着他敏捷地站起来，穿过屋子，然后一屁股坐在她刚才支着胳膊的那张小桌子对面。他也照搬了迪伦的姿势，于是两人隔着半米，就这样四目相对。他们互相看了对方一会儿。崔斯坦看出迪伦眼中的尴尬，嘴动了动，费了点劲，终于给了她一个真正的微笑。迪伦从中找到了一些勇气。

“看，”她开口说，“在那之前……”

“别为这个担心。”他突然打断了她。

“但是……”迪伦张着嘴还想继续，但什么也没说出口，便又沉默下来。

崔斯坦在她的眼中看到了后悔、内疚——最糟糕的是——还有同情。他心里不禁五味杂陈。一方面，他看到她关心自己的痛苦，为自己感到难过，心里有种莫名的快乐；但同时一股沮丧的心绪也在不断烦扰着他。她让他又重新想起了那些他早就无可奈何地接受的事情。很久以来他第一次为自己的命运黯然神伤。他的生活简直就是一座监狱，永无止境地轮回。他看到那些自私的灵魂说谎、欺骗、浪费上天赐予他们的生命，而这却是他梦寐以求又求之不得的。

“那种感觉像什么？”迪伦突然发问。

“什么感觉像什么？”

他看见她噘起嘴，尽力想找出合适的词。

“护送所有这些人。带着他们长途跋涉穿过荒原，然后看着他们消失，穿越过去，等等等等。这趟下来一定很辛苦。我相信他们中间有些人不值得你为他们这么做。”

崔斯坦看着她，心里暗暗吃惊。他曾经护送过成千上万的灵魂，但他们中间没有一个问过这种问题。怎么回答呢？事实让人难以接受，但他不想对她说谎。

“开始我真没想过这个问题。这是我的工作，我做就是了。保护每个灵魂，让他们平安无恙，似乎这就是天底下最重要的事情。过了很长时间，我才开始看清一些人的真面目。我不再对他们同情怜悯，我不再对他们和颜悦色，因为他们不配。”崔斯坦嘴里满是苦涩，声音也变了调。他深吸一口气，把心中的怨恨压下去，用外表的冷漠遮掩。经过这么长时间，他已经把这张冷脸修炼到家了，“他们穿过去，我必须看着他们走远。就是这么回事。”

很久以来一直都是如此。然后这个人来了，她跟其他人完全不同，这也让他从长期以来扮演的角色中走了出来。他一直对她凶巴巴的——冷嘲热讽、盛气凌人、捉弄取笑——但他不得不这样做。她让他有种头重脚轻失去平衡的感觉。他不是天使，他清楚这一点。她往昔的无数记忆都在他头脑中过了一遍。但是，他身上有种不寻常——不，应该是很独特的气质。当她坐在椅子上局促不安，为他的不幸脸上满是同情与哀伤之色的时候，他心窝里会生出一股内疚之情。

"我们聊点别的吧。"他提议，不想再伤害她的感情。

"好。"迪伦马上同意了，很高兴有机会可以转一下话题，"多说说你的事吧。"

"你想知道什么？"他问。

"嗯。"她飞快地把一下午都浮现在脑子里的那些问题过了一遍，"告诉我你变过的最古怪的样子是什么？"

他咧嘴笑了。她知道要让他心情放轻松，这是最好的问题了。

"圣诞老人。"他说。

"圣诞老人？！"她不禁叫了起来，"为什么？"

他耸耸肩，"那是个小孩子。他在平安夜死于一场车祸，他只有五岁，他最信任的人就是圣诞老人。车祸前的十几天，他还坐在商店里圣诞老人的膝盖上，那是他最美好的记忆了。"他眼中闪出一丝幽默的光芒，"我只好轻轻摇着肚子，喊着'嗬、嗬、嗬'，哄他开心。后来他发现圣诞老人唱《铃儿响叮当》都不在调上，这让他很失望。"

一想到面前的男孩竟打扮成圣诞老人，迪伦就忍不住笑出声来。后来她又想到，他不是曾经打扮成圣诞老人，他曾经真的就是圣诞老人。

"你知道对我来说最诡异的事是什么吗？"她问。他摇摇头，她接着说，"就是看着你，心里想着你我同龄，但脑海深处却知道你其实是个成年人。不，你比成年人岁数还大，比任何我认识的人岁数都要大。"

崔斯坦面带同情地微笑。

"我和大人们总是沟通不畅，他们总爱对我发号施令。你跟他们真的有点像。"她说着笑了起来。

他也笑了，他喜欢听她的笑声，“好吧，如果可以的话，我并不想当什么成年人。你看起来也不像个小孩。你只是看起来像你自己。”

迪伦笑了。

“还有别的问题吗？”

“给我讲讲……给我讲讲你遇到的第一个灵魂吧。”

崔斯坦嘴角一撇，露出一丝苦笑。他任何事都没法拒绝她。

“哦，那已经是很久以前的事了。”他开了口，“他名叫格雷戈尔。你想听这个故事吗？”

迪伦急切地点点头。

那是很久以前的事了，但在崔斯坦心中，当时的所有细节都历历在目。他最初的记忆是自己行走在一片炫目的白光中，没有地板，没有墙壁，没有天空。他在行走，这是地面存在的唯一证据。然后各种具体的景物突然就出现了——脚下的地面一下子成了一条土路，高大而杂乱的篱笆从他两侧拔地而起，虫鸣其间，沙沙作响。入夜时分，头顶漆黑的天空中还有几颗寒星闪烁其间。他能清楚辨认这一切，喊得出它们的名字。他也知道自己从哪里来、为什么在那儿。

“那里有火光，”他说，“浓烟滚滚，蜿蜒曲折窜入云霄。我就朝那个方向走去，我沿着一条巷子走，不知从哪里冒出两个人从我身边飞奔而过。他们离我很近，我能感到空气在流动，但是他们看不到我。当我终于走到火光的源头时，我看到那两个人正在努力从一口井里汲水，但他们的努力全都白费了，他们根本就扑不灭熊熊烈火。根本没人能从那样的大火中逃生，当然，我也是因为这个才到那里去的。”

迪伦盯着他，完全听入了神。他冲她淡淡一笑。

“我回忆起了当时的感觉……不是紧张，而是感到不确定。我应该走进去把他拉出来，还是该站在原地等着？他知道我是谁吗？我必须要说服他跟着我走吗？要是他精神沮丧或者发了脾气我该怎么办呢？”

“不过到了最后，一切都变得简单了。他穿过火中建筑的墙壁，径直走到我面前停住，完好无损。”

“本来当时我们应该离开了，但格雷戈尔似乎没有走的意思，他似乎在等着什么，不，应该是在等着某个人。”

迪伦不解地眨了眨眼，“他能看到他们吗？”崔斯坦点了点头，“可是我当时看不见。”她含混地嘀咕了一句，垂下目光，陷入了沉思，“我那时什么人也没看见，就我……一个人。”说到这儿，她的声音戛然而止。

“灵魂可以暂时看到生命离去的情景，这取决于他们死亡的时刻。”他解释说，“你死去时毫无意识，等你的灵魂苏醒的时候，一切已经太迟了。”

迪伦看着他，睁大的眼睛中满是哀伤。她尽力忍住不哭，但吞咽声依旧清晰。过了一会儿她才说了声：“继续讲吧。”

“人们开始聚集在房子周围。尽管格雷戈尔看着他们时无比悲伤，但他没有从这边走开。一个女人沿着车道飞奔，她为了跑得更快提起了裙摆，脸上带着战栗的表情。”

“‘格雷戈尔！’她声嘶力竭地大喊。那喊声让人心碎，让人备受煎熬。她越过围观的人群，想要冲进房子里，但一个男人拦腰把她紧紧抱住了。挣扎了几秒钟之后，她一下子瘫倒在他的怀抱里，歇斯底里地哭了起来。”

“她是谁？”迪伦低声说。她完全被这个故事吸引住了。

崔斯坦耸了耸肩，“他的妻子，我猜，要么就是恋人。”

“然后呢？”

“接下来是最困难的部分。她哭得死去活来，满脸痛苦的表情。格雷戈尔望着她，朝她伸出了一只手臂，但似乎很快又发觉自己再也无法安慰她了。他一直站在我身旁没有动，过了几秒钟，他转身对我说话。”

“我已经死了，是吗？”他说。我只是点了点头，不敢说话。

“我必须要跟你走吗？”他问道。他无限伤感地看着那个哭泣的女人。

“是的。”我回答。

“我们要去哪里呢？”他询问道，目光还停在她身上。女人只是痴痴地盯着正在燃烧的房子，脸上还带着惊骇的表情。

“他问起这个的时候我心里也发慌，”崔斯坦向迪伦坦白道，“我不知该说些什么。”

“那你是怎么告诉他的？”

“我说我只是一个摆渡人，那个不是由我来决定的。”

“谢天谢地，他还是接受了这个解释。我转过身，走进了茫茫黑夜。格雷戈尔看了女人最后一眼，然后跟在了后面。”

“可怜的女人。”迪伦一边喃喃自语，一边还在为那个突然被撇下，自此孤身一个人的妻子惋惜，“那个男的，格雷戈尔，他知道自己已经死了，他马上就知道了？”她一副难以置信的眼神。

“这个，”崔斯坦回答，“他刚刚从一栋正在燃烧的房子墙壁中穿出来，由不得他不信。而且，在那个年代，你们那里的人们要比现在虔诚得多。他们不会质疑教会，而且对教会传导的东西深信不疑。他们把我当成了天上派来的信使——大概，也就是你们口中所谓的天使。他们不敢对我妄加怀疑。现在的人就要麻烦得多。他们全都觉得自己享有各种权利。”他眼珠转了转。

“唉。”迪伦抬眼看了一下崔斯坦，不知道自己该不该接着问问题。

“什么？”崔斯坦问，他看出了她眼神中的犹豫。

“你为他变成了什么样子？”她脱口而出。

“就是个男人的模样。我记得是个身材高大的男子汉，还留着胡子。”他顿了顿，观察了一下她的表情。她使劲抿嘴，免得咯咯笑出声来，“许多男人都蓄胡须，那种浓密的大胡子。我也有小胡子，我喜欢留这样的胡子，暖融融的。”

这次，她再也绷不住了，但一笑即止。

“你遇到的最难缠的灵魂是哪个？”她静静地问。

“就是你啊。”他笑着说，但眼睛里却没有笑意。

Chapter 11

那天晚上，迪伦几乎没睡，脑子里翻来覆去想着那些灵魂，想着崔斯坦和肯定还存在的其他摆渡人，想着自己的归宿。她觉得自己的身体正在习惯无须睡眠的日子，其实各种想法都在她的脑海中信马由缰，她已经根本睡不着了。

她叹息了一声，蜷缩在破破烂烂、凹凸不平的扶手椅上，辗转反侧。

“你醒了。”在半明半暗之间，从左侧传来崔斯坦低沉的声音。

“是啊，”迪伦小声说道，“脑子里全是事。”

长时间的沉默。

“你想和我谈谈吗？”

迪伦把脸转过来，这样可以看到崔斯坦。他坐在椅子上，望着外面的夜空。但当他感觉她的眼睛在注视自己时，也把身子扭了过来面对着她。

“也许对你有用。”他说。

迪伦咬着嘴唇，思考着。她不想哀叹自己命途多舛，他的坏运气更甚于自己。但是她头脑中有无数的疑问，乱糟糟，闹哄哄。至少崔斯坦能够解答其中一部分吧。崔斯坦对着她微笑，让她又鼓起了勇气。

“我在想过了荒原又是什么？”她开了口。

“啊！”崔斯坦脸上满是理解的表情。他愁眉不展地看着迪伦，“这个问题我真的帮不了你。”

“我懂。”迪伦轻声说。

她尽量不露出沮丧的表情，但这个问题让她越来越困扰。她要去向何方呢？之前她已经见识了在黑暗中徘徊的恶魔随时想把她拖下去，她认为自己要去的不是个很糟糕的地方，肯定是个好地方。否则它们为什么要阻止她去那儿呢？而且那一定是某个地方。如果最终的结局就是陷入无知无觉的昏迷状态，那穿越荒原又有何意义呢？

“困扰你的就是这些吗？”

不。迪伦笑了，笑里带着喘息声，旋即笑声又止住了。她低头看着满是裂缝的石板地，炉火的影子在上面摇曳。它们跳跃舞蹈的方式既诡异又熟悉。

“那些恶魔。”

“你不必担心它们，”崔斯坦语气坚定地说，“我不会让它们伤害你的。”

他的声音听起来非常自信。迪伦抬眼看到他二目圆睁，眼中带着怒火，牙关紧咬的样子，觉得应该相信他说的话。

“好吧。”她说。

两人之间又无语了。但刚刚打破沉默的迪伦对这宁静感到极不自在，而且，她脑中还不断有想法冒出来。

“你知道我最想不通的是什么吗？”

“是什么？”

“就是你看起来不是真实的自己。”意识到自己有点词不达意，她又接着说，“我是说，我能看见你，我能摸到你。”她伸出手，手指朝黑暗中他的方向摸索，但没有勇气去抚摸他，“但是我所看到的，我所感觉到的，并不是真正的你。”

“我很抱歉。”迪伦听出了崔斯坦声音里的惆怅。

迪伦咬着舌头，意识到自己刚才的话太欠考虑了，“很奇怪。”她喃喃自语道。接着，她想弥补自己刚才这句话的冒失，“不过你看起来什么样子并没有什么关系，真的没关系。你脑中和心里的那个才是真的你，知道吗？就是你的灵魂。”

崔斯坦看着她，脸上的表情难以捉摸，“你认为我有灵魂吗？”他沉静地问。

“当然有啊。”迪伦马上实心实意地回答。崔斯坦看出了她的真诚，笑了。她也对着他笑，但笑容最后变成了一个大哈欠。她尴尬地用手捂住了嘴。

“我觉得我的身体仍然觉得它需要睡觉。”她睡意蒙眬地说。

崔斯坦点点头，“开始会有些不适。明天你可能会感觉很不舒服，非常疲惫。这都是心理作用，虽然……”他的声音越来越小，最后消失了。沉默的气氛更浓，简直触手可及。

迪伦抱着膝盖，蜷缩在扶手椅上，目光越过崔斯坦盯着炉火。她不知道自己该不该说些什么，但又想不出什么听起来不傻的话。而且，她心想，崔斯坦可能想要思考事情。不妨让他像以前那样一个人待一会儿。

“我猜开始会容易些。”她默默地想。

“你这是什么意思？”崔斯坦转过身，看着她问。

她没有与他的目光对视，依然盯着炉火，火光让她平静下来，似乎进入了半梦半醒的状态，“一开始，”她说，“当灵魂休眠的时候，我敢肯定它们得到了片刻的平静和安宁。老是要和它们讲话，你一定累极了。”

说到最后一句，她的声音颤抖起来，因为她突然想到自己也是“它们”中的一员。

崔斯坦一时无语。迪伦变得畏畏缩缩，心里解读着这沉默可能包含的最坏含义。当然了，对他来说，她也不过是又一个灵魂而已。迪伦感到无比懊恼，坐在椅子上变得局促不安起来。

“我一定要闭嘴了。”她暗自发誓。

崔斯坦嘴一抿，“你可以说话的。”他安慰她说。

不过，她刚才说的倒是实情。他真的更喜欢旅途的前半截，那时候，灵魂们只是在昏昏沉沉地跟着走，他几乎跟独处差不多。睡眠像一道幕布一样，遮蔽了他们的自私与无知，他也乐得眼不见心不烦（哪怕只有几个小时的时间）。可这个……这个女孩竟然会有同情心，竟然无私地考虑他的感受、他的需要，这让他暗自吃惊。他看着蜷缩在椅子上的迪伦，她看起来简直像是要在那个古老的垫子上找个缝钻下去。他心里有些感动，想做些什么好让她脸上尴尬的红晕消散。

“你想再听一个故事吗？”他问。

“如果你愿意的话……”她羞涩地回答。

他脑子里有了主意。

“之前你问，我摆渡过的最糟糕的灵魂是谁，”他开始讲，“但是我撒了谎。那不是你。”他顿了一下，目光飞快地扫了迪伦一下。

“不是我吗？”迪伦的头靠在膝盖上，顽皮地看着崔斯坦。

“不是。”他发誓一般地说。接下来他的声音里没有了那股子滑稽腔调，“那是一个小男孩。”

“一个男孩？”迪伦问。

崔斯坦点点头。

“他是怎么死的？”

“癌症。”崔斯坦喃喃地说，他只愿意用耳语般的声音讲这个故事，“你真应该见见他。他躺在那里，那场面让人心碎。他又瘦小又孱弱，脸色煞白，由于做了化疗，头上已经没有头发了。”

“你在他面前是什么样子？”迪伦柔声问道。

“一个医生，我告诉他……”崔斯坦顿了一下，不敢确定自己是不是有勇气承认，“我告诉他我能让他的病痛消失，我可以让他重新感觉好起来。他的小脸一下子焕发出光彩，就像从我这得到了一件圣诞礼物一样。他跳下床，告诉我他现在已经感觉好多了。”

崔斯坦打心底里不愿意引导孩子。尽管他们是最乐意跟着他走的，也是最信任他的，但他们也是最难带的。他们不抱怨，尽管他觉得他们最应该抱怨。在你还没有机会长大成人、体验人生之前就死去，多么的不公平啊！

“崔斯坦，”迪伦的声音让刚才还垂着头的崔斯坦猛然抬起头来，“如果你不愿意，你不用非得给我讲这个故事。”

但是他想要讲这个故事，连他自己也不知道为什么。这个故事一点也不愉快，故事结局也并不圆满。但他就是想把自己的一些事讲给她听，那是些有意义的事。

“我们一起走出了医院。他一看见太阳，就不肯把目光挪开，盯着看了很久。”

“第一天过得很愉快。我们轻而易举就到了避难所，我给他表演魔术，凭空变出一堆火，还隔空搬东西，把他逗得很开心。我使出了浑身解数吸引他的注意力。第二天他很疲惫，仍然觉得自己在生病，但是他愿意走路。因为得了重病，他已经好几个月都不能走路了。我没有拒绝他，我原本应该拒绝的。”

崔斯坦羞愧地低下了头。

“我们走得太慢了。在太阳落下去的时候，我背着他走，但还是没能来得及。我跑起来，尽我所能地飞奔。可怜的孩子被颠簸得哭了起来，他能感觉到我的焦急，也听到了恶魔的咆哮声。他那么信任我，我却辜负了他的信任。”

迪伦紧张得几乎不敢问，可是她撇不下这个故事，“出了什么事？”

“我绊倒了……”崔斯坦用嘶哑的嗓音说，眼中闪着火苗的微光，“我绊倒了，他也摔了下来。他减缓了我下坠的势头。就一秒钟的时间，电光火石的一刹那，它们抓到了他，把他拖了下去。”

他的声音停了下来，但起伏的呼吸声仍在沉默中响起。那声音时断时续，如同他在抽噎一般，尽管他的脸颊上并没有泪水。迪伦望着他，表情痛苦，她不由自主地攥住了他的手。屋子里很暖和，但一触之下他的皮肤却是冰冷的。迪伦的指尖在他的手背轻轻滑过，他表情忧郁地看着她，一瞬间过后，他的手翻过来，手指和她的手指缠绕在了一起。他就这样抓着她的手，一根拇指在她的掌心慢慢地画着圆圈。迪伦感觉痒痒的，但她宁愿失去那只手，也不想放开他。

崔斯坦抬头看着她，火光下的阴影在他的脸上跳动。

“明天将是凶险的一天，”他低声说，“恶魔们已经聚集在外面了。”

“我以为你说过它们进不来的。”突然的恐慌让迪伦的声音听起来有些窒息。他的警告说明他很担心，如果崔斯坦也担心的话，那就说明危险真的迫在眉睫了。她心里一紧。

“它们进不来的，”他向她保证，脸上表情异常严肃，“但是它们会等着我们，它们知道我们早晚要出去。”

“我们会安全吗？”她的声音陡然提高了几度，变成了令人尴尬的尖嗓子。

“我们早上不会有事的，”他说，“但是下午我们要穿过一条山谷，下面总是很黑。那里就是它们攻击我们的地方。”

“我记得你说过这里的地貌是由我形成的，是我心像的投射对吗？”

“是，但你心中的荒原建在一个地下结构之上，这也就是为什么避难屋都在同一个地方的原因。山谷就在那儿，它总是在那儿。”

迪伦咬着嘴唇，心里既感到好奇又很谨慎，最后还是决定问他：“你……你曾经在山谷那里失去过什么人吗？”

他抬头望着她，“我不会失去你的。”

尽管他没有明确回答她的问题，但迪伦已经听出了这话的弦外之音。她紧紧抿着嘴唇，尽量不显露自己的焦虑。

“别害怕。”他察觉到气氛不对，于是又加了一句。他的手指轻柔地按着她的手，迪伦的脸红了。

“我没事。”她赶紧回答。

崔斯坦看出了她在佯装镇定。他从椅子上起身，蹲在迪伦面前，依然紧紧抓着她的手。他说话时眼睛直视迪伦，迪伦很想把目光移到别处，但却像是已经被他的眼神催眠了一般，一动不动。

“我不会失去你的！”崔斯坦重复着这句话，“相信我。”

“我相信。”迪伦回答，这次她的话是发自肺腑的。

他满意地点点头，站起身，松开了她的手，眼睛也不再看她。迪伦把手夹在穿着牛仔裤的膝盖之间，她的心在狂跳不止，手掌上的皮肤一阵发麻，她尽量把这一切都隐藏起来。她看着崔斯坦朝一扇窗子走去，看着窗外的夜空。迪伦努力让自己的呼吸变得平缓，心里呼唤着他，想把他从窗子那里拉回来，远离那些潜伏在外面的魔鬼。但他比自己更了解这些家伙，他一定清楚现在他很安全，但她怎样也不会靠近那些东西的。她又在椅子上蜷了一下身子，微微打了个冷战。

“总是这样。”崔斯坦突然开口说话，身子并没有转过来，迪伦怀疑他是在自言自语。他抬起一只手按在玻璃上，房子周围的噪声马上音量翻倍。

“什么总是这样？”迪伦问，希望把他的注意力吸引过来，也把他的手从窗边拿开，外面的鬼哭狼嚎把她吓到了。

为了让她安心，他真的转了过来，手也放下了。

“那些魔鬼们，”他告诉她，“它们总是会变得更加饥饿，更加贪婪，如果遇到一个……”他顿了一下说，“像你这样的灵魂。”

迪伦皱着眉，他说话的语气就好像这是她的错一样。

“这话是什么意思？什么叫像我一样的灵魂？”

他看着她思索了片刻，“这些恶鬼是无论什么灵魂都来者不拒，照单全收的。但纯洁的灵魂对他们来说就如同一顿大餐。”

纯洁的灵魂？迪伦把这句话在脑子里翻过来倒过去琢磨了好一会儿，想搞清楚到底是什么意思。“纯洁”根本不是她用来形容自己的词，至少她母亲绝不会这么想。

“我不纯洁啊。”她说。

“不，你是。”他非常确定地说。

“我可不是，”她争辩道，“问问我妈吧，她老是对我说我是……”

“我并不是说你完美无缺，”崔斯坦打断了她，“一个纯洁的灵魂……是天真无邪的……”迪伦摇着头，随时准备再次否认。但是他接下来说出口的这个词让整个屋子一下子充满了火药味，“处女……”

她的嘴张开又合上，合上又张开，来来回回了几次，就是发不出一点声音。崔斯坦仔细观察着她，她似乎控制不了脸上的肌肉和血液，血一下子涌到脸颊，顿时满面通红。

“什么？”终于她结结巴巴地吐出一个词。

“处女……”他又重复了一遍。迪伦拼命保持眼珠不动，好掩饰自己的尴尬。她却觉得那重复实在是多余。“任何时候，只要一个进入荒原的灵魂仍是无瑕之躯，魔鬼们就会变得更加咄咄逼人，更加凶险。”他看着她，确信她的注意力全在自己这里，“它们想要你，特别想要你。对它们来说，你的灵魂就是一顿大餐。那些活了太久的灵魂味道是苦的，跟他们比起来，你更加诱人，更加可口。”

迪伦瞠目结舌地看着他，他的话还是让她一头雾水。她只是一门心思想着那个词——处女。他到底是怎么知道这些的？难道这个词就写在她的额头上？不过，紧接着她就想起来了，他曾经跟她说过，他了解每一个灵魂，里里外外一清二楚。她感觉难堪极了，多丢脸啊！还有，他看着她局促不安时嘴唇一个劲地抽动，他是在笑话自己。他紧紧抓着自己手的时候，脑子里就在想这些事吗？她又纯洁又单纯？是个处女？！

她感觉自己蒙受了极大的羞辱，在椅子上坐立不安，但这还不够。她仍然陷在他的注视下难以自拔，就像一只放大镜下的蚂蚁。她从椅子上一跃而起，身上冒出一股子劲，带着她往前走了几步，一直走到窗前。崔斯坦在这之前一直在看着她。她走近的时候，有意不去看他。她满心的难堪滚烫滚烫的，把自己的脸颊都染得绯红。迪伦把额头贴在冰冷的玻璃上，尽力让它们冷却下来。

Chapter 12

当他们从小屋里出来时，那些魔鬼已经踪迹全无了。迪伦环顾四周，提心吊胆地睁大了双眼，过了一会儿才如释重负地吁了口气。虽然如此，还有那条山谷要穿越呢，她想。

这天早上天色阴沉。太阳虽然明亮，阳光却穿不透盘旋山岭、笼罩四野的浓雾。崔斯坦从容不迫地放眼四下打量，然后又看了眼迪伦，同情地笑了笑。

“你很紧张。”他没有问她，直接就下了断语。

迪伦注视着雾霭，慢慢悟到了什么，“这是我造成的吗？”

他点点头。他走到她身边，把她的手攥在自己手里，“看着我，”他以命令的口吻说，“你不用害怕，我会保护你的。我保证。”他稍微弯了弯腿好直视迪伦的双眼。她尽力接住他的目光，感到脸颊上有些发烫。

“你脸红的时候很可爱。”他说。这番话让她的脸红得更厉害了，惹得他又笑起来，“来吧。”他说，转过身放开了她的一只手，但仍抓着另一只，温柔地牵着她向前走。

迪伦在他身后磕磕绊绊地走着，隐隐约约感觉雾霭正在变薄，太阳的光线开始奋力透出来。她觉得自己知道这是为什么，所以脸上的红晕一时半会还褪不下去。两分钟后，她又确信他的话不过是一种策略而已——让她的心情放松，让阳光蒸发掉浓雾，减少来自魔鬼的风险。不过，在他领着她前行时，手仍然紧紧地和她的手扣在一起。

在第一座山峰的峰顶，崔斯坦停下步子，侦察了一下地形。他的目光聚焦在左侧，手朝那里指了指。“看见那边的两座山了吗？”迪伦点点头，“我们要穿过的山谷就夹在那两座山中间。”

“还有很长的路要走。”迪伦疑惑地说。早晨已经过半了，而那两座山看起来还相当遥远。在他们到达之前肯定已到黄昏时分了吧？她当然不想在一片黑暗中被捉到。

“只是视觉幻觉而已，比看上去要近得多，我们一个小时就能到那儿。只要你的好心情能保持住，我们就会安然无恙的。”他低头笑着看她，捏了捏她的手。迪伦感觉阳光似乎立刻亮了一点点，自己心里的感情竟然被周围天气出卖得一览无遗了，太丢脸了，她想。

山腰上只有一条羊肠小道蜿蜒而下，窄得一次只能穿过去一个人。崔斯坦在前带路，他在石块和草丛间择路而行，终于放开了她的手。迪伦慢慢地小心翼翼地跟在他身后，她下陡坡时身子微微向后仰，一小步一小步蹭着地皮走，寻找着安全的着地点。她伸开胳膊，既为了保持身体平衡，同时也是为摔倒时好自我保护。

他们辛苦跋涉了大概半个小时，终于走到了山脚下。脚下的路平坦起来，迪伦长呼了一口气，现在她可以迈开大步朝前跃进了。从这里看过去，那两座护卫着幽谷的山峰巍然耸立。崔斯坦说得没错，它们现在看起来似乎近多了。他们和山峰间只隔了一片平坦的沼泽。大水坑里不时闪烁着微光，长满芦苇的河滩星罗棋布。想到又冰冷又肮脏的水很快就会灌进袜子里，迪伦心里暗暗叫苦，她看了一眼崔斯坦。

“背着人过沼泽不算你领路任务的一部分吧？”她满怀希望地问。

他瞪了她一眼，她只能叹口气，把手伸进口袋里，踮着脚跟朝后晃了一下，不乐意迈出第一步。

“要不我们就在这儿歇一会儿吧？”她建议道，希望能拖延一会儿走进这堆烂泥地里的时间。

“真是个好主意。”他对着她不以为然地皱了皱眉，“我们可以在这儿等到下午，然后夜探深谷。玩的就是心跳，为什么不呢？”

“好吧，我不过是提个建议而已嘛。”迪伦小声嘟囔着，走进了沼泽。她的跑鞋发出吧唧吧唧的声音，给人一种不祥的预感。她眉头紧锁，不过脚还是又干又暖的。她一边继续艰难跋涉，一边心里想，要不了多久。

穿过整个沼泽只有十几英里的路，但其间要穿过大水坑和芦苇丛探着路走，还要蹚过那些烂泥，它们会不时吸住她的脚踝，让她动弹不得，所以她走得异常艰辛、缓慢。崔斯坦对付烂泥似乎比迪伦游刃有余得多，他轻而易举就可以找到坚硬的地面下脚。哪怕他们踩在一样的地方，迪伦都觉得自己要比他陷得更深一点。那里还臭气熏天，而且是她从没闻过的一种臭味，他们每走一步就会飘来一阵腐烂的味道。

行程过半后，他们脚下的路比刚才的更加泥泞。迪伦的脚陷在泥浆里，几乎已经没到了膝盖。她努力想要把脚拔出来，但是无济于事。她的身子先是后仰再往前倾，还是不起任何作用。她又试了两次，最后一边喘着粗气，一边不得不认输了。

“崔斯坦！”她高声叫了起来，尽管他离她不过几米的距离。

他转过身看着她，“什么事？”

她举起双臂，做出无能为力的手势，“动不了了。”

他的脸上露出一丝坏坏的表情，“你想让我帮你什么呢？”

“别耍贫嘴了，把我弄出去！”她双手叉腰，脸上一脸愤怒。他大笑着摇了摇头。迪伦决定改变策略。她放下了胳膊，垂着头，噘着嘴，睁着大眼看着他。

“求你了。”她呜咽着说。

他的笑声更响亮了，不过还是蹚着泥水走了过来，“真可怜啊。”他打趣道。他抓着她的两只胳膊，膝盖保持不动，全身肌肉绷紧，然后身体后仰，使劲地把她往上拽。迪伦听到类似于吮吸似的吧唧声，但是自己的脚还是纹丝不动。

“该死，”他喘着气说，“你是怎么搞成这样的？”

“我就是踩上去了。”她恨恨地说，有点被他嘲讽的神情激怒了。

崔斯坦松开了她的胳膊，往前走了一步。他双臂搂着她的腰，紧紧抱住她，两个人的身体贴在了一起。如此近距离的接触让迪伦的身子微微发紧，脉搏狂跳不止。她希望他什么都没听到。他搂紧她之后，身子向后使劲拉。迪伦感到腿上的淤泥开始松动，随着一声恶心的吧嗒声，这片烂泥地终于放开了她。没有了沼泽的吸附，崔斯坦这一拔让她的身子向前倾去。她朝后面踉跄了几步，想尽力保持身体平衡，喉咙里随之发出怪声，既像是惊声尖叫又像是咯咯地笑。污水飞溅，他们的脸上和头发上全是泥点子。

崔斯坦的双臂紧紧搂着她，挣扎着免得两人一起摔进淤泥里。踉踉跄跄地往后退了十几步后，他们终于站定了。崔斯坦一低头看到满脸泥点子的迪伦正在仰头看着自己。他看到她笑了，也看到了那双令人迷醉的碧眼中的自己。

迪伦在崔斯坦的怀抱中立足不稳，摇摇晃晃，微微有些目眩。

她对着他粲然一笑，在那一瞬间丢下了所有的羞涩。他的目光也在注视着她。时间似乎在这一刻凝固了，迪伦的笑声在喉咙里戛然而止。突然间她感觉呼吸困难，轻轻吸了几口气，微微张开了嘴唇。

下一刻，他却放开了她。他走到一边去，眼睛转向了那些山峰。迪伦迷茫地看着他。这算什么意思呢？她原以为他会吻她，可现在他却连看也不想看她一眼。真是让人一头雾水，而且太尴尬了。她刚才是不是太丢人现眼了？她心里没谱。她的目光又集中在唯一靠谱的地方——地面。

“我们得赶路了。”他说，那声音听起来异常粗鲁。

“好。”迪伦小声应和，心里还有些怅然若失。他转过身继续蹚着泥泞前行，而她则拖着疲惫的步子跟在后面。

崔斯坦先蹚过了这片沼泽，尽力想把两人之间的距离稍稍拉开，好让自己有时间思考。他感到很困惑。几十年来，或许几个世纪以来——在这片荒原很难准确计算流逝的时间——他曾经保护引领着无数的灵魂走完这段旅程。最开始的时候，他扮演的是安慰者的角色，后来证明这种方式不可能维持下去。他曾经关心着每一个灵魂，倾听他们的遭遇，尽力抚慰他们。因为他们失去了生命，也不再有未来，当然还要忍受抛下亲朋挚爱带来的痛苦。每一个在旅途终点对他挥手告别的灵魂都会带走他的一部分，将他的心掰掉一小块。过了一段时间，他变得麻木无情起来。他不再安慰他们，所以他们也不再进入他的心扉。在过去的几年间，引领灵魂对他来说无异于是日常琐事。他尽可能不多说话，能把真相瞒多久就瞒多久。他成了一台冷漠的机器，死者们的卫星导航系统。

这个女孩已经让曾经的自己又回来了一部分。她在很早的时候就已经发现了事情的真相，然后平静接受，比很多寿终正寝的人都要成熟得多。她把他当人来对待，在这片荒原上，这可是很稀罕的事情。灵魂们都沉浸在自己消亡的悲伤中，甚至不曾想过他们的向导也是人。她是个值得他保护、值得他关怀的灵魂。他愿意为了这个灵魂献出自己身体的一部分。

但这种感觉还远不止于此，他说不清这种情愫到底是什么。把她揽进臂弯之后，他的内心深处荡起了波澜。奇怪的感情，这种感情会让他的脑子里只想着她，全然不去注意天上的太阳正在缓慢而危险地落下去。他几乎感觉到了……人性的萌动，这样说当然不准确，但崔斯坦找不出别的词。对，就是人性。

可是他不是人类。他强迫自己清醒过来，提醒自己这样的感情是危险的，只会让他放松注意力，把迪伦置于险境。他必须压抑这样的情感。

“崔斯坦。”迪伦的声音打破了他的沉思，“崔斯坦，天越来越黑了。要不我们等到明天再过那条峡谷吧？”

他摇摇头继续走，“不行，”他回答，“峡谷这边没有安全屋。我们今晚必须穿过去，要能走多快就走多快。”

迪伦听到他说话的声音里压抑不住的恐惧感，心头像打了一个死结一样。她知道自己害怕也于事无补——而且，这样的恐惧感只会把事情变得更糟，但她就是压抑不住。

又艰难跋涉了十分钟，脚下的地面开始变得坚硬，连荒草踩上去都不再柔软。她的脚蹭着韧劲十足的草茎走，尽量想用它们刮掉运动鞋和牛仔裤上粘的一层污泥。她不敢停下脚步好好清理污泥，她能感觉崔斯坦急不可耐地加快了脚步。最后水洼几乎看不到了，迪伦抬头才吃惊地发现他们已经身处两座山峰的阴影之下了。在她前方就是崔斯坦似乎一直忧心忡忡的那条山谷。

看起来没有什么与众不同。一条宽阔的路蜿蜒穿过其中，两侧的山坡微微向上倾斜。迪伦原来还以为这条路只是一道罅隙，窄不容身，会让人产生幽闭的恐惧感呢。她刚感觉如释重负，但崔斯坦如临大敌的架势不由得让她心里又翻腾了一下。她提醒自己，他对危险潜伏在何处要比自己看得准多了。愁眉不展的迪伦赶紧加快了脚步，尽力缩短两人之间的距离。

迪伦心急火燎地想要尽全力冲出去，但崔斯坦却在山谷的入口停了下来。他似乎正在为即将到来的一场恶战做好准备。迪伦狐疑地看着他，他是不是想起了当年他带到这里的那个灵魂呢？有多少灵魂跟崔斯坦一起走上了这条路却没有走出去呢？迪伦越想越紧张，不由得手指张开，勾住了他的左手。她怯生生地冲他一笑，紧紧攥着他的手。崔斯坦对她僵笑了一下，然后目光又转回山谷，眼神中带着无畏。

“快到了。”他嘟囔了一句，声音小得让迪伦疑心这句话是从他心里飘出来的。

Chapter 13

穿过这条山谷本来应该是一件相当惬意的事。这里的路全部由小鹅卵石铺成，又平坦又宽敞，让迪伦想到了沿着久已废弃的铁路线在乡间漫步的情景。这条路顺着两山之间的低谷曲折向前，显得优雅从容。两边的山坡也不给人逼仄局促的感觉，而是起伏平缓，上面长满了小草和野花。如果草坡上方没有那些突兀的悬崖峭壁，这里简直是风景如画。向内侧弯曲的崖壁巍然耸立，直插云霄。极目仰视，唯见一线天空，微弱的天光驱散不了地面上越积越深的阴影。黑暗笼罩了这个地方，阴影包围了迪伦，她忍不住打起了冷战。

她身边的崔斯坦沉默不语，神情紧张地兀自健步如飞，还不时快速地扫视周围。他的紧张感也传染给了迪伦，她不敢看四周，只是目不斜视地盯着前方，祈盼他们能不出什么岔子顺利通过。

她眼睛的余光只能分辨出蝙蝠们飞来扑去的模糊身影。不，不是蝙蝠，她突然意识到，那是恶魔。它们顺着岩壁一跃而下，然后在他们的头顶低空盘旋。迪伦紧抓着崔斯坦的手指，尽量不去看它们。

但她无法对它们视而不见。她觉得自己又听到了那熟悉而瘆人的吼叫。她现在一听到这样的叫声就会联想到恶魔。但空气中回荡的并不是那种高亢的哀号，而是另外一种噪声。

“你听得到吗？”她简短地问了一句。

崔斯坦点点头，表情阴沉。

这声音听起来像是一千个人在窃窃私语。尽管听不清说的什么，但却来势汹汹。

“这是什么？”她颤声问道。她的头来回转动，扫视着天空与悬崖，想找到声音的源头。

“不是从上面发出来的，”崔斯坦告诉她，“在我们下面，你听一下地面。”

对迪伦来说，这个要求太古怪了，但她还是凝神静气注意聆听可能会从她脚下发出的声音。一开始，她只能听到自己的脚嘎吱嘎吱地踏过散落在路上的沙砾和小石子时发出的声音。可是现在当她特意倾听时，才发觉那些古怪的嘶嘶声真的来自脚下。

“这是怎么回事啊崔斯坦？”她问道，声音小得几乎连自己也听不见。

“恶魔。它们正在我们脚下聚集，瞅准了机会就会发动袭击，它们会成群结队从地下冒出来。这是它们一贯的伎俩。”

“为什么呢？”迪伦轻声问。

“我们现在位于荒原的中心，”崔斯坦解释说，“这是成千上万的恶魔潜伏的地方，阴影在这里几乎永远不会消失。它们知道在这里有机会得逞。”

“它们要等什么样的机会？”她哽咽着几乎说不出话来。

“一旦我们在阴影里走得够深，它们就会袭击我们。在这里，它们无须黑夜。”他的声音非常严肃，但那种恐怖的语气比他说话的内容更让迪伦觉得不寒而栗。

“我们该怎么办？”

他惨笑一声说：“什么都不做。”

“难道我们不应该赶紧跑吗？”迪伦并不怎么擅长跑步。尽管她身材不胖，但身体并不怎么好。她没有锻炼的习惯，学校开设的体育课更是一种折磨。她一直觉得自己要是被人追赶，就只能拼命地跑。她悲哀地想，看样子现在是时候逃跑了。

“除非迫不得已，否则不要跑。保存一下体力，把它们用在紧要关头吧。”他说着，淡淡一笑，笑容转瞬即逝。

“紧紧抓住我，迪伦。别放手。我告诉你该跑的时候，马上跑。你沿着这条路，穿过山谷就有一间安全屋。你只管朝着屋子跑，千万别回头。进了门你就安全了。”

“你会在哪儿呢？”她焦急地小声问。

“就在你身边。”他冷冷地说。

迪伦睁大了眼睛，眼神中满是惊恐。她尽力死死盯着前方的路，攥着崔斯坦的那只手由于太过用力，手指都在微微颤抖。地下的隆隆声似乎越来越响，整个地面都仿佛在冒泡、融化，好让恶魔们全都钻出来。她费了一会儿工夫才分辨清楚地上的图案，然后就意识到，那就是阴影。她看到周围的山谷正变得越来越黑，悬崖似乎也在不断向他们靠近，不禁呼吸越来越急促，大气也喘不匀了。他们已经走到了阴影深处，还有多久那些恶魔就会破土而出呢？

空气似乎在瞬间就变得冷飕飕的，一阵寒风顺着山谷的岩壁而上，吹得迪伦的头发盖住了脸。耳边是风的低语，和地面上的噪声相应和。她清晰地辨认出了其他恶魔的吼叫声，那哀号声就在他们的头顶。它们正从四面八方围过来。

在那一刻她感觉时间似乎在一片混沌的边缘停止了。她身体里每一根神经都绷紧了，血管中肾上腺素汹涌澎湃。她的肌肉似乎也兴奋起来，随时准备接收她的命令。她深吸一口气，灌进肺里的空气让她的耳朵里呜呜作响。

她还没来得及把这口气呼出去，还没来得及眨一下眼睛，时间就一下子跳到现在，所有的事情都在一刹那发生了。无数恶魔像黑色的小蛇般突然冒出来，地上顿时黑烟滚滚。它们在空气中翻滚扭动，气势汹汹地发出嘶嘶声。成百上千，成千上万，铺天盖地，遮蔽了她的视线。迪伦目瞪口呆地傻看着，她之前从未见过这样的情景。一个恶魔从迪伦的胸口钻了进去，在里面抓来抓去，然后又从她后背钻了出来，她的心一下子结成了冰。不知什么东西卡在她的头发里，又扯又拽，头皮上一阵阵刺痛。还有利爪牢牢钳住了她的肩膀和胳膊，使劲拖拽着她。

“迪伦，快跑！”崔斯坦的声音穿过喧嚣与纷乱，直达她头脑正中。

跑！她自己也在心里重复了一遍。跑！可是她动不了，腿完全僵硬了，就好像它们已经忘记了该怎么挪动。她以前看的那些恐怖片里有些人遇事会吓得四肢瘫软，结果沦为抡着斧子的杀人狂的牺牲品，她还总是嘲笑人家，可现在轮到自己了，她吓得完全动不了。

他猛地拉起迪伦的手，她这才趺跌撞撞地迈开步子。快跑、快跑、快跑，她不断默念着，铆足了力气随他沿路飞奔。恶魔们尖叫着在她周围盘旋，但好在它们暂时没法跟上她的脚步抓住她。

身边的景物随着她的飞奔快速移动着，虽然还没看见安全屋，但她知道自己已经快要找到它了。可她在全力冲刺的时候就清楚自己没法这样跑太久，她感觉双腿火辣辣的，已经不太听使唤了。呼吸越来越急促，越来越不均匀，每吸一口冷气胸口都撕心裂肺地痛。她的胳膊还在匀称地摆动，奋力地让她继续跑下去，可步子却越来越慢。恶魔们的利爪已经抓住了她，使劲地把她往后拽，她的脚步更慢了。她知道，除非小屋就在眼前，否则自己坚持不下去了。

有东西使劲拉住了她的手，力道之强，几乎把她向后带倒。迪伦的肩窝一阵剧痛，不由得叫了起来。片刻后，她才醒悟过来是怎么回事。她的双手已经攥成了拳头，赤手空拳。

“崔斯坦！崔斯坦！救命！”她在喘气的间隙有气无力地说。

“迪伦，快跑！”她听到他在大喊。他不在自己身边。他去哪了呢？她不敢回头看，生怕摔倒。她全力以赴地按他教的去做——跑，尽力跑，越快越好。

那是什么？在她正前方，大约有四百米的距离，朦朦胧胧有一个正方体。那一定是安全屋了。她如释重负地呜咽起来，尽力绷住了自己本已疲惫不堪的肌肉做最后一搏。

“加油，加油，加油，加油！”她小声嘟囔着，命令自己的身体继续前进。这一刻她忘记了疼痛，反而比刚才跑得更快了，她逼着自己以冲刺的速度跑完剩下的几米。门已经敞开了，在等着她进入。

“崔斯坦，我看见小屋了！崔斯坦！”马上就有几个恶鬼朝她俯冲下来，撕开口子钻进她的身体里，最后这几个字就噎在了喉咙里没说出口。这些恶鬼似乎是无影无形的，但她能感到它们在抓她的心脏。她变得步履蹒跚，踉踉跄跄，连自己的腿也很难控制了。

“不，”她喘息着说，“不，不，求你了。我应该在那儿！我得去那儿！”

可她根本动不了。那一双双冰冷的手抓着她的内脏，扭来扭去，寒气入骨，让她气息全无。她的每一寸身体都渴望停下来，躺在地上，任恶魔们把她轻轻拖到那漆黑一片的地方让她安眠。在那里，她可以安息而不用再苦苦挣扎。

突然，崔斯坦的话回荡在她的意识深处，“你只管朝着屋子跑，千万别回头。进了门你就安全了。”她脑海里随即浮现出他对她说话的真切样子。

她全凭意志又一步步地向前挪，朝着那扇开着的门。每一步都很痛苦，每一次呼吸都是钻心的疼。她的身体在呐喊，叫她停下来，叫她放弃。但她却仍然坚定、顽强、奋力地向前。她一寸寸地接近那扇门，尖叫声、咆哮声和嘶嘶的声音也越来越响亮。恶魔们加紧进攻，对她又拖又拽，又撕又扯。它们在她眼前转来转去，企图弄瞎她的双眼。就在离大门还有几米距离的时候，她双膝跪倒，筋疲力尽。她使劲地把眼睛合上，强迫自己承受疼痛的肺部呼吸，开始往前爬行。手下的地面异常冰冷，小石子磨着她的手掌，刺入她的膝盖。她不顾一切地往前挪，只想着往前挪。

她穿过门槛的一刹那，噪声立刻消失了，体内的寒气也化作隐痛。她现在已经耗尽了全部力气，瘫倒在地上，大口大口地喘着。

“崔斯坦，我们成功了！”她哑着嗓子说，连把头从地上抬起来的力气都没有了。

他没有回答。身后也没有呼吸的声音，小屋里没有任何动静。她的心一下子又变得冰凉，比刚才还要寒冷十倍。她吓得不敢转身。

“崔斯坦？”她低声问。

她翻身仰面躺了一会儿，因为太害怕再看到恐怖景象而紧闭双眼。最后，了解真相的渴望还是压倒了内心的恐惧。她勉强让眼皮睁开，打量眼前的景象。

不。

她顿时失声痛哭起来。门前空空荡荡，窗外夜色如磐。

崔斯坦没有突出重围。

Chapter 14

迪伦不知道自己在地上躺了多久。她的目光始终没有离开过门口，崔斯坦随时都可能会走进来。虽然他可能经受了狂风侵袭，累得上气不接下气，但一定会安然无恙。他会平安出现，接着掌控住局面。这是必需的。她的心在胸膛里怦怦乱跳，把僵硬的肌肉扯得生疼。她的体力已经在过度劳累中耗尽，身体开始颤抖起来。

又过了大概几分钟，但感觉却像是过了很久，寒气开始从地上侵入她的身体，钻进了骨头深处。她颤抖的四肢开始僵硬，她知道必须要挪一下地方了。

她从地上坐起来，肌肉一阵剧痛，她不由发出一声呻吟。她仍然不敢把目光从门口挪开。只要她一直看着那里，崔斯坦就随时可能会到来。她的潜意识深处有个声音告诉她，这个想法太荒唐了。但是她仍然执着于这个信念，因为要让她的恐惧感不至于涌到嗓子眼，然后失控尖叫，这是唯一的法子了。

迪伦尽力支撑起颤抖的双腿，借助门框的帮助，她终于站了起来。她紧紧抓着那块摇摇欲坠的朽木，又恐惧又疲劳，连一丁点力气也没有了。她站在门槛上，可以听到外面恶魔们的低语声和咆哮声，尽管这避难所附近有什么东西已经让噪声小了不少。她的脚牢牢地扎在门槛后，只把头探出去望着夜空，希望能看到那双蓝蓝的眼睛或是那一头凌乱的金发。她的眼睛一无所获，但是连续的噪声却袭扰着她的耳朵。企图朝她扑过来的恶魔们被安全屋的某种魔力击退，发出一声声愤怒的吼叫。迪伦倒吸了一口冷气，把头缩了回来，那噪声立刻减弱了。

迪伦慢慢地从门口退回屋里。她突然踩到了什么东西几乎绊倒，在那电光火石的一瞬间，她的目光暂时离开了门口，但是屋里一片漆黑，她看不清自己到底踩到了什么，这让迪伦感到毛骨悚然。她无法忍受晚上独自一个人待在黑暗中，那样她会疯掉的。

火！这些小屋里总有壁炉。可她必须转身离开门，这就意味着要面对崔斯坦可能离开的现实。不，她告诉自己，崔斯坦会回来的。等他到的时候，她应该恰好能生起火了。她摸索着穿过屋子，在小屋的一头真的有一个石壁炉。她跪下来，用指尖摸索。她的手指拂过炉栅里的炉灰和木块。她在它的左边找到了一些干木柴，但是没有火柴，也没有家里那样的电子开关，能在暖风机吹出热空气的同时让电子火焰摇曳舞蹈，那样的热风和灯光一样让人渴望。

“拜托了。”她低声说着。她意识到自己是在恳求一个无生命的东西正常运转，但还是没办法阻止自己，“求你了，我需要这个。”说完最后一个词，她的那点镇定土崩瓦解，压抑已久的啜泣再也压不住了。她的胸口颤抖，双目紧闭，第一滴泪水顺着脸颊滑落下来。

一声噼噼啪啪的爆裂声让她睁开了眼，瞬间显露惊惧之色。但眼前的一幕却让她惊讶得倒抽了一口气。壁炉里冒出了火焰，火苗微弱，在从门口吹来的风中摇曳不定，却顽强地持续燃烧着。迪伦的手不由自主地伸出来，抓起了一把木柴。她小心翼翼地把它们放在火上，屏住呼吸，生怕自己一时的毛手毛脚会扼杀这初生的火焰。

它们坚持了下来，但是在风中继续发出噼噼啪啪的声音。迪伦回身看着门，感觉关上大门就像关闭了希望，同时也意味着将崔斯坦挡在了门外，但她不能让这堆火熄灭。像电影慢镜头一样，她缓缓地站起身，朝门口一步步挪过去。她停在那儿，心里做着思想斗争，恨不得冲出门外，不顾一切地寻找崔斯坦。那就意味着把自己拱手献给恶魔们，崔斯坦也不想看到这样的事发生。没法再看下去了，她闭上了眼，关上了门。

门闩随着咔嗒一声轻响闭合了，迪伦的心里好像炸开了一样。泪水模糊了视线，她泪眼蒙眬地跌跌撞撞穿过屋子，一直走到摸起来像是床的东西那里才停下。她扑倒在上面，恸哭失声，似乎整个人都被这哭泣压垮了。恐惧感包围着她，她在努力克制心里升起的一股强烈的渴望，想要冲出门外大喊大叫乱踢乱打一通。

“哦，上帝啊，哦，上帝啊，哦，上帝啊！”她在啜泣的间隙一遍遍自语。她该怎么办？没有崔斯坦指引，她完全不知道自己该去向何方。她会迷路，在荒原上一直徘徊到夜幕降临，最后成为恶魔们轻易捕获的猎物。难道她就必须待在这里等着吗？谁又会来管她呢？如果她不需要吃喝的话，她是不是就要在这里一直待下去呢？就像荒唐的童话故事里那些受了诅咒的落难公主盼着王子来拯救自己？

接着，她的脑海里又出现了别的事。孤独和恐惧让自从出事故以来一直没有机会想的那些事统统翻了上来。她的眼前浮现出琼的样子，她想象着她现在会在哪儿，自己的葬礼不知举行了没有。在想象中，她仿佛看到了妈妈接到医院传来的噩耗时的情景，看到了她脸上那种极度震惊的表情，看到她漂亮的弯眉皱成一团，手捂住了嘴，好像这样就能把事实隐瞒起来似的。迪伦想到了她们之间曾经的争吵，想到了她说过的那些有口无心的气人话，还有她想说却一直没说出口的话。她们俩最后一次像模像样的谈话竟然是一场吵架，争论她要不要去看爸爸。她还能想起来自己告诉母亲要去看他时，母亲脸上的表情——琼盯着迪伦，仿佛迪伦背叛了她。

她就这样从一件事想到另一件事，好像白天和黑夜轮流交替那样自然。她的爸爸，他又会有什么样的反应呢？谁会告诉他？他会为这个自己根本不了解的女儿伤心吗？

突然间，迪伦想到了眼下的情形还有自己的死，一下子触到了伤心处。太不公平了。她这一死失去了多少东西啊？前途、家庭、朋友……全都没了。现在连她的灵魂摆渡人也离她而去了吗？不，崔斯坦不仅是她的摆渡人，他就像她生命中所有的一切那样悄然离去了。迪伦觉得自己的眼泪早就哭干了，但当他的脸在心头骤然浮现时，炽热而咸腥的泪水不住地顺着她的脸颊流淌。

这是迪伦经历过的最漫长的黑夜。她只要一闭上眼，各种挥之不去的景象就在脑海中闪现——琼、崔斯坦、没有脸的父亲那恐怖的模样，还有一闪而过的列车上的梦魇。夜缓慢而迟滞地过去了。壁炉里的火光变成了微弱的橙色火苗，屋外的黑暗也渐渐消散，一缕微光透过窗子渗了进来。初生的晨曦驱散了黯淡的灰色，给小屋添了些生气。可迪伦丝毫没有注意到这一切，她继续盯着炉中的木柴发呆，直到它们火热的暖色完全消散，变成一堆灰烬，燃尽的木头无可奈何地在炉栅里冒起了一阵青烟。她的身体石化般纹丝不动，她像是被战场上的炮弹声吓傻了似的，在麻木与呆滞中苟延残喘。

直到上午时分，她才意识到天亮意味着自己可以自由地跑出这个有点像监狱一样的避难所了，她可以去找崔斯坦。要是他躺在山谷的某个地方，身上受伤浑身流血怎么办？要是他一直在等她来救自己怎么办？

她看了一眼屋门，那扇门依然紧闭着，抵挡着荒原上的恐怖事物。崔斯坦在外面，可那些恶魔们也在外面。山谷里的阴影浓重到足以让它们发动袭击吗？早晨的阳光足够保护她的安全吗？

一想到要独自出去走到荒原上，她整个人又畏缩迟疑起来。

但是崔斯坦还在外面呢。

“起来，迪伦，”她暗暗告诉自己，“别做出一副可怜样。”

她硬撑着身子下了床走到门边，昨天的过度劳累让她浑身都痛。她的手握住门把手，停了片刻，深吸了两口气，尽力想要转动把手把门打开。可她的手指就是不听从指令。

“够了。”她嘴里嘟囔着。

崔斯坦需要她。

她头脑中想着这一点，终于转开了屋门。

外面冰凉的空气马上涌进了肺里，迪伦冷得要命，心脏顿时停止了跳动。当她竭力要把周围的一切都尽收眼底时，心脏又开始怦怦狂跳不止了。

她用了过去的数天几乎已经习惯了的那个荒原消失了。

没有了起伏的群山，也没有了萋萋荒草。之前那些草上挂满了露水，都渗进了迪伦的牛仔裤里。顺着那片草地往山上攀爬简直无比痛苦。而现在这一切都荡然无存了。浅灰色的天空不见了，昨晚那条通向安全屋的砂石小道也不知去向了。

整个世界变成了一大片一大片令人头晕目眩的血红色。那两座山还在，但是现在被一层紫红的尘土覆盖着。山上没有植被，陡峭的山坡两侧怪石嶙峋，旁逸斜出，如同刀劈斧砍。取代砂石路的是一条乌黑的通道，看上去犹如铺着沸腾的沥青。它起起伏伏，不断冒着气泡，如同有生命一般。血红色的天空上是层层乌云，缓缓地向西方的地平线流去。太阳散发着炽热的红光，如同一个燃烧的炉圈。

但这还不是最恐怖的事情。在路面上、山上、小路上，成千上万的东西在滑动、爬行、徘徊（好吧，迪伦简直找不到合适的词来形容他们的样子）。他们是人，看上去却又模模糊糊，只有一个非常粗略的轮廓能分辨出他们的年龄和性别。迪伦仔细盯着那些离自己最近的人形物，而他们似乎没有看到她，甚至连他们在哪个地方也浑然不觉。他们只专注于一件事——跟着那些照亮他们各自前路的那个闪光发亮的球体往前走。

每个人形物的头顶上空都笼罩着一团黑影，那是一群黑压压的恶鬼在他们周围和前方徘徊。迪伦看到它们时，不禁惊恐地倒吸了一口冷气，为这些人形物担心。不过，恶魔们虽然在他们周围盘旋，却始终保持一定的距离。她突然明白了，一定是那些球体在起作用。恶魔们不敢靠那些跳动的光球太近。然而她观察到，在阴影最浓重的地方那些光球的亮度就减弱了，魔鬼们这时就敢俯冲下来靠得更近。她痴痴地望着这一切，脑子里忽然一下子豁然开朗。

她也是这些人中的一员。这才是真实的荒原，而崔斯坦就是指引她的那个光球。没有了这个光球，她在外面安全吗？如果她离开了安全屋，魔鬼们会在白天就袭击她吗？唯一可以确定的办法就是走到小屋的魔法保护圈之外，她能这样做吗？她一边想着，一边步履不稳地缓缓走到门口。不行。她的身子稍稍探出去一点，就听到了恶魔们发出的嘶嘶声与号叫声。够了，迪伦吓坏了，缩回去砰地关上了门。她的后背抵着门，就好像要把恶魔们都挡在外面一样。她只使了几秒钟的劲，就瘫倒在了地上，手抱着腿，头垂在膝盖上，啜泣起来。

“崔斯坦，我需要你。”她轻声呼唤，“我需要你！”她的嗓音嘶哑，泪花滚动，“你在哪儿啊？”她哭着、说着，嘴唇颤抖得很厉害，话也断断续续，含含糊糊，“我需要你……”

她被困在这里了，不仅她不知道该往哪里走，而且她一旦出去，魔鬼们就会抓到她。唯一安全的地方就是这个小屋，但她要在这里待多久呢？她要在这里等崔斯坦多久呢？

时间一分分慢慢地流逝。过了一会儿，迪伦稍稍振作了一些。她站起来，拽过一把椅子放在窗边。她在椅子上坐定，头压在交叠的胳膊上，胳膊靠着窗台。眼前的景象跟刚才在门口看到的别无二致，一片深红色的荒野上点缀着茫茫然移动的灵魂，既茫然跟随别人，又被别人茫然跟随，这一幕让人看得目瞪口呆。那些魔鬼的样子让她的胃里一阵翻江倒海，她又回想起了它们的利爪和回荡在耳边的尖叫。

迪伦一想到要再次面对它们，后背就淌下冷汗来，她知道自己今天不能走到外面去了。崔斯坦可能还在奋力要从外面赶到她这里来，她必须保留着这点希望，至少她可以再等一天。

日落时分，橘红色、鲜红色和酒红色的余晖交织在一起，无比灿烂辉煌。之后，天开始黑下来。夜幕降临，呼啸声和尖叫声在小屋周围响起。迪伦早早就把炉火点着了——这次用的是她在壁炉架上方找到的火柴。这次点着火要比前一天晚上耗费更长的时间，但终于她还是引着了火苗。火吞噬了小树枝，大木柴也点着了，毕毕剥剥地爆响，带来了温暖和抚慰人心的光亮。她不再坐在窗边了。黑暗让她感到恐怖，她分辨不清什么东西会在外面盯着她。她躺在床上，凝视着那火苗，直到眼皮慢慢垂下，人也滑入半梦半醒中。

几个小时后她醒来时，外面依然一片漆黑。她盯着天花板，就在这片刻时间内，她的思绪可以飞到任何地方。她仿佛回到了在家中那间狭小的卧室里，周围是满墙的电影明星海报还有她的抱抱熊；又或是身处阿伯丁一间陌生的屋子里，准备好第二天来熟悉她的爸爸。但是现在，她不在这些地方。她躲在安全屋里，而且她已经死了。她的肋骨像是被钢圈箍紧了似的，让她连呼吸都很困难。眼泪在眼眶打转，她努力强忍着不让它们掉下来。

小屋里很暖和。她小心点燃的火仍在壁炉中燃烧，光影在墙上跳跃舞蹈，不过把她从睡眠中拉出来的不是这些黑影。她侧躺着注视着火苗，这才注意到自己醒来的真正原因。火光映衬着一个人影，他一动不动地立在那里，她顿时吓得身子木了半边。她定睛观瞧，那个人影开始变得清晰，是她熟悉的身影，是迪伦害怕再也见不到的身影。

Chapter 15

“崔斯坦！”迪伦喘息着说。她跳下床，慌乱中穿过屋子时几乎摔倒。崔斯坦就站在那里，她忘情地扑过来，如释重负地搂着他。不知不觉间她开始低声呜咽，胸口跟着一颤一颤的。她的头依偎在他的肩上，尽情沉浸在无尽的安心与喜悦中。

崔斯坦纹丝不动地站了片刻，随后把她拥入怀中，紧紧地搂着。她仍在他的胸口啜泣，他一只手轻轻地抚着她的背。

最后，迪伦起伏澎湃的心绪终于归于平静。此时的她才感到一丝尴尬，忙把身子闪到一边。之前她很少被男孩子抱过，现在她的心里五味杂陈，乱极了。迪伦的脸上泛起淡淡的红晕，但她还是强迫自己抬头直视他的眼睛。

“嗨。”她低语了一声。他背对着火光，脸藏在阴影中。

“嗨。”他也回了一声，声音里含着浓浓的笑意。

“我还以为……我还以为你再也不回来了呢。”迪伦的声音满含深情。但她急着想知道事情的来龙去脉，于是接着问道：“发生了什么？当时你就在我身后吗？”

沉默。迪伦的眼在黑暗中搜索，但始终看不清他脸上的表情。

“对不起。”他小声说。

他握着她的手，把她拉回床边，自己也挨着她坐下。火光在他的脸上摇曳，此时迪伦才第一次看清他的脸，不禁倒抽一口冷气。

“哦，天啊，崔斯坦，你究竟出了什么事？”她问。

崔斯坦的脸几乎面目全非了。一只眼睛肿着，眯成了一道缝；另一只眼睛布满了血丝。瘀紫的下巴肿得老高，一道又深又长的刀伤划过了半边脸颊。他努力做出微笑的样子，但看得出来即使动一下也会很疼。甚至在黑暗中，她也能从他的眼神中感受到他的伤痛。迪伦伸手想摸摸他的脸，但又害怕这会让他更疼，手悬在半空又停住了。

“没关系的，”他说，“没什么大不了的伤。”

迪伦慢慢摇了摇头。没什么大不了的？崔斯坦的脸被毁得残缺不全，惨不忍睹。是因为她吗？

“崔斯坦……”

“嘘，”他想宽慰她一番，“我都说了，没什么大不了的。你还在睡觉啊？”他随口说着，很明显想转移话题。

她点点头，“只是在熬时间而已。”

“觉得自己还能再睡会儿吗？”他的话音未落，她就已经摇头了，“好吧，至少你应该躺下来休息一会儿，明天我们还有很远的路要走呢。”

迪伦一双恳切的眼睛盯着他。她知道他在尽力回避，不愿意说出他去了哪里。可感觉他像是跟自己完全无话可说似的，她感觉自己受了冷落。刚才她扑向他，毫无保留地表达了重逢的喜悦，现在她觉得自己很蠢。她感到眼睛一阵刺痛，双臂交叉抵在了胸前。他似乎也觉察到了她的情绪，伸手轻柔地把她的一只手放了下来。

“好了，躺下吧，我和你一起。”

“我……”她犹豫了，不知该如何是好。

他在黑暗中喃喃细语：“我们躺下吧。”他油嘴滑舌地说了声，“请！”

他慢慢向后退，靠在墙壁上，然后把她拉到自己胸口旁。她依偎在他怀里，既感到羞涩又觉得心安。他似乎不想说话，但身旁有她相伴已经心满意足了。迪伦暗自微笑，两天来第一次让自己放松下来。

在晨光中，崔斯坦的伤口看起来更加触目惊心。他的左眼血肉模糊，青一块紫一块；下巴上全是紫色、棕色和黄色的伤痕；脸颊上的砍伤已经开始愈合了，但是干了的血污在白皙皮肤的衬托下显得格外扎眼；他的胳膊上也有几道很长的抓痕。当黎明驱走了小屋里的黑暗后，迪伦用手指轻轻抚摸着他前臂上一处看起来特别可怕的伤口。她仍然躺在他的臂弯里，尽管她觉得无比惬意安心，却生怕一开口就会打破这份宁静。

“我们该走了。”崔斯坦在她耳边小声说。他的声音温柔而低沉，他的呼吸让她的脖子痒痒的，她忍不住打了一个冷战。她尴尬地跳下床，从他身边溜走，对着窗子站在屋子中间，一动也不动。她向窗外望去，又看见了那片荒原。她的荒原又回来了。

“全变了。”她喘息着说。

“这话是什么意思？”崔斯坦迅速抬头向上看了一眼。

“昨天，就在你回来之前，我向门外看，然后……然后……”迪伦不知道该怎样形容她之前看到的那个世界，“所有东西都是红的——太阳、天空还有大地。我看得见鬼魂，成千上万的鬼魂，有向导引着他们走。我看见了魔鬼，到处都是。”迪伦完全沉浸在了回忆中，声音越来越小，几乎变成了耳语。

崔斯坦皱起了眉头。他从未见过哪个鬼魂见识了荒原上的那么多事后，还能对这里浮想联翩。如果离开了他们的摆渡人，鬼魂在魔鬼的袭击下绝不会安然无恙。迪伦本应和他永别了，可现在她还在这里。她能好端端地站在自己面前，这既让他感到惊诧，同时又为此深感庆幸。这个看起来普普通通的魂魄怎么竟会如此与众不同呢？

“你只不过是看到了离开向导后真实的荒原，”他对她说，“我就是那个创造你心像的人。”

“那这是假的了？我看到的一切都是假的？只是我头脑中的幻觉？”崔斯坦之前告诉过她，这个荒原只是她的心像，但直到现在迪伦才真正理解其中含义。她不喜欢这样。虽然昨天的荒原非常恐怖，但她一想到自己被崔斯坦欺骗了，心里还是接受不了。

“迪伦。”他声音轻柔。他没有办法给自己的话裹上糖衣，只能用语调尽量缓和这话的杀伤力，“你已经死了，你的心像就是你的全部。这个地方，这里，就是你这段旅程的必经之路。真相就是这样。”

迪伦看着他，眼中满是绝望与无助。他伸手牵她，感觉到她是那么娇小虚弱，但他明白再拖下去会非常危险。

“来吧，”他说，“我们走吧。”他给了她一个温暖、宽慰的微笑。她的嘴唇微微一颤，算作回应。她走上前拉着他的手，刚一碰到他心中就怦然一动。她面朝着小屋的门，这座小屋对她来说既是囚牢又是庇护所，离开这里她心里也说不清是悲是喜。崔斯坦急着要走，把她落在身后，大步流星地朝门走去，又一次踏上了荒原。

今天看不到太阳，遮蔽天空的云层显得轻飘飘、毛绒绒的。迪伦想知道这又反映了自己怎样的心情。要是让她自己来说个清楚，她会说自己现在既忧伤又好奇。崔斯坦那些关于荒原和她内心世界的话让她一头雾水，她虽然不想被这个虚幻的地方欺骗，但现在走在熟悉的山峦景物中还是让她倍感安全。当然，崔斯坦的陪伴也起了很关键的作用。她又看了看领着她前行的崔斯坦，看着他的后脑勺和强壮的肩膀。他到底遭遇了什么？昨晚他们说话时，他一直不愿提起这件事。但迪伦感觉他身上每一片青肿、每一处抓痕都是为了她而伤的，毕竟他是她的保护人啊。

“崔斯坦。”她开始喊他。

他回头看着她，放慢脚步，他们两人肩并肩走在一起，“什么事？”

在他的目光注视下，她又胆怯了，转而问了一个自己非常好奇的问题：“所有那些鬼魂……我能看得见他们在走，但他们不会向我走来。我是说，不会向我藏身的小屋走过来。”

“没错。”

“那，他们待在哪儿呢？这又是怎么一回事？”

崔斯坦若无其事地耸耸肩，“每一个摆渡人在这儿都有自己的安全地点和庇护所，但那个地方一直都是我的安全屋。”

“哦。”迪伦沉默了几分钟，然后又开始偷偷打量崔斯坦，不知道提出这个自己迫切想知道的问题会不会有什么不妥。

他看到她在乜斜着眼瞟自己，于是试探着问：“你想知道我到底遭遇了什么事，对不对？”她点了点头。

他叹了口气。虽然很想把事情原原本本告诉她，但他知道除了走完这段旅程必备的知识外，她不应该对这里的事情了解太多。这两股念头在他心里斗争。

“这个问题为什么对你来说那么重要？”他正在纠结到底做何选择——是服从理智还是服从情感。这与其说是个问题，倒不如说是他的缓兵之计。

拖延战术奏效了，迪伦默默思考了好一会儿。

“因为，那个……因为这都是我的错，都是因为我你才在这儿的。如果我当时跑得快一点，或者让太阳别那么早落山，让它再亮一点，那……那这一切就不会发生了。”

崔斯坦看起来很吃惊，他是真的吃惊。这不是他预料之中的答案，他原以为她问这些只是出于对这个世界的好奇，他原以为人类需要什么都问个明白，但她问这些竟是出于关心。一股暖流涌上胸口，他知道自己该做何选择了。

“你没告诉我他们可能会伤害你。”她柔声说道，一双碧眼睁得很大，写满了感同身受的痛苦。

“对，”他回答说，“他们杀不死我，但他们能抓到我。”

“告诉我到底发生了什么。”这一次她不是发问，而是在温柔地请求。他不能再拒绝她了。

“当时到处都是恶魔，你吓呆了。我发现你不能动弹了，但你必须快跑才能得救。”

迪伦点点头。她想起了这一幕，回忆时脸羞得通红。要是当时他一说她就跑，要是她当时再勇敢一点，没有因为惊吓而待在原地不动，他们两个就都能脱身了。

“我推了你一把，你好像才缓过神来。接着，我们跑的时候，我觉得我们会没事的。”他脸上露出痛苦的表情。由于羞愧，眉头拧在了一起，“我当时不是故意要放开你的。”他小声说。

迪伦咬着自己的嘴唇，心里升腾起强烈的内疚之情，感觉就像在晕车晕船。他心里很难受，他在自责，而这一切都是她的错。

“崔斯坦……”她想打断他，但他用手势示意她别说话。

“对不起，迪伦。我很抱歉。他们一看到我放开了你，就把我围了起来，正好堵在我们俩之间。我想追上你，但从他们中间穿不过去。你在飞跑，但是小屋离得太远了，来不及的。”此时他的眼神飘忽，像是在重温当时的情景。

他的口型告诉迪伦这是一段不堪回首的痛苦经历。一想到自己重提往事是对他的又一次伤害，迪伦的内疚感顿时强烈了十倍。她开始反思自己这样做的动机。仅仅是满足自己的好奇心吗？但愿不是。

“恶鬼们到处都是。你摸不着它们，但是我可以。知道吗？”

她不敢让自己再说话了，但又不想打断他，只好摇摇头。

“我在后面追你，尽量把它们拽回去，但不能把它们全逼退；我从来没见过这么多恶鬼一窝蜂似的涌过来。完全没用，虽然我摸得到它们，但却伤不了它们。每次我刚把它们拽回去，它们就会绕着圈子从另一个方向发动进攻。”

他突然停了下来，像是内心正在挣扎。迪伦不清楚他是在纠结于有些事要不要讲还是在努力思索讲述的方式。她静静地等着。崔斯坦仰望着天空——他们此时正翻越一座陡峭的山峰，此时抬头看天真是需要极大的勇气。迪伦集中了所有的注意力，想一边站稳脚跟，一边听他讲话。天空中似乎有他要找的答案，他略略点了一下头，叹了口气。

“在荒原上我可以使一些手段……非常规手段，你可能会管这个叫魔法。”

迪伦屏住了呼吸，这正是她期待已久的坦白，这让她之前说的所有蠢话都变得有意义了。

“我变来了一阵风。”他停顿了片刻，此时满心狐疑的迪伦眉头已经拧到了一起，自己还浑然不觉，“你不会感觉到的。这阵风是专门对付恶鬼的。”

“你变了一阵风？”她惊讶地问，“连这个你都会？”

崔斯坦脸上带着苦相，“这个很难，但我会。”

“你说很难是什么意思？”

“需要耗费很大的精力，耗尽了我的体力，但风起了作用。恶魔们控制不了自己的飞行路线，被风吹得七零八落，它们没办法抓住你了。”他叹息道，“但没过多久它们察觉了风是从哪儿来的，所以绝大多数恶鬼开始攻击我。”

“你本该停下来的，”迪伦脱口而出，“你本该让风停下来，然后……然后再和它们打，否则——”

崔斯坦摇摇头，打断了她的话：“我必须要保证你的安全。在这个荒原上，你是我的重中之重。”他对着她惊骇的表情笑了，“我不会死。先保护魂魄是我义不容辞的责任，自保要放在第二位。”

听到这话，迪伦木然地点了点头。当然他不是只为了她才身涉险境的，这是他的工作。

“它们试图攻击我，挥舞着利爪朝我劈过来。它们径直朝我飞，好像要用身体猛地撞向我。它们能穿透你，但是穿不透我。你周围还有一些恶鬼，但你已经离小屋非常近了。我使出浑身解数继续作法，直到你迈过小屋的门槛。然后这一大群恶鬼就全力对付我了，它们数量太多，我实在招架不住，被它们拖到了下面。”

在他讲述的同时，迪伦在脑海中想象着当时的情景：恶鬼们向下俯冲，将他团团围住，撕扯着抓挠着他的脸。她脑中浮现了他努力想把它们击退，朝它们抡起双臂，试图冲出重围的样子。密密麻麻的恶鬼们围着他，越抓越紧，把他拖到了地下。尽管在她的想象中，她应该根本无法看到很远处的他，然而他脸上每一个细微特征却又无比清晰——他的脸上满是惊惧和恐怖，双眼圆睁，嘴因为恐惧而大张着。血顺着脸淌，流进了已经被恶鬼抓伤的左眼里。然后，他在她的想象中慢慢消失了。他受了多少伤啊？它们每打一下，它们的利爪每抓一下，他都要忍受多大的疼痛啊？他所遭受的这一切都是为了她。

“我最后听你在叫我。我想把它们赶走然后到你身边，但它们太多了。不过听到你的声音至少让我知道你安全了。”他注视着她，那双湛蓝色的眼睛深深打动了她。她能做的只有满怀敬畏地回望着他，沉浸在他深邃的目光中。

结果没有了眼睛的指挥，她绊上了一块伸出地面的草皮摔倒了。

“噢！”感觉自己朝前栽倒时，她不由得大叫了一声。她眼一闭，等着这重重的一摔，顿时让自己肺部无法呼吸，等着衣服上沾满泥水。她把手护在身前，免得受太重的伤。然而最坏的结果并没有发生，崔斯坦的手一甩，从后面抓住了她的套衫，就在她的身体快要摔在地面的一刹那，一切都戛然而止了。她睁开眼，偷偷瞄了一眼这条道——真的跟她想的一样，又潮湿又泥泞。她还没来得及如释重负地喘口大气，崔斯坦猛地把她往回一拉，她又好好地站在那儿了。他竭力绷着脸，但尽管下巴绷得很紧，笑声还是渗了出来。

迪伦有些气恼，带着残存的那一点点自尊心大步走开了。她听到身后的笑声越来越响亮。

“你也太笨了。”他故意逗她，轻轻松松就赶了上来。她鼻子朝天继续走路，心里默默祈祷千万别再摔跤了。

“也难怪，看看这个地方。难道荒原上就不能铺一条路吗？”她哼了一声，仍然一副生气的样子。崔斯坦耸耸肩。

“这是你的错啊！”他提醒她，“是你让这地方成了这个样子的。”

迪伦做了个鬼脸。

“我讨厌徒步旅行，”她嘟囔着，“我讨厌山地。”

“苏格兰人不都是以山为荣吗？”他有些好奇地问道。这次轮到她耸肩了。

“我们的体育老师每年都把我们塞进一辆小巴士里，带到乡下，然后逼着我们在刺骨的寒风里爬山。简直就是虐待嘛，我可不是什么爬山爱好者。”

“啊，懂了。”他说完咧着嘴笑，“好吧，要是你知道我们已经走完了一半的路，心里会轻松点的。很快你就要走出这儿了。”他原意是想逗她开心，但听到这个消息后，迪伦却脸色微沉。然后呢？过了荒原又是什么地方？就是说她以后再也见不到崔斯坦了吗？这个消息比起对未知世界的恐惧更让她心情沮丧。他已经成了她的世界里的唯一，她实在无法忍受失去这最后的亲人。

迪伦想着心事，就这样走到了山顶，经过几次颠簸后，进入了一个天然山洞。这里是小憩的理想场所。她一脸期待地看着崔斯坦，他会心一笑，却摇了摇头。

“今天不行。”他对她说。

迪伦噘着嘴，有些恼怒地盯着崔斯坦。

“对不起，”他说，“我们没时间了，迪伦。我可不希望咱们又被它们抓住。”

他伸出手，做了一个邀请的姿势。迪伦看起来有些愁眉苦脸，但她知道崔斯坦说得没错。他们必须抓紧时间，赶到夜幕和随之而来的恶魔前面。她不希望崔斯坦再因为她受苦了，于是握住了他的手。这只手上满是抓痕和青肿，在迪伦胳膊上已经消失的伤痕对比下格外醒目，但他的手非常有力。他刚带她走出山洞，迪伦马上感到狂风袭来。风势越来越大，耳朵里的刺痛让她有点听不清楚声音。他们往山下走的时候，交谈变得非常困难。迪伦本来还想让崔斯坦接着讲故事，讲讲地下发生了什么事，现在看来要等更安静的时候才行了。这样的故事不能隔着风声喊来喊去的。

而且，尽管她急着想听后来又发生了什么，但是又害怕听到他遭受过的更多折磨，为了她遭受的折磨。

Chapter 16

谢天谢地，他们在太阳落下去之前早早地就到了下一个安全屋。又是一间石屋子，迪伦纳闷这是不是又是自己的“杰作”，几乎所有的安全屋都是千篇一律的。难道自己对于避难所和家的概念就是这个样子？她仔细回想着自己可能在什么地方把这二者联系在了一起。她和琼一起住的（不，是曾经一起住的）公寓是一栋红砂岩楼房，周围全是一模一样的建筑。她的祖母在去世前住在郊外一个孤零零的地方，但是那也是一座现代化的小木屋，屋外是一个精心营造出的美丽花园，里面点缀着一些造型奇特的石狮子和小矮人。除此之外，她实在想不出还有什么像家一样的地方了。

除了——哦，对了——她的爸爸曾经在电话里提到过他的住处。他说那是一幢样式陈旧的石头房子，只够他和他那只叫安娜的狗容身。眼前的屋子就是那个石屋在她想象中的样子吗？或许她的潜意识想让她看到一点自己期待见到、却又始终无法遂愿的事物。有时候，她会想象着门开了，一个男人走了出来。在她的想象中，他面容英俊、身体强壮、慈祥和善。想到这些她自己也不禁笑了，然后意识到自己对父亲的想象也就仅此而已了。她从来没有见过一张父亲的照片，也实在回忆不起来他离开之前的样子。她摇摇头，把这些冥思苦想全都驱散到一旁，跟着崔斯坦向前门走去。

这房子虽然有些轻微的破败，但还是让人感到舒适安慰，就像是经过了漫长而艰难的旅程回到了家里一样。前门是硬橡木做的，尽管历经风霜雨雪，但仍然很坚固。窗子长期暴露在苏格兰恶劣的天气中，外面结了一层灰尘与污垢。虽然上面的漆正在剥落，但木质窗框看上去依然完好。这里没有精致的花园，但门前铺了一条小路。地面的缝隙里已经悄然钻出了一些杂草，但总算还没有完全占领地面。

崔斯坦带头进了屋子，温馨安逸的感觉还在延续。这间小屋没有其他小屋那种荒废已久、乱七八糟的样子。迪伦瞎想道，莫不是自己已经在荒原上越待越自在了？屋子的一头有一张床，旁边是张桌子，上面放着一截已经燃了一半的大蜡烛，桌子上还配有破旧的五斗橱。屋子的正中、壁炉前摆着桌椅。在屋子的另一端是间小厨房，里面有一个带着豁口的、脏兮兮的水槽。迪伦上前观瞧，看着老式的水龙头，不知道现在它们还能不能用。她的牛仔裤上还沾着一层泥。在这一切蠢事发生之前，她返回公寓换上了一件灰色罩衫。现在衣服的风帽上已经被污迹染得斑斑点点，还有些被撕破的小口子。她甚至不愿意去想自己此时看上去是什么“尊容”了。

尽管水管锈迹斑斑，水槽上结了一层污泥，但迪伦拧开冷水管的时候还是满心期待的。一开始水管里什么也没出来，她皱了皱眉，感到有些失望。但紧接着水槽下面传来了嘎嘎吱吱的声音，她小心翼翼地退了几步，此时水管中喷出了一股棕色的水。水流撞在水槽壁上弹射起来，要不是迪伦及时往后跳了两步，差点又被脏水溅到。在喷射了几秒钟之后，水流开始平稳下来，变成了看上去很清澈的涓涓细流。

“太好了。”迪伦说，指望着这次能洗这么多天来头一个澡。她用水洗了把脸，被冰水激得打了个寒噤。她顽皮地捧起水，转身想对崔斯坦来个突然袭击。可是她却突然停住了，水顺着她松开的指缝落在了石板地面上，水花四溅。屋子里空无一人。

“崔斯坦！”她大喊起来，声音里充满了惊恐。屋门洞开，尽管仍有亮光，可黑夜正在迅速逼近。她敢冒险出去吗？可她不能再孤身一人了。一想到这些，她马上拿定了主意，开始决然地向前走去，正撞见了出现在门口的崔斯坦。

“怎么了？”他一脸无辜地问。

“你去哪儿了？”迪伦问道，刚才的如释重负马上变成了一腔怒气。

“我就在外面。”他看着她那张霜打了似的脸说，“对不起，我不是故意要吓你的。”

“我只是……只是担心。”她喃喃自语，觉得自己有点傻。

她转过身，指着身后的水槽说：“这儿的水龙头能用。”

崔斯坦露出一丝心领神会的微笑，然后看了看半开着的门。

“离天黑还有二十分钟，我去外面待一会儿给你留点儿私密空间。我就在前门旁边，”他保证说，“你要是想和我说话随时都行。”他安慰地一笑，走出门去。她溜达到门口，偷偷往外观瞧，只见他坐在一块岩石上。他抬眼一瞥，看到她在看着自己。

“你愿意的话也可以把门关上。不过即使你想让门这样开着，我也保证不偷看。”他眨巴眨巴眼睛，迪伦顿时大窘。

迪伦气鼓鼓地关上了门，但转念一想又把门打开了。她急不可耐要好好洗个澡，但想到要开着门洗澡，而且门外还有个人，就又站在那里焦躁不安起来，太不舒服了。然后她想到了关上门一个人在屋里，被抛弃的恐惧感还记忆犹新，哪怕这样想想也让她的心脏惊惧狂跳。于是她决定微微开道门缝，挡住他扬扬得意的笑脸，以备万一。

她不安地看了一眼门，然后脱掉衣服，将就用在水槽里找到的一小块肥皂，飞快地洗起来。屋里的寒气快把人冻僵了，她想到了让崔斯坦回来生火，但清楚等火好了天也黑了，那时候他们为安全起见都必须待在屋里。她为了不让牙齿打战咬紧牙关，尽量洗得又快又彻底。洗完澡后，她只得重新穿上了脏衣服。迪伦提上那件满是污泥的牛仔裤时，不由皱了一下鼻子。她刚把T恤衫套过头顶，崔斯坦的敲门声就响了。尽管那件T恤很宽松，而且布料一点也不透，她还是抓起了灰色的外套，急忙把衣服穿上，把拉链一直拉到了下巴。

“完事了吗？”他问着，从门缝偷偷往里面瞥了一眼，“天要黑了。”

“好了。”她嘟囔着。

他快步走进来，把门关严，“我来生火。”

迪伦感激地点点头。她刚洗了冷水澡，现在还在瑟瑟发抖。他又一次不可思议地只用了一点点时间，就让火苗从壁炉里蹿了上来。他站起来，仔细打量着她。

“澡洗得怎么样？舒服多了吧？”

她点点头，“不过，真想换换衣服啊。”她叹了口气。

崔斯坦莞尔一笑，走到五斗橱那里，“这里倒有些衣服，就是不知道穿着合不合身。不过我们可以试一试。你愿意的话，就在这儿把你的衣服也洗了。”他给她扔过来一件T恤和几件运动裤。衣裤都有点大，但是她想到能把自己的脏衣服给洗了还是很愿意的。

“不过，没有内裤。”他又补充了一句。

迪伦仔细想了想，拿定了主意，只要能有干净衣服穿，一晚上不穿内裤也值了。她这就要开始换衣服，但天已经黑了，不能再把崔斯坦请到外面去了。她的两只脚来回扭来扭去，把衣服捂在胸口。崔斯坦也看出了她的尴尬。

“我会站到那边去的。”他一边说着，一边穿过了屋子，站到了水槽边，“你可以在窗边换衣服。”他的目光从她身上移开，从小厨房的窗子向外看去。迪伦急忙走到床边，匆忙瞟了一眼崔斯坦，确定他的确是盯着另一个方向看，这才以最快的速度匆匆脱掉衣服。

崔斯坦依然坚定地盯着那块玻璃，然而漆黑的户外和火光闪烁的室内把玻璃变成了一面镜子。他能看到迪伦先脱掉了外套，然后又褪掉了T恤。她的皮肤光滑而白皙，肩膀结实，腰窄而纤细。当她把牛仔裤抖掉的时候，他闭紧了眼，尽量想保持一点绅士风度。他在头脑里慢慢数了三十下——每数一下正好呼吸一次——等他再次睁开眼睛时，只见她穿着那件过于宽大的衣服站在那儿，正盯着他的后背。他扭过头冲她一笑。

“漂亮。”他评论道。

她的脸红了，使劲拉了拉T恤衫。没有穿文胸让她感觉非常尴尬，她两臂交叠护着胸，权当是多了一层保护。

“要我帮忙洗衣服吗？”他主动提出申请。

迪伦眼睛睁大了，一想到让他窥视自己脏兮兮的内裤就觉得是奇耻大辱。为什么，哦，为什么？为什么自己死的时候没有穿一整套漂亮的维多利亚的秘密[①] 内衣呢？

“不，我可以自己来。”她回答道。迪伦从床上抓起了那堆脏衣服，穿过屋子的时候把它们紧紧贴身抱着，尽量把她的文胸和内裤藏在这堆衣服中间。她把它们丢在台子上，花了五分钟时间先用一块陈年的百洁布清洗水槽除去淤泥，然后展开生锈的水槽塞链，把塞子塞紧。她把两个龙头同时开到最大，不过那“热水管”里流

①维多利亚的秘密 (Victoria's Secret) 是美国的一家著名连锁女性成衣零售店，主要经营内衣和文胸等。

出的水依然冰冷无比，两只龙头的水量不过也只有涓涓细流而已。看来想要把水槽填满得等上一阵子了。

迪伦在台子旁边站了一会儿，然而壁炉的热力却把她吸引到了屋子中间。崔斯坦已经在一把椅子上坐定，舒服地向后靠着，脚还跷在一只小凳子上。迪伦也找了把椅子坐下，脚蹬在椅子的边缘，膝盖靠着胸口。她双臂抱腿，注视着崔斯坦。现在该把剩下的故事讲完了。

“那个……”她的声音很轻。

他望着她，“什么？”

“把剩下的事情告诉我吧，崔斯坦。”她提到他名字时的语气让他身上微微涌起一阵激动，“你被它们拖到下面后又发生了什么？”

他回答的时候眼睛盯着炉火。迪伦感觉他不是真的在看火，而是思绪回到了外面那些魔鬼身上。

“一片漆黑。”他开始讲自己的遭遇，他的声音有一种催眠师似的低沉。迪伦很快就听得入了迷，随着他的描述在头脑中想象着那些画面，“它们拖着我穿过地面，我根本无法呼吸，嘴里和鼻子里都是泥土。如果事先不清楚状况的话，我还以为自己马上要死了。就这样过了很久，不停地朝地下越坠越深。我的身体蹭过沙砾和石块，但魔鬼们还是合力把我往下拖。最后，它们的利爪又开始对准我连劈带砍，兴奋地发出狂笑，朝我俯冲过来，于是我就在空中扭动翻滚。然后我撞到了某个东西，一个坚硬的东西。这一撞让我感觉浑身每块骨头都碎了。当然，这只是我的感觉而已，但是钻心的疼痛让我动弹不得。那种痛感……我以前从来没有体验过。魔鬼们把我团团围住，但我却无力自保。”崔斯坦突然停下来，转头看着厨房，“水槽里的水快溢出来了。”

他需要休息一下，停下来整理一下思绪。这次的事让他非常困惑不安，之前他还从没有被捉住过，也从没有被魔鬼击败过。他曾告诉迪伦保护灵魂优先，这当然是真的，但只有在某种程度上来说才是如此。自保经常会占据上风，所以有时灵魂会因此被魔鬼抓住。但眼前的这个灵魂太特殊了。他就算牺牲了自己也要保证她的安全，那些伤痛跟这个相比算不了什么。

“哦。”迪伦刚才被他的话语和眼神深深吸引住了，完全忘掉了正在慢慢灌满水槽的涓涓细流。她急忙跳下椅子，费了很大的劲才把生锈的水龙头拧紧。她把肥皂在冰水里浸了浸，然后把它在手掌间使劲搓了搓，尽量在肥皂块失去光滑在手上脆裂之前搓出了一些像模像样的肥皂泡。紧接着，她抓起衣服，把它们泡在水里。趁着衣服吸水的工夫，她又蹦蹦跳跳地折返回来，一屁股坐在崔斯坦对面，眼含期待地看着他。他淡然一笑，家长给孩子讲睡前故事就是这种感觉吧？只不过他的这个故事很可能会让人做噩梦。

“你是怎么逃出来的？”她问。

他笑着说：“全靠你。”

“什么？”迪伦惊骇地望着他。

“你需要我，就是这个想法把我带了回来。我……我不知道会发生这种事——以前从没发生过——但你当时在召唤我。我听到了，我听到了你的召唤。等我再次清醒过来时，就已经在谷口了。是你救了我，迪伦。”他注视着她，眼神温暖，其中写满了惊叹。

迪伦张大了嘴，因为太吃惊，竟一时说不出话来。她脑海里立即浮现出一幅画面——自己坐在地板上心惊胆战，背靠着紧闭的屋门，哭喊着崔斯坦的名字。就是她这个举动救了崔斯坦吗？简直太疯狂、太不可思议了。不过，接下来她又想到了过去几天里发生的那些怪事，很明显不合现实世界法则的事却可以在这里发生。

“可为什么需要那么久的时间呢？”迪伦嗫嚅道，“我等了你整整一天。”

“对不起，”他轻声低语，“我回到的是山谷另一端的入口。我……”他很不自在地转开了话题，“我走得有点慢，走了一天才到你这儿。”

“见到你真是太好了，一个人孤孤单单真可怕。而且……”迪伦说着突然红了脸，转过眼不去看他，注视起炉火来，“不管你在哪儿，我都害怕它们伤害你。它们也真的对你下毒手了。”她伸出手抚摸他那张伤痕累累的脸，可他却躲开了。

“我们得把你的衣服从水里捞出来了，不然它们一时半会儿干不了。”他说。迪伦很快把胳膊收了回来，垂在大腿上。她低头看着自己的膝盖，面庞发烫，心中痛楚。崔斯坦看出了她的尴尬和遭到拒绝的痛苦，感到一阵后悔。他张嘴想说一些安慰的话，但迪伦已经跑开绕到水槽那里去了。她奋力搓洗着衣服上的污渍，以此掩饰内心的耻辱感。幸亏手里的活可以让她的眼睛从他身上移开，于是她慢吞吞地拧着衣服，好像要把每一滴水都拧干一样。

“我帮你晾衣服吧。”崔斯坦徘徊到了她身后，他突然的一句话把迪伦吓了一跳，手上的文胸也掉在了石地板上。他弯腰把它拾起来，却被她一把夺了过去。

“谢谢，但我能行的。”她低声说着，侧身从他旁边挤了过去。

屋里没有晾衣架。迪伦把椅子转过来，椅背对着炉火，然后把衣服搭在椅背和扶手上晾干。她努力想找一个稳妥、不打眼的地方挂她的内裤，不过最终还是只得放弃这样的想法。现在这个地方起码能保证它们会干，也算差强人意了。现在椅子都被衣服占了，所以除了床再没有可坐的地方。崔斯坦已经懒洋洋地躺在那儿了，脸上带着一种奇怪的表情看着她。

实际上，他正在跟自己的良心缠斗。迪伦还是个孩子，跟他比起来真的不过是个婴儿而已，他对她产生的感情是不正常的、错误的。身为她的保护人，如果他由着自己的感情来，那就是在利用她的脆弱占便宜。但他生活在这个世界中，却从未体验过什么，从未长大过，他的年纪真的有那么大吗？而对于一个思考和感知保持永恒状态的灵魂来说，年龄又算什么呢？

他确信她对自己也是有好感的，他觉得这是自己从她的眼神中读出来的。但他也可能会误判，她对他表现出的关切可能只是因为不愿承受孤身一人的恐惧。她对他的信任可能也只不过是出于无奈——她还有别的选择吗？她对他的亲近，她试图抚摸他时的样子，可能不过是像孩童害怕时向成年人寻求慰藉的那种感觉。但他也不能确定。

最后，他们还必须面对一个重要事实——他不可能跟她一起去目的地。他必须把她独自留在荒原与地狱的交界处，或者更准确地说，是她将不得不离开他。如果她对自己确实有好感，那么现在给予她那种很快又会收回的东西无疑是残忍的。他不愿她经历这种残忍，他不能感情用事。他看着她，发现她的一双碧眼也在看着自己，那双眼现在如森林一样黯淡幽深，他感到喉咙发紧。他只是她的向导和保护者，除此无他。不过，他还可以安慰她，他允许自己做的也就是这么多了。他冲着她笑笑，伸出了胳膊。

迪伦羞涩地走过去上了床，蜷缩在他的身旁。他心不在焉地抚摸着她的胳膊，迪伦心里顿时一阵悸动。她把头垂在他的肩上，暗自微笑。周围的一切都纷乱不堪，危机四伏，她几乎丧失了自己的一切，可偏偏就在这里，她却突然感觉到了……圆满，这怎么可能呢？

Chapter 17

“给我讲点儿什么吧。”在温馨惬意的氛围中沉默着坐了很久，迪伦的声音听起来有点低沉沙哑。

“想听什么呢？”他从沉思中回过神问。

“我也不知道，”她顿了一下，思索了片刻说，“给我讲讲你引导过的最最有趣的灵魂。”

“就是你啊。”他笑着说。

迪伦戳了一下他的肋骨，“说正经的。”

他想，我是说正经的。但还是绞尽脑汁想找出一个有趣的故事分散一下她的注意力。无眠的夜晚有多漫长，他是再清楚不过了。

“好吧，我想起来一个。有一次我必须要引导一个‘二战’中的德军士兵，他因为拒绝执行军令被指挥官枪杀了。”

“他在战时是做什么的？”迪伦问。她的历史知识不怎么样，在学校时她选的课是地理，但是每个人都对‘二战’发生的事情如数家珍。她实在想象不出来给个德军士兵做向导能多有趣。如果是她做向导，她很有可能会忍不住让恶魔们来了结他。

“他在波兰的一个集中营里当兵。他不是什么重要人物，只是普通士兵。他才十八岁。太可惜了。”

迪伦简直不相信自己的耳朵，他竟然真的为他感到遗憾！

“知道了他的所作所为，你怎么还能受得了给他做向导？”

“你是在做道德判断。你要是个摆渡人的话，就不能这样带着成见。每一个灵魂都是独特的，都有各自的美德和过错。”看迪伦一脸狐疑，他又继续说，“他参军是被他父亲逼的，他父亲认为他如果不为祖国荣誉而战就是辱没了整个家族。但是，他却被分到了集中营看管犹太人，还眼睁睁地看着其他的卫兵殴打他们、凌辱他们。他无法逃离军营，也不敢违抗军令。一天，他的长官命令他枪杀一个老人。那个老人没有做什么，只是在摔倒时不小心蹭了这位长官一下。这个士兵不愿意杀人，于是跟他的长官争吵了起来，他对长官说自己不能那样做。所以长官先枪杀了老人，然后在同一天把他也枪毙了。”

迪伦目不转睛地看着他，眼睛大睁着，眉头紧蹙。她先前的一腔厌恶之情已经化为同情和钦佩。

“我在集中营大门外遇到了他的灵魂。离开那里后，他真的感到如释重负、彻底解脱了。他满脑子想的都是自己没办法阻止的那些事情，自责不已，精神完全垮了。他真希望自己当时能再坚强些，能勇敢反抗自己的父亲，拒绝参军。他真希望自己当时能保护更多无辜的人。有时候，他甚至希望自己根本就没有出生。不管他是不是德国士兵，他都是我遇到的最可敬、最高贵的灵魂。”

故事讲完了，一片沉默。迪伦被深深吸引了，她的脑海里闪过很多场景，涌出很多想法，心中五味杂陈。

“再讲一个吧。”她央求道。漫漫长夜就这样过去了。崔斯坦从自己遇到的成千上万个灵魂中精挑细选了一个又一个故事犒赏迪伦。他特意只拣那些让迪伦发噱解颐或是惊叹不已的故事讲，而对那些至今思之仍痛彻心扉的故事则避而不谈。晨光渐渐落在他们身上，然而炽热的阳光太灿烂了，晃着崔斯坦的眼，竟让他的笑容显得有些苦涩。

“得继续赶路了。”迪伦嘟囔着。他慢慢滑下床，把她也一起拽下来。

“没错，”他笑着说，“但是今天不用走上坡路了。”

“什么意思？”她问。

“我们只要越过一个小山坡，之后就是一马平川了，只不过有点儿潮湿。”他努了一下鼻子。

“还要过沼泽？”迪伦抱怨起来，声音里止不住带了丝哭腔。她讨厌那些见什么沾什么、让她举步维艰的淤泥。

“不，不是泥，是水。”

“我真希望我们别游泳。”她喃喃自语着，走到壁炉那儿查看晾在那儿的衣服。尽管不是特别干净，但它们倒是干了，摸上去还挺暖和，木柴还在壁炉里冒着青烟。她转身对崔斯坦发号施令，“出去！”颐指气使地指着大门。

他翻了个白眼，但还是恭顺地一鞠躬，走了出去。这次迪伦跟在他身后紧紧关上了门，然后匆匆把借来的衣服脱掉，换上了自己原来穿的一套。昨天这一洗至少除去了最脏的污垢，炉火把布料烘得有些僵硬，但穿上自己新洗的衣服还是非常惬意的。这让她感觉自己还是人，至少也是刚刚死的人。她不禁为自己的想法暗自发笑。

她刚换好衣服就走到水槽边，拧开了水龙头。她等着棕色的水流变清澈，然后双手捧满水，在脸和脖子上擦了一把。她真希望已经洗了头，昨天竟然没有想到这点，不过那个肥皂可能会让头发变得更油。她又捧起了一捧水，仔细端详。如果她现在把水喝下去会怎么样？她看了一眼门口，门还关着。她可以问问崔斯坦，却担心会被他嘲笑。她又看了一眼手中的水，尽管自己并不渴，但这水看起来又清凉又诱人。她回忆起了喝水的感觉，那种让人心旷神怡的口感，那种顺着咽喉滴入肠胃的冰爽快感，想到这里，她不由颤抖着，身子前倾，张开了嘴唇，准备喝上一口。

“要是我就不会喝。”

崔斯坦的声音把她吓了一跳，水溅在了身前，外套也给打湿了。

“该死的！你差点让我心脏病发作！”过了片刻，她平复了一下呼吸后问道，“为什么不能喝？”

他漠然地耸了耸肩，“你喝了会吐的，水里有毒。水是从地下深处一口井里流出来的，那是魔鬼们住的地方，它们在里面下了毒。”

“噢。”迪伦把手中剩下的水泼掉，关上了水龙头，“好吧，多谢救命之恩。”

“不客气。”

他的笑容温暖而真诚，迪伦的心脏瞬间停止了跳动。不过刹那间他的脸上似乎就结起了一层霜，旋即转身走开了。满心困惑的迪伦默默地跟在他身后走出了小屋。

尽管艳阳高照，身后吹来一阵清风，轻柔地吹乱了她的长发。她皱着眉头望天，似乎在责怪这阵冷风，结果只换来了一层快速移动的云翳遮住了太阳。她孩子气地朝着它们吐了一下舌头，然后便一心一意地跟着崔斯坦轻快的步伐。他们绕过小屋，开始穿行在一片几乎没膝的草地上。她谨慎地张望着，四处搜寻着蓟草、荨麻之类的恶心东西。

“我们今天很赶时间吗？”她一边问，一边小跑着紧跟上去。

“对啊！”他回答道。过了一会儿他又柔声说，“不过我们可以慢一点。好了，这就是最后一座山了。”他手指着前面，迪伦顺着他手指的方向望去，反感地皱了一下鼻子。

“这也叫小山坡？”她重复着他之前说过的话，“你这个骗子！这山那么大！”

在迪伦眼中这个所谓的“小山坡”看上去更像是座大山。没有地势平缓的山脊可供攀爬，只有巨大的危岩高耸。这让迪伦想起琼的那一次以悲剧告终的尝试，她想让迪伦爱上到考布勒[①]的登山之旅，于是告诉她从山的正面攀爬要比顺着步道绕着后山走有趣得多。没想到那座山的正面完全就是一堵花岗岩墙，还分布着光滑的砂石小路。迪伦刚爬完三分之一的路程，就踩在一块小石头上打了滑，胫骨撞在了一块有棱角的大岩石上。她猛发了一阵脾气，坚决要马上回家。而眼前的这座山看起来跟考布勒山一样让人不爽。

“我们不能绕着走吗？”她一边问，一边满怀希望地偷偷看着他。

“不行啊！”他看着她，笑容依旧灿烂。

“那你背着人家怎么样嘛？”她又建议道。可他已经大步流星地走远了，对她的请求充耳不闻。尽管他身上有伤，但过草地的时候，却完全没有一瘸一拐的样子。而且，迪伦注意到他脸上的伤也正在快速愈合。事实上，原本在他眼睛周围的红肿现在也几乎已经彻底消退了，只有颧骨旁轻微的紫红色伤痕多少还能透露一点当时的惨状。他的下巴也不再青一块紫一块了，瘀伤渐渐消肿后，上面只残留了一点淡黄色的痕迹。

迪伦一路小跑着跟在他后面，十分钟后两人来到了山脚下。这个“山坡”也太不讨喜了，连荒草都不愿覆盖它，它们只长到山脚下的斜坡上面几米就不再延伸了。再往上就只有尘土、沙砾和岩石。虽然一些巨石下面蜿蜒生长出了零星的几株耐寒植物，但除此以外，整座山便是没有半点生气的不毛之地。

---

①考布勒（Cobbler）山，位于苏格兰长湖（Loch Long）边，距格拉斯哥一个小时的车程，是当地著名的风景区。

迪伦顺着几乎垂直的花岗岩壁艰难攀爬，小腿肚子很快便开始火辣辣地疼。尽管她的鞋已经饱经磨砺，穿上去也很舒适，但为了保持平衡，她的双脚时不时要七扭八歪地着地，结果前脚掌还是磨出了一个水泡。行程过半时，山势越来越陡峭，她只能手脚并用。崔斯坦坚持要她走在前面，他声称这样是考虑到万一她跌倒了，自己还能接住她。不过，迪伦暗自怀疑他只是为了欣赏她拼命攀爬时的窘态。

“快到了。”他在她下方一米的地方喊道，“相信我，等你到山顶的时候，那景色绝对让你感到不虚此行。”

“我才不信。”她小声嘀咕了一句。她的胳膊和腿都又酸又痛，手指全都擦破了皮，满是泥垢。她又费劲地爬了几米，在一块从峭壁突出来的壁架上停下来喘口气。她傻乎乎地朝下一望，顿时被眼前的一切惊得倒抽一口冷气。脚下的路面异常陡峭，刚才那一片草地已经在下面很远很远的地方了。她感到一阵眩晕，身子晃了几晃，胃里一阵痉挛恶心。

“别往下看。”崔斯坦看着她脸色有些发青，从下面厉声喝道。她要是晕倒了，首当其冲的就是他。不仅如此，如果她从这儿掉下去，如果她就这样顺着峭壁垂直落下去……她就完了，这一次就是彻底地魂飞魄散了。如同失去了外壳保护的蜗牛，她在荒原上的魂魄就如同她在现实世界中的身体一样非常脆弱，“加油，继续，”他鼓励着她，“就快到了，我保证。”

迪伦面露狐疑之色，但还是转过脸对着岩壁，继续往上爬。片刻后，她发觉自己真的身处山顶了。她颓然倒在一小丛在严酷环境中侥幸存活的石楠花上，大口喘着气。过了一会儿，崔斯坦也上来了，站在她的身边，大气也不喘一下。迪伦厌恶地看着他，而他却毫不理会，只是对着地平线颔首。

“看，我说过会不虚此行吧。”

迪伦用胳膊肘支着身子，向远方凝视。她不得不承认这里的景色的确壮观。眼前一片璀璨的光芒，如同上百万颗钻石在太阳下熠熠生辉。迪伦眯起眼睛，想弄清楚眼前看到的是什么。似乎有个闪光的物体在起起伏伏，她绞尽脑汁，试图给眼前看到的景物一个合理的解释。啊，是水，是一个湖。极目远眺，一个大湖从山南流过。水面宽阔，东西绵延数英里。他们绝对绕不过去，那要花上很久很久的时间。

“我们又该怎么穿过那个湖呢？”她终于开口讲话了，声音有些气急败坏。

“别担心，我们不用游过去。”他嘴唇上露出狡黠的微笑。迪伦皱起了眉头，他老是这么神神秘秘的，“来吧，该走了。”

“呃。”迪伦嘀咕着，不顾全身疲惫不堪的肌肉，硬撑着坐了起来。她挣扎着站起来，直直瞪着下山的路。看起来比上山的路好走了些，但也没有好多少。这一面山麓上植被茂密得多，一路上全是一丛丛的荒草和灌木，一大片一大片的碎石点缀其间。很明显，崔斯坦根本不打算在这里作片刻休息，他似乎急着要赶到湖边。

迪伦一路跌跌撞撞地跟在后面，而他的步伐却总是那么信心满满，稳稳当当。突然她脚下一滑，往下溜出去两米。她不由大叫了一声，手臂忙向身子两侧一挡。可崔斯坦连头也没回，只是为她的笨手笨脚摇了摇头。迪伦对着他吐了吐舌头。她确信如果崔斯坦愿意的话，本来可以背着她走的。

山脚下，湖水就在他们面前流过。风在水面上卷起波澜，看上去十分壮观。起伏的波浪一直延伸到了远处的地平线，在迪伦看来，这湖水就像是在呼吸一样。仿佛它也有了灵性，挪移着步子，低声细语，轻轻拍打着布满黑亮的鹅卵石的狭长湖滨。除了浪花拂过岸边时发出的声音外，湖水一片沉寂，静得离奇。迪伦的耳边没有狂风呼啸，她突然意识到这里竟然没有任何野生动物。既没有在觅食时发出尖厉叫声的水鸟掠过水面，也没有水鸭在浅滩戏水。水面上似乎空空荡荡，尽管景色壮观，但迪伦还是有些害怕。

崔斯坦在石头水岸的边界处向左转，然后朝着远方一处小房子走去，迪伦连问也没问就老老实实地跟在后面。等到他们渐渐走近的时候，她才看清这是一间没有窗子的简易窝棚，屋顶上盖着防水油布，看上去已经有几处破损。崔斯坦比她快几步先到小木屋，只见他站在房子的一角，仔细端详着占据了大部分墙体的两扇大门。门似乎没有上锁，但是迪伦没有看到门把手之类开门的东西。就在到达门前的一瞬间，崔斯坦毫无意外地打开了那两扇门，露出了藏在屋里的东西。

"你别耍我啊！"迪伦脱口而出，眼神中带着一丝恐惧。

那是一个类似小艇的东西，由经过粗加工的木头做成。船体本来还刷了一层白、红、蓝三色的油漆，不过早已褪色，现在只剩下些斑驳的颜色，无声地纪念着它盛年时曾经的活力与荣耀。小艇下面是一辆带轮子的手推车，车前系着一卷有些磨损的绳子。崔斯坦双手抓住绳子往上抬，伴着生锈的拖车轮子嘎吱的响声，小艇往前挪动了一点。他转身把绳子挽在肩头，奋力向前拉，小艇一点点地被滚动的车轮带出了小屋。跟刚才在昏暗的棚子里看到的情景相比，日光下的小艇看上去更加不适合下水。船体的木头有多处都已经朽烂，有几块木板更是已经和船身彻底分离了。

"你指望我会坐在这玩意儿上面？"迪伦不满地说。

"对。"回答依然简短，但迪伦欣喜地听出来，这个回答显得稍微有点底气不足。

崔斯坦把手推车拉到岸边的鹅卵石滩上，"上去吧。"他说着，手臂指着船的方向。

迪伦非常疑惑地看着他，"可船还系在拖车上呢。"

他翻了个白眼，"我会推着车子，一直到船浮在水面上跟车子分离。如果你愿意的话，你也可以等我们没在齐腰深的水里时再上去。”

迪伦皱着眉头噘了一下嘴，但还是朝水边走去。近观湖水，她察觉出了一些异样。水是黑色的，不是夜色下或阴云密布时的那种黝黑色湖水，整个湖好像是装满了沥青一样——只不过没有沥青那么黏稠而已。她想把手放入水中，试试看这水摸上去到底是什么感觉，可她终究还是没这个胆量。不过既然崔斯坦打算涉水上船，这水的毒性也不会很强。这样一想，她心里顿时宽慰了不少，于是也准备走进这片陌生的水域。

她一只脚踩在拖车的轮子上，手抓着小艇的后面，另一条腿踏进舱里。这一使劲带得她身体前倾，脸几乎撞上了小艇的木质板凳，幸亏她及时用手挡住，肩膀还是猛然震了一下。迪伦鼓起自己所有的自尊心稳住心神，然后尽量找了种舒适的方式坐到座位上。她不知道崔斯坦打算坐在哪里，也不清楚他会怎么操控这艘小艇。还有更为重要的问题是，他打算怎样挪动它。

崔斯坦看到她身子挺得笔直安坐在小艇上，于是马上开始把它往水里拖。有她坐在上面，小艇变得更沉了，他全身的肌肉都绷紧了。黑水冰冷刺骨，还有一些看不见的东西围着他的脚踝绕来绕去，往前拽着他的双脚，所以他每走一步都非常艰难。终于，当他感到船离开拖车，浮在了水面上时，他撑着车身把自己的身体稍稍抬出水面，然后轻轻跳到了舱里。小艇随之剧烈摇晃起来，他双腿带起的冰冷水珠溅在迪伦身上。她尖叫了一声，紧紧抓住小艇的两边，眯起眼睛，把脸转到一边躲避“阵雨”的突袭。

“小心点儿！”她嚷起来。

“不好意思。”他笑着说，声音里没有丝毫的歉意。

他重重地坐在了另一个座位上，而迪伦发觉这个座位在一秒钟之前明明不存在。

他们相互对视了一会儿，一个怒容满面，一个嬉皮笑脸。小艇在微波细浪中轻轻摇晃，水面平静无风。如果他们身下荡漾的不是不祥的黑色湖水的话，此时享受着艳阳高照传来的阵阵暖意，本该是多么惬意的事啊。

Chapter 18

“好啊，真是好极了。”迪伦语带讽刺地开口打破了沉默，希望自己的话能激得崔斯坦有点反应。

“是啊。”他轻叹一声，凝望着湖水。

也许直接问问题能收到更好的效果，她暗想，“崔斯坦，我们怎样才能到达对岸？”

“靠我们划。”他的答案简明扼要。他伸手在迪伦的座位下面够来够去，迪伦赶忙把双腿挪到船的一侧。崔斯坦摸到了两只破旧不堪的桨，迪伦这次可以肯定，就在她刚才爬上船的时候，那里根本就没有桨。他把桨插入船两侧的桨架——这两只桨架到底是打哪儿冒出来的呢——然后把桨往黑水下面放。等到桨插入水中，崔斯坦就开始慢慢划起来。先用一只桨让船身转向，然后再双臂同时奋力划桨。他在上船之前已经脱掉了外套，现在身上只穿了件T恤，强健的体格尽显无遗。他划起船来非常自信，双手紧握桨柄，只轻轻松松划了几下，桨便在水中上下翻飞起来。

迪伦看着他身上的肌肉随着划桨的动作不时地聚拢绷紧，那件薄薄的T恤紧紧贴着他的胸口，感到自己的脸颊慢慢变红了，一种异样的躁动让她坐不安稳。她干咽了一下，然后无意中发现他正在看着自己。被人看到眼神、猜破心事让迪伦大窘，她把目光移到桨上，看着它们在湖面荡起层层涟漪。

迪伦看着他熟练地、周而复始地划着桨，心里突然迸出了一个可怕的念头，“你不会是打算让我跟你轮换着划吧？”

他不屑地说：“不用了，你要是不介意的话，我可以在时限结束前就划到目的地。”

迪伦扬了扬眉毛，但既然已经得到了想要的答案，她也不愿多做口舌之争。她的目光掠过水面四下张望，周围群峰耸立，好似一块马蹄铁环绕着半个湖区，他们刚刚走下的那座山恰好位于马蹄铁的中心。山峰向内弯曲，保护着湖水免受外面天气的影响。大概这就是湖面异常平静，舟行水上几乎没有什么晃动的原因吧。而小船驶往的目的地却景色空旷，世界似乎在那里消失了一般。真让人心神不定啊。

尽管崔斯坦划得很慢，但是动作却非常有力，桨片在水面上下翻飞，迪伦几乎已经看不清刚才离开的水岸了。而对岸也遥不可及，一时间迪伦感到一阵恐慌。如果这条破船开始漏水该怎么办呢？迪伦不确定自己能不能平安到达对岸，她对自己的游泳技术一点信心都没有。很小的时候，她的母亲曾经逼着她上游泳课，但当她稍大一点、有了对身体的自主意识后，就坚决不去了。她倒不是对自己糟糕的游泳技术感到难为情，主要是因为从更衣室（居然是男女通用的）到泳池，要裸露着四分之三的身体走十五米，这也太丢人了。

迪伦想到了必要时可能还得跳入水中。船到湖心，湖水又那么黑，她看不清下面到底有什么。没办法分辨湖水有多深，也不知道里面潜藏着些什么东西。她把胳膊垂在船舷上，用手指划过水面。霎时就感到了湖水刺骨的冰冷，这太不正常了。而且水摸起来怪怪的，比一般的水要黏稠，密度大概介于石油和水之间。没错，这个时候要是船往下沉那绝对是糟透了。

“我要是你就不会那么做。”崔斯坦这句话把迪伦从胡思乱想中拉了回来。

“做什么？”她问。

他朝着迪伦那只还在划水的手点头示意，“这么做。”

迪伦猛然把手抽回来，仔细检查了一番，生怕这手也会变得跟湖水一样黑，或是指尖消失掉。自然，一切安然无恙。

“为什么不行？”

他注视着她，目光沉稳，最后说：“小心无大错，你永远也不会知道这水下藏着什么。”

迪伦倒吸了一口冷气，把双手紧紧贴在腿上。不过，她还是忍不住将身子微微探过船舷，偷偷瞄着湖面的浪花，尽管这样一点用也没有。虽然什么也看不见，她还是继续凝视着起伏的水浪，意识稍稍有些恍惚。此时只能听到桨叶有节奏地划过湖面时轻柔的水花飞溅的声音。

在她看向水面的时候，崔斯坦也在注视着她。只见她的眼睛睁得很大，望着水面粼粼的波光失神。她的面相平和文静，额头光滑无痕，嘴角挂着浅笑。她的双手夹在两膝之间，这样的坐姿让他暗自好笑，不过笑意很快就消散了。她听他的话是没错的，水下正潜伏着她梦魇中出现的东西——在科幻小说中行动自如的深水怪物。不过，此时的她却心静如水，所以天气也是风和日丽。照这个速度划，他们能在天黑前早早地远离危险，平安上岸，到达安全屋。他不敢想得更远了。

“多久？”迪伦轻声嘟囔着。

他有些疑惑地看着她。

“我是说还有多久能到。”她解释道。

“到安全屋吗？”他想，但愿她问的是这个，心里一阵发慌。

“到终点。”她仰起头，目光似乎穿透了他。

他发觉自己在她面前说不了谎，“明天。”他的声音低沉沙哑。

明天，这么快。再过一晚上，他就会让她一个人走，然后再也看不到她了。他的喉头一紧。通常来说，穿越湖区的行程是整个长途跋涉中最舒服的一段路。通常说来，他渴望赶紧摆脱那些一路净给他找麻烦的灵魂，急不可耐地远离他们的哭哭啼啼、牢骚抱怨和自怨自艾。但是这次不同。看着她走向最后的归宿，而自己却不能跟在身后，对他来说是一种痛苦和煎熬。他看到迪伦睁大了眼睛，她听懂了自己话里的意思，眼中似有泪光闪动。他转开了目光，全神贯注地看着目的地，不忍心再看她的脸。他的手指有些颤抖，握紧了桨叶，朝着最后分手的地方划去。

迪伦心里乱极了，她对即将独自迈出的下一步充满恐惧。崔斯坦也给她解释不清等待她的是什么，他还从未走出过荒原。她死前接受的那点儿零零星星的宗教教义告诉她，她会到一个更完美的世界，但谁又知道这到底是真的还是假的呢？她可能会踏上任何地方——天堂、地狱，或只是永恒的虚无。而且她还将独自上路（是走着去吗？），崔斯坦之前就说过他不能一直陪她走。所以，到达某个地方之后，她将不得不独自走完剩下的旅程。

湖面上的波浪渐渐增强，船儿也开始轻轻颠簸起来。崔斯坦眉头微蹙，加快了划水的速度。

迪伦陷入了沉思，因而感受不到这变化。她不仅必须独自一人走，还要离开崔斯坦。一想到这个，她的胸口就感到剧痛，眼中含着热泪。这些日子来他一直在保护着她、安抚着她、支持着她。她还萌生出了其他的情愫，渴望跟他在一起。她一直对他的一言一行极度敏感，只消他简单吐出一个词就可以让她心里时而七上八下、忐忑不安，时而深陷不自信与痛苦的泥潭中难以自拔。在她的潜意识中，她曾经怀疑他这样做是不是出于本意，是不是只是在利用她的感情让她老实听话，好少给他添麻烦。但是内心深处有个声音告诉她他是真心对她的，她对此深信不疑。

现在她简直无法想象没有他在身边该怎么办。这几天他们一直形影不离，感觉两人好像在一起很久很久了。她注视着他，如痴如醉地看着他俊朗的容颜，尽力想把每个细节都记在心里。绝望与无助笼罩了她的思绪，天色似乎马上就要暗下来。刺骨的寒风袭来，吹乱了她的一头长发，又来拉扯她的外套。迪伦对此竟浑然不觉，完全沉浸在自己的痛苦中。但崔斯坦紧张地瞥了一眼天空，然后划得更快了。他希望不出任何意外地穿过这个湖，但迪伦此时此刻的心绪偏偏跟他作对。在她的心像作用下，狂风掀起白头大浪，船在峰谷间颠簸摇晃。

"迪伦，迪伦，看着我！"他下命令般地说道。

她被这喊声吓了一跳，目光重又聚到了他身上，她看起来像是从很遥远的地方向他走来似的。

"你必须要冷静下来，迪伦。你看看这天。"现在，他几乎是在对着风喊话了。迪伦听到后点了点头，但他不确定这番话她听进去了没有。显然是没有，她就这么看着他，眼前浮现的尽是他离开她，把她一个人撇在那个充满恐惧、前途未卜的世界时的情景。在她的想象中，她在对着他呼喊，求他回来，而他只是点了点头，然后继续走路。她只知道崔斯坦明天就会离开她了，其余什么都不重要。

崔斯坦手中的桨已经不起作用了。湖水剧烈翻腾，他没法继续划水了。他们任由巨浪抛来抛去。水花如暴跳的烈马，冰水把他们浑身都浇透了。湖面下的水似乎正在翻滚，还不能确定这到底是因为风狂浪急还是有不明生物在蠢蠢欲动。

"迪伦，抓住船舷！"崔斯坦厉声喝道。

她头也没抬，还沉浸在自己的思绪中。此时此刻，小艇如发了疯一般在水面蹿上蹿下，崔斯塔已经双手紧紧抓住了两边的木头。而迪伦坐在那里，异常沉静，不知怎么的竟丝毫不受天气影响，就好像完全置身事外一样。

一阵狂风撕扯着他们俩，把他们推向船舷。崔斯坦使劲抓牢，但朽烂的船板立刻碎裂成了几截，他紧抓的那块木头竟被他的手掰了下来。失去了抓手的崔斯坦顿时失去了平衡，踉跄着朝船的另一头栽过去。在颠簸的水浪中，他这重心一动终于打破了小艇一直努力保持的脆弱平衡。崔斯坦身子一轻，伴随而来的是一阵恐惧，然而此时他已经对小艇的倾覆无能为力了，黑色的浪马上朝他们奔袭过来。

崔斯坦使劲躲闪，担心船会砸在他们头上，于是扎入了水下。湖水冰冷，四处一片漆黑，即使紧挨着湖面，他也看不见上面的天空。水流撕扯拖拽着他，让他的意识陷入混沌。他胡乱蹬着腿，希望自己是往上游，几秒钟后终于钻出了水面。他随着水面起起伏伏，转头四下寻找。身旁，那艘小艇船底朝天浮在水上。他冲过去察看船的另一侧，越来越强烈的恐惧感简直要在他的胸中炸开。他不能失去她，至少不能在这里，不能在这翻腾的湖水中失去她。

“迪伦！”他高声呼唤着。

没有回应，水面上没有任何她的痕迹。

他踩着水，想努力靠目光搜寻身下的蛛丝马迹，但那是不可能的。他别无选择，只能再次潜入水中。

迪伦迷失了方向。一接触到水面，她马上从刚才的麻木状态中醒过神来。但是她对落水毫无准备，冰冷的湖水让她倒吸冷气，水马上就灌进了嘴和鼻孔里。在水灌入她的肺部把她呛死之前，她出于本能闭上了气管。她用力把水排出来，然后紧闭嘴唇。但她的肺像着了火一样，急需空气。迪伦拼命告诉自己，她的身体并不真实，是不需要呼吸的。可那丝毫不起作用，她的肺继续向她告急求救。自从落水后她的眼睛一直都是自动闭上的，现在她把眼睁开，可什么也看不见。水刺得眼睛生疼，但她还是硬挺着睁着眼，在绝望中盼着能看到天空或是崔斯坦的脸出现在眼前。

狂暴的波浪从各个角度击打着她，她在水下翻腾旋转。她不知道怎么游上去，就在水下瞎扑腾，指望奇迹发生。她每划一次胳膊、蹬一下腿都非常艰难，厚重的衣服碍手碍脚，她的四肢有种灼烧的感觉。

不知什么东西游过了她的腹部。迪伦赶紧收缩胃部，又挤出了更多宝贵的空气。那东西顺着她的胳膊游走，像是要一探究竟似的在那里绕来绕去；还有东西游过她的脸，粗糙的表皮蹭着她的面颊。迪伦害怕极了，在水下拼命扑腾，对着那隐形的东西瞎踢乱打。突然之间，水下如同开锅滚水一般，无数生物在其中蠕动盘旋。她内心充满了恐惧感，心想它们终究还是来了，完了。

以前她一直很害怕溺水，从童年时期就开始做关于溺水的噩梦，这也是她一直躲着游泳池的一个原因。冰水和缺氧让她变得四肢乏力，然而恐惧感还是驱使她的四肢继续挣扎着，反抗未知生物的袭击。呼吸的需求越来越迫切，她竭尽所能地紧锁双唇，但她的每一根神经都在要求她张嘴吸气。

不知什么东西抓住了她的头发，用力拖拽，她心里一惊，一时间竟忘记了闭嘴。嘴一咧开，肺马上趁机吸气。滚滚毒水随即涌进了肺部，它们一边抽搐着，一边仍竭力想吸进空气。迪伦连咳嗽带呛水，更多的污水灌进了喉咙，眼睛惊恐地往外凸，耳朵因为入水过深而胀痛。开始是瞬间的疼痛，最后就成了尖厉的耳鸣。当她逐渐陷入昏迷的时候，脸上还带着绝望呐喊的神情。她最后只觉得有个东西拽着她的腿，猛地朝着更加幽深的湖底沉下去。

Chapter 19

崔斯坦再次钻出了水面。他举着迪伦，让她的头离开水，靠在自己肩上。她双目紧闭，面如死灰。他心中既略感安慰又焦急万分，他这次很走运，手指恰好碰到了迪伦的牛仔裤腿，这才在漆黑的水中找到了她。他都来不及把她的身体扶正，就紧紧抱住她游回水面。但他担心一切都太迟了。她真的已经走了吗？

对岸就在眼前，他开始奋力向那里游去。没游多一会儿，他的脚就蹭到了岸边浅浅的水底。

崔斯坦步履蹒跚地走上了鹅卵石铺成的水岸，臂弯里搂着面色惨白的迪伦。他只走出几米远就双膝瘫软，跪倒在地。他小心翼翼地把迪伦放在地上，扶着她的肩头，轻轻摇晃着，想要把她唤醒。

“迪伦！迪伦，你能听见我说话吗？你睁开眼啊。”

她毫无反应，躺在那里一动也不动。她的头发湿漉漉地贴在脸上，他仔细地把她的每一缕秀发拂到耳后。她耳垂上小巧的紫色宝石耳钉闪着微光，他以前竟然从来都没注意到这些。他俯下身子，把脸贴近她的嘴边。虽然听不到她的呼吸，但他能感觉到她微弱的气息，她还有救。“我该做些什么呢？”崔斯坦脑子里乱极了。

“别慌，”崔斯坦严厉地告诫自己，“她呛了很多水。”他抓紧迪伦的右肩，让她的脸朝下，胸口贴着他的膝盖。他摊开手拍着她的后背，尽力让她把水咳出来。这个办法真管用，她开始往外吐水，接着开始咳嗽、呕吐，最后吐出了一大摊污浊的黑水。她的喉咙里发出像锉刀磨东西一样的喘息声，崔斯坦终于长出了一口气。

迪伦终于带着满心的恐惧感醒来了。她的四肢狼狈地摊开，胸部抵在崔斯坦的膝盖上。她挣扎着把手臂伸到身下，意识到自己想要做些什么，崔斯坦帮她坐了起来。他扶她用手撑着地，双膝也跪在地上。她大口喘着气，吐出了嘴里最后一点脏水。嘴里的味道令人作呕，好像湖水已经被污物、死人和腐烂的东西污染了。事实上也的确如此，她回想起刚才有一只只手紧抓着她，那一排排利齿撕咬着她，使劲要把她拖下去的情景。她顿时被一阵又惊又冷的感觉袭遍全身，开始剧烈颤抖起来。

“崔——崔斯坦。”她嘴唇青紫，哆哆嗦嗦地说。

“我在！”他回答，声音里的焦虑显而易见。

迪伦的手伸向他，崔斯坦结实的胳膊抱紧了她的腰，把她拉了过来。他让她依偎在自己的臂弯，抚摩着她的上臂和后背，尽量让她暖和一点。她把头埋进他的胸膛，想贴着他多得到一点他的体温。

“一切都过去了，小天使。”他柔声说道。这样亲昵的情话竟会从自己的嘴里冒出来，连他自己也觉得诧异。

迪伦听到这话心中浮现一阵暖意，她心潮起伏，再加上刚才的痛苦经历，一时间五味杂陈，不能自已。她的热泪夺眶而出，滑过脸颊，掉在冰冷的皮肤上激起一阵刺痛。她的呼吸也越来越急促，突然之间无法自控，开始号啕大哭起来。她哭得全身都在颤抖，大口大口吸着气，呼气时抽抽搭搭带着哭腔。这哭声在撕扯着崔斯坦的心，他情不自禁地把她搂得更紧，轻轻摇晃着。

“没事了，没事了。”他一遍遍地重复着。迪伦心里都明白，但是还不想表现出已经振作起来的样子。她想再静一会儿，安安稳稳地躺在崔斯坦的怀抱里。然而不知怎么的又开始呜咽起来，她已经没力气止住哭泣了。

最后，迪伦已经哭得肝肠寸断，而崔斯坦始终一动也不动，只是搂着她，生怕自己一动就会刺激到她。但是，越来越阴沉的天色逼着他不得不开口说话了。

“我们得离开这儿了，迪伦。”他在她耳边柔声说，“别担心，走不了多远。”

他的胳膊一松开她，迪伦就感觉到刚才紧紧贴着他产生的热力霎时就消失了。她又开始哆嗦起来，不过好在这次她没有哭。她挣扎着站起来，但是腿支撑不住，胳膊也不听使唤。她积蓄的所有能量已经在刚才濒临死亡的时候全部耗尽了，她不愿再劳动自己疲惫不堪的四肢。她现在满脑子想的都是，明天她就要失去他了。对她来说，躺在这里让那些恶魔过来抓还更好些，身体的疼痛能很好缓解心灵的痛苦。

崔斯坦已经爬了起来，他伸出手勾在迪伦的腋下，她就好像处于失重状态一样，轻轻松松就被拽了上来。崔斯坦把她的右臂搭在自己的肩膀上，左胳膊搂着她的腰，然后半拉半背地把她带离了小小的湖畔，走上了通向安全屋的狭窄土路。

看到迪伦冷得上下牙直打架，崔斯坦赶忙说：“我等会儿会生火让你暖和起来的。”迪伦只能木然地点了点头，不过寒冷现在只是一个无足轻重、无关紧要的小麻烦，她几乎毫不在意。

小屋的门很陈旧，因为毗邻潮湿的湖畔，所以木头已经膨胀变了形，紧紧嵌在门框两侧的直木里。崔斯坦脱不开手，只好让她开门。迪伦却靠着墙倒下了，眼睛盯着地面。崔斯坦扭动门把手，用肩膀撞门。木门开始发出吱吱呀呀的声音，最后终于勉强开了一条缝，崔斯坦跌跌撞撞地进了屋。迪伦坐着没有动，进去就意味着他们共处的最后一晚开始了，这便是离别的前奏。此时，她隐约听到了从自己左侧传来的高亢号叫，但这次她一点也不害怕。

崔斯坦正在屋里生火，也听到了叫声。他转身过来查看迪伦，发现她竟破天荒地没有跟着自己进门。

“迪伦？”他唤了一声，她没有应答。这一片死寂着实让崔斯坦胳膊上的汗毛全都立了起来。他拔腿大步跑到屋门口，她还靠在石墙上，深邃的眼睛望着前方的一片虚无。

“来吧。”他说着，稍稍屈膝，直视她的眼睛。迪伦眼中的焦点丝毫未变，直到他伸出手攥着她的手时，迪伦才注意到他。她凝视着崔斯坦的脸，他能看到迪伦的脸庞写满了哀伤。他努力做出一个宽慰人的微笑，但脸上的肌肉似乎已经忘了该怎么去笑，嘴动得很牵强。他轻轻牵着她的手，她则默默地跟在后面进了屋。

崔斯坦领着她进屋后，让她坐在唯一的一张椅子上，椅子已经在炉火前摆好了。他一关上门，小屋里马上温暖起来。他回头望了一眼炉火，惊诧地看着迪伦娇小的身影。她两腿并拢，手微微交叉放在膝盖上，垂着头像是在睡觉又像是在祈祷。看着她就像在看养老院里那些等着死亡来临的空皮囊一样。他不愿见到她如此孤单寂寞，于是走过来陪她。这里再没有座椅了，于是他盘腿坐在壁炉前一块破地毯上。他看着她，想要说些什么来打破沉闷，逗她再笑一下。可说什么好呢？

“我不行。”她喃喃自语着，抬起头看着他，眼神既热烈又带着惊恐。

“什么意思？”他的声音只略微盖过了炉火发出的噼啪声。他的心里在呼喊着，不要这样聊下去了，敷衍她一下吧。他既无法应对她的痛苦，也无法应对自己的痛苦。但必须让她把自己的痛说出来，所以他依旧听着。

“我自己一个人不行的。不管是走完这段旅程还是做别的什么事，只要是我自己来，我都会非常害怕。我……我需要你。”最后这句话是最难以启齿的，但却千真万确。迪伦已经平静地接受了自己的死亡，连她自己都觉得诧异。想起自己还在尘世的亲人、朋友们，她也只是略感伤心。既然她要走上这条路，自然他们终有一天也会来的，她还会和他们再见面的。

而崔斯坦却要在明天离她而去，从此在她的生命中消失。他又会迎接下一个灵魂，哪怕他还能想起她来，她也会很快变成他遥远的回忆。她曾让他讲过其他灵魂的故事，在他努力回忆那些久远到几乎被遗忘的往事时，她看到他的脸会微微抽搐。他曾引领过那么多灵魂，没有一张脸会比别的脸更让他印象深刻。她不能忍受自己的面容终将在他的记忆中变得模糊不清，绝对不行，他已经成为自己生命中最重要的人了。

不，她不想踏上最后的旅程。她不会也不能留下他一个人走。

“我就不能和你一起留在这儿吗？”她怯生生地问，从声音听得出来没抱多大的希望。

他摇摇头，迪伦的眼睛垂了下来，拼命忍着，不想让更多的眼泪流出来。她必须搞清楚，到底是不可能，还是他不想要自己呢？可如果她没有得到自己想要的答案又该如何呢？

“不行啊！”他费了很大的劲才从嘴里挤出这句话，“如果你待在这儿，最终恶魔们还是会把你当成猎物抓走的。”他指指窗外说，“太危险了。”

“只有这一条理由吗？”如果他没有看到她嘴唇的嚅动，他根本就不确定她说没说话，她的声音很轻。然而虽然只是轻声细语，却如洪水般灌进了他的耳朵里，凝结在他的脑海，让他的心结成了冰。现在是时候了，得告诉她他不在乎她，确定她明白自己的话是什么意思。如果她认定自己会毫无遗憾地离去，那么她踏上那段最后的旅程时就轻松多了。

他的迟疑让迪伦抬起了头注视他，那双碧眼似乎已经做好了承受痛苦的准备，她紧咬牙关好让下巴不再颤抖。她看起来如此脆弱，好像一句重话就能把她击倒似的。他刚才的决心又动摇了，他不能这样伤害她。

“是的。”他回答。他伸手揽着她的腰，让她跟他一起坐在那块破地毯上。他窝起手掌，拇指轻轻划过她面颊光滑的皮肤。在他的抚摸下，她的面颊变得温暖，泛起了淡淡的红晕。“你没办法待在这儿，虽然我很想你留下。”

“你想让我留下吗？”希望开始复萌，她脸上露出喜色。

他到底在做什么啊？现在他本不应该给她希望的，他很清楚自己终究得把这点希望再次夺走。他不应该的，可是他实在是无能为力。崔斯坦回想起她曾显露给他的一张张面孔——走出隧道口时既心有余悸又如释重负；白天被他逼着走一天的山路，每晚睡在破败不堪的屋子里时脸上的厌恶与埋怨；受他嘲笑时的怒气冲冲，陷进泥潭时的尴尬困窘，睡醒后发现他归来时的欢喜欣慰。每一次回忆都让他露出微笑，他把这些往事全都封存在了心里，留待她离去从此再无欢愉时安慰自己。

“咱们这么说吧，我现在是越来越喜欢你了。”他笑着说，仍然沉浸在刚才的回忆中。可她笑不出来，她还有事情没解决，心乱如麻，“可是明天你不得不继续走下去，那儿就是你的归宿。迪伦，那儿才是你该去的地方。”

“崔斯坦，我不能，我一个人做不到。”她哀求着。

他叹了口气。

“那……我陪着你，全程陪着。”他说。

“你保证？”她马上问，急着想用话把他套牢。他直视着她的眼睛，点了点头。一时之间她看起来有些困惑。

“你好像说过你是不能一起走的。”

“是不应该，但是为了你，我愿意。”

迪伦看着他，伸手握住他的手，把手贴在自己脸上。

“你发誓？你发誓你不会离开我？”她央求着。

“我发誓。”

迪伦像是在试探似的对着崔斯坦笑起来。她的手还握着崔斯坦的手，一股热力从她的手上传来，他的骨头里也感受到了这股灼热。她一松开，温暖瞬间就消失了。但她又伸出了手，手指就在离他面颊几厘米的地方徘徊。在等待她触上来的过程中，他下巴上的皮肤有一种麻酥酥的感觉。可是她还是一脸的迟疑，似乎不敢再越雷池一步。他向右翘起嘴角，露出鼓励的微笑。

迪伦的心在胸膛中怦怦乱跳，心跳先是时有时无，后来在一瞬间完全停止了。她高举的手臂又酸又痛，然而比这种隐痛更难受的是指尖传来的近似于疼痛的麻刺感。缓解它的唯一办法就是抚摸崔斯坦的面颊，抚摸他的额头还有他的嘴唇。但她心里还在忐忑不安，她还从未像这样抚摸过他呢。

她看到他露出了微笑，手指竟像是被磁铁吸住了一样，不由自主地动起来。她的手贴着他的游移着，感受着他时而紧咬牙关、时而放松牙齿时脸上肌肉的变化。跟屋子里柔和的光线比起来，他湖蓝色的眼睛显得太明亮了，但却让人很安心。那目光对迪伦似乎有催眠的作用，她的目光就像扑火的飞蛾一样，根本没有办法离开他。崔斯坦伸手扣着她的手，让它停在了自己的脸颊上……四秒、五秒、六秒，迪伦忽然急促地吸了一口气，完全没意识到自己刚才一直屏着呼吸。

魔咒似乎被解除了。崔斯坦往后退了只一厘米左右，仍然拉着迪伦的手。他的眼神依旧温暖，他没有松开迪伦，而是引着她的手到了自己的嘴边，在她指关节柔软的皮肤上留下了轻轻一吻。

之后他们谁也没再多说什么，两个人都陶醉在彼此默然不语却深情相依的氛围中。迪伦想要让时间慢下来，充分享受现在的每分每秒。然而即便她用尽全力，遮挽时光仍如同用一张纸巾抵挡飓风一样，时间依然以惊人的速度流逝。当晨曦的微光开始透过窗子照进屋里时，她几乎难以置信。炉火早已熄灭多时，但它已经完成了自己的使命，烤干了迪伦的衣服，也让她冻僵的身体暖和了起来。他们继续盯着壁炉，看着那深灰色的木柴冒着青烟。经过了一晚上，崔斯坦像变了一个人一样，胳膊搂着她的肩膀，和她紧紧依偎在一起，精心呵护着她。他们背对着窗户，晨光正洒在他们的肩膀上，也照亮了后墙。墙上斑驳的黄色油漆还有一幅满是灰尘、内容难辨的旧画渐渐显现。尽管两人把这一切都看在眼里，但却纹丝不动。

最后，阳光透过窗子射进来，空气中四下飞舞的灰尘在阳光下闪烁着金色的光芒。崔斯坦先动了起来。他不愿意面对今天。想到昨晚对迪伦的许诺，他的胃里顿时不由得一阵翻腾。此时，在他脑中，可能发生的情况、理性的抉择以及个人的情感正较量得难舍难分。

而此时的迪伦却出奇的平静。她昨天已经用了大半夜的时间预想今天可能出现的各种状况，最后她终于发现，除了迈出最后的脚步、随遇而安外，她没有什么更好的办法了。崔斯坦会陪着她，这就足够了。只要有他在自己身边，她一切都能承受。他会在自己身边的，他答应过她了。

Chapter 20

“最后一段旅程，准备好了吗？”崔斯坦问道，努力让自己的声音显得轻松幽默。他们站在小屋外，准备上路了。

“是的，”迪伦回答，勉强笑了笑，“我们去哪儿呢？”

“这边走。”崔斯坦开始绕过小屋，朝湖的反方向走去。迪伦最后看了一眼湖水。今天水面上似乎波澜不兴，只微微泛着小浪花，阳光撩拨着那细小的浪头，引来一片粼粼的波光。她想起了潜伏在湖水下的那些毛骨悚然的怪物，不禁打了一个寒战，于是脚步匆匆地跟着崔斯坦，好像这样就能把不快的记忆都抛在脑后。他站在小屋的另一头，把手放在额头上遮挡阳光，一脸轻松地凝视着远方。

“看到了吗？”迪伦顺着崔斯坦的目光望去，前面是空空荡荡的一马平川。一条涓涓细流从他们身边蜿蜒蛇行，朝着地平线流去。水流左侧有一条与它平行的小路。除此之外，除了几片灌木丛，就什么也看不到了。迪伦一边的眉毛扬起，困惑地说：“呃，什么也看不见啊。”

听她这么说，崔斯坦转过脸瞥了她一眼。他咧开嘴笑着，使了个眼色，“再仔细看看。”

“崔斯坦，那儿真的什么也没有。我应该能看到什么？”

他对着她叹了口气，但迪伦能感觉得到他正在为自己的这种优越感沾沾自喜。他走到迪伦身后，靠着她的肩膀。他的呼吸让她的脖子痒痒的，皮肤火辣辣的。

“看着地平线。”他指向前方，“看到那微微闪光的地方了吗？”

迪伦眯起眼睛观望。地平线看上去非常遥远，她只能隐隐约约在蓝天与大地的交界处看到一些东西在微微闪烁，这也有可能是阳光下的幻影，或者根本就是自己使劲地盯着一个地方看后产生的错觉。

“不是很清楚。”她老老实实地回答。

“好吧，那儿就是我们要去的地方。那里是荒原和……和远方的交界。”

“哦，”她说，“然后又会发生什么？”

他耸耸肩，“告诉你吧，我也从来没去过。这就是我到过的最远的地方了。”

“我知道，但是你在那儿见到过什么？我是说，它看起来像不像通往天堂的台阶或是别的什么东西？”

他难以置信地看着她，开口时候明显在使劲憋着笑，“你觉得会有一个巨型自动扶梯从天而降吗？”

“好吧，人家不知道嘛。”她嗔道，用生气掩饰自己的尴尬。

“对不起。”崔斯坦笑得很腼腆，“通常他们走到这儿之后就消失了。就是这样，他们往前迈出一步，然后就会消失。”

迪伦皱了一下鼻子。她能听得出来他说的是真的，可这对她来说根本没什么帮助。

“来吧，我们得上路了。”崔斯坦在背后轻轻推了迪伦一把，催促她动身。迪伦又看了一眼地平线，使劲地盯着那个所谓的闪光处。她能看见吗？太难辨认了。她看了会儿只觉得头疼，索性不再理会，只有悻悻地望着他们前方的那条小路。至少不用再爬山了，但目的地依然遥不可及。

“反正是最后一天了……”她满怀希望地说。

“我不会背你的。”崔斯坦话都没让迪伦说完就打断了她。他超过了走路没精打采的迪伦，大步流星地向前走。迪伦一边小声抱怨，一边拖着沉重的脚步在后面跟着。

“要知道，我昨天几乎淹死哎。”她继续唠叨着，心里清楚他才不会善心大发背自己呢，但一想到还要长途跋涉穿过平原就苦不堪言。昨天的溺水耗费了很大的体力，现在她双腿僵硬，胸口疼痛，喉咙因为昨天吐了很多水，加上不停地咳嗽，依然刺痛。

他回头看着她，脸上露出奇怪的表情，但随即还是转身继续走了。

“好吧，鉴于我现在已经死了，我很可能没法再死一次了，不过这样还是让人很痛苦啊。”

这次他停下了脚步却没有转身。迪伦大步追上了他，但又有些退缩。他此时的样子让她变得小心翼翼。

“不，你有可能会再死一次的。”虽然他说话的声音很轻，但还是传到了迪伦的耳朵里。

“你说什么？”她突然问道。他抬头看着天空，深吸了一口气，然后转过头面对着她。

“你有可能还会死。”

每一个词都说得慢而清晰，每一个词都像一把匕首径直刺进迪伦的大脑。

“我有可能会再死一次？”她问道，完全被这话弄糊涂了。死人还会再死一次吗？

他点点头。

“可怎么能再死一次呢？死后又会去哪里呢？我没有……”迪伦的话说到最后突然吞吞吐吐的了。

“你可以死在这里。我是说，你的灵魂。当你活着的时候，你的灵魂由你的身体保护。当你死了以后，你丧失了身体，所以灵魂就变得很脆弱。”

“如果灵魂也死了呢？”

“那你就完了。”他的回答言简意赅。

迪伦呆呆地看着天空，想到自己差一点就彻底灰飞烟灭了，还有些后怕。对于自己身体的死亡，她没有过多抱怨，因为毕竟自己还在这里。但得知自己有可能彻底消失，失去与自己盼望重逢的亲人们相见的机会，她被吓得说不出话来了。

“来吧。我很抱歉，但我们没时间耽误了，我们该走了。这里不再有安全屋了，迪伦。”

听到他喊自己的名字，迪伦从沉思中惊醒了过来。

“好。”她小声说。她没有看他，径自往前走去。即使四肢疼痛，疲惫不堪，也好过她独自在黑暗中被恶魔逮住。崔斯坦看着她走远。她高昂着头，脚步很快，但步态却一瘸一拐。她漫不经心地揉着自己的嗓子，崔斯坦知道昨天受了一场大罪后，她一定仍在忍受疼痛的折磨。

“等一下。”他大声喊着跑向迪伦。她停下脚步，转头等着他。崔斯坦跑到她身边时没有停下脚步，而是向前迈了一步正好站在了她的身前。他微笑着，背对着她。

“跳上来。”

“什么？”

他转身冲着她，眼珠滴溜溜一转，“跳——上来。”

“噢！”迪伦的脸上露出如释重负的喜色。她抓着他的肩膀跳了上去，双腿绕在他的腰间，胳膊搂着他的脖子。他把自己的胳膊勾在她的膝盖下面，开始继续跋涉。

“谢谢你！”她在他耳边低语。

“还不是因为看你太可怜了。”他开玩笑地说。

崔斯坦迈开大步向前走，每一次脚落地迪伦也会跟着轻轻晃一下。很快，迪伦就感觉自己在他的背上身子僵硬，很不舒服。勾着崔斯坦肩膀的双臂很痛，而崔斯坦放在迪伦膝盖下面的胳膊也磨得她难受。尽管如此，这还是比让她自己走好多了。迪伦尽量让自己的肌肉松弛下来，尽力陶醉在能跟崔斯坦近距离接触的喜悦中。他的肩膀宽阔而结实，他背着迪伦这额外增加的重量毫不吃力，甚至感觉她轻如鸿毛。她的脸伸进他的脖颈处，深呼吸，回味着他身上的麝香味。他金色的头发随着他的脚步上下移动，蹭得她的脸颊痒痒的。她努力克制着把手指伸进他的头发里的想法。

“我们到目的地后，你就得下来自己走了。”他突然开了口，把迪伦吓了一跳。

她不由得把他搂得更紧了，“我还以为你会跟我一起呢。”

“我是要跟你一起走，”他马上说，“但是你必须自己下地，我会跟在你后面的。”

“不是你走在前面吗？”她的语气中带着迟疑。

“不，你必须自己走到另外一个世界。只能这样了。”他补充道，仿佛最后一句能把她说服似的。

“不过，你会跟在我身后是吗？”迪伦紧张地问。

“我保证，我说过我会跟着你的。”

“崔斯坦，”她的声音突然由于激动而变尖了，“我看见了！”

就在他们前方大概半英里的地方，空气似乎变得不一样了。此处前后的地面看起来别无二致，只不过有些诡异地扭曲了，就好像在它的前方放着一面透明的屏幕一样，屏幕和地面的交会点的确在闪着光。迪伦的目光注视着那里，感觉胃部发紧。要到了。

“把我放下来吧。”她小声说。

“什么？”

“我想自己走。”

崔斯坦把她的腿放下来，迪伦从他的后背滑到了地面上。小腿和双脚有一种麻刺的感觉。她舒展了一下胳膊，然后挺起胸正视这段旅途的终点。她没有看他，开始向前走去。

她的心在胸膛里狂跳不止。尽管之前她的胳膊和双腿一直都很痛，但现在却感觉它们像是不属于自己似的，并不完全受自己的控制。迪伦做了一次均匀的深呼吸，尽力集中精神，不让自己的呼吸过于急促。地面似乎在她的脚下飞了起来，现在离那个地方差不多只有百米之遥了。他们越靠近，两个世界的交会处就越清晰。交接点之外的世界显得有些模糊不清，像是透过别人的眼睛看到的景象。这让她的头有一点晕，所以她尽量看着地面，偶尔抬起头看看那道横跨小路的闪光界线。

崔斯坦仔细打量着她。尽管她既没有看自己，也没有和自己说话，但是崔斯坦能感觉到她非常留心自己的一举一动。他特意只在她身后保持一步的距离。当迪伦离交界线还有五米的时候，她停了下来，呼吸均匀，然而面色憔悴，嘴角紧绷。他能看出她身体的每一块肌肉都处于紧张状态。

“你还好吗？”他问道。

她转头对着他，眼神中全是迷茫。他早就想到了，迪伦外表还能撑得住，但很明显心里非常恐慌。

他想得并不全对。现在在迪伦身体内，一股强烈的感情正在横冲直撞，这是她以前从未经历过的。

眼前的紧张气氛让她的心里格外记挂几件事，让她把注意力都集中在了那些真正至关重要的事情上。她不知道在交界线的另一端会出现什么，即使他已经答应了在后面跟着，有件事她还是必须现在就说。

尽管这个念头让她自己也感到害怕，尽管她知道说出这番话会让自己的感情变得无比脆弱，但她还是下定了决心。过去几天的经历让她更好地了解了自己。她不再是那个为装不装泰迪熊而犹豫不决的小女孩了。现在的她更加坚定，也更加勇敢。她已经能够正视危险，勇敢地面对自己内心的恐惧感。在这方面崔斯坦发挥了巨大的作用。他保护着她，安慰着她，引领着她，开拓了她的视野，让她体验到了之前一无所知的感情。因此她必须向他坦露自己现在的感受，哪怕这会让她胃部痉挛，哪怕这会让她颈部灼痛。做就是了，她暗自告诉自己。

“我爱你。”

她丝毫不敢把目光从他的脸上移开，尽力想看懂他的反应。这句话似乎悬在他们之间的空气中，迪伦的每一根神经都感到刺痛、警觉，她身体内的荷尔蒙砰砰撞击着血管壁。她本不想这么直白的，然而她不知道如何开口谈论这个话题，而她又必须要把自己的心声说出来。她继续注视崔斯坦，等待着他的反应，等待着他的眼睛闪烁发亮或冷若冰霜。然而他始终面无表情。她的脉搏现在不再急速跳动，而是跳动得毫无规律，她生怕它会就此停住。随着沉默的蔓延，她开始颤抖起来，她的身体已经做好了被拒绝的准备。

他的感受和她并不一样。当然了，在他看来她还只是个孩子。她对他的话语和触碰完全会错了意。她的眼睛开始感到一阵刺痛，泪水夺眶而出。她紧咬牙关，努力克制自己。她的手指攥成拳头，紧紧握着，指甲刺进了手掌里。可是光这点痛还不算完，胸口的疼痛才让她苦不堪言，如同一把灼热的匕首刺进了胸膛正中。这种痛盖过了其他感官的不适，让她的呼吸倍感艰难。

崔斯坦回头看着她，心里矛盾纠结极了。他也爱她，他知道自己在一心一意地爱着她。他只是不知道该不该把这份爱向她表白。时间一秒一秒过去，他还在犹豫不决。他看到她的眼睛睁得很大，听到她的呼吸时缓时急，心里清楚她把自己的沉默从最坏的意义上去理解了。她以为自己并不爱她。他闭上眼，尽力想把整桩事情想明白。如果她相信自己不爱她，或许最后就不会受这么多伤害。或许这样做她更容易接受，他最好什么也别说。他打定主意，睁开眼注视着那一汪泪光点点的碧色。

不。痛苦，受伤害，遭拒绝……这有可能就是她对自己最后的回忆。他必须要把真相告诉她，不管这会让他们付出怎样的代价。他张开了嘴，心里还在担心自己的声音会不会颤抖。

“我也爱你，迪伦。”

她注视了他片刻，最后僵在了那里。她慢慢咀嚼着他的话，心在欢喜地跳动。他爱她。她先是脸上闪过一丝微笑，接着微笑又变成了眉飞色舞的大笑。她胸口的疼痛消失得无影无踪，取而代之的是一道柔和的光顺着喉咙缓缓升起，最后从笑容中绽放。她小心翼翼地向他迈了一小步，她的脸上能感觉得到他的呼吸，呼吸声越来越急促。他的眼睛燃烧着蓝光，这光射入她的内心深处，让她的身体微微颤抖。她扑到崔斯坦近前，近到足以看清他鼻子和面颊上的雀斑，然后停住了。

“等等，”她说着往后退了一点距离，“到了那边你再吻我。”

然而崔斯坦突然伸手搂住了她，搂得紧紧的，“不。”他的声音低沉沙哑，“就现在。”

他一只手把迪伦拉进自己怀里，另一只手扣在她的脖子后面，手指滑进她的秀发间。迪伦的皮肤不禁生起一股寒意，本来就半真半假的抗议最后湮没在了喉咙里。他的拇指在她的脖子后面上下抚摩，她眼睛也不眨，看着他的脸慢慢凑过来，直到两人的额头靠在一起。他贴得很近，近到两人的呼吸交会在一起，近到她能感受到自己身体的热度。他把两人之间最后的那点距离缩到了零，松开了她的手和脖子，展开双臂搂着她的后背，而且越搂越紧。迪伦的头微微后倾，闭上了眼等待着。

崔斯坦此时反而犹豫起来。看不到她那双像大森林一样深邃的碧眼，疑惑顿时又浮上了心头。这样做不对，这样做是不被允许的。他对她的所有好感都是错误的，他不应该放纵这份感情，这是不应该发生的。然而他还是爱了，他渴望体验人类为之生、为之死的那种奇妙的爱情，这是他唯一的机会了。他缓缓闭上眼，在迪伦唇间留下了一吻。

它们是那么柔软，这就是他最初的感觉。柔软、甜美，而且还在微微颤抖。他感觉得到她的手指慢慢伸进了他的衣服里面，她的手微颤着贴在他的腰间。她张开双唇，迎合着他的唇。他听到她微微发出呻吟，这声音在他的心尖上荡漾。他把她搂得更紧了，更加用力吻着她。他的心撞击着肋骨，呼吸也变得急促。他的意识一片混沌，唯一能感受到的只有她的温暖和柔软的身体。他感觉她变得越来越大胆，踮着脚尖在他怀里越靠越紧，手也从他的腰间移开，抓紧了他的肩膀和脸。他也学着她的动作，手指顺着她的脸颊向下游走，捧起她的下巴。

被崔斯坦紧紧抱在怀中的迪伦此时目眩神迷——她闭着眼，周围的世界似乎都不存在了。只剩下他亲吻自己的双唇，还有他紧抱着自己、轻柔抚摸的双手。她的血液在血管中歌唱。最后崔斯坦放开迪伦的时候，她大口喘息着。他的手托着她的脸，久久地看着她，湖蓝色的眼睛绽放出光芒。然后他低下了头，在她的唇间轻柔地吻了两下。他冲着她笑，笑容闲散慵懒。

“你是对的，”她娇喘吁吁地说，“还是现在吻好一点。”

她从他身边走开，估量着那道线，现在心中已经没有了恐惧。崔斯坦爱她，不管她去哪儿，他都会陪在自己身边。她自信地又走了十步，已经到了那道边界。她往下看，尽情回味。这是她在荒原上最后的时刻了，她现在终于甩开了那些恶魔，终于可以不用在山路上跋涉，不用在破败不堪的房子里将就过夜了。她迈出了左脚，就在那道线的上方停了下来。她又一次深吸了一口气，然后跳了过去。

她停下来，细细估量，感觉没有什么不同。依然是温暖的空气中带着微风，脚下的土路依然随着她的脚步轻轻发出嘎吱声。太阳依然在天空照耀，周围群山环绕。她眉头微蹙，尽管有些纳闷但没有太过在意。她本来还以为会发生什么巨变呢。

她转过身去看崔斯坦，嘴角上还挂着一丝紧张的笑。然而顷刻间那笑容就凝固了，好像一双冰冷的手抓住了她的心，她的呼吸变得急促起来，嘴张着却发不出声音，像是在说："不！"

身后空无一人。

她朝前走，但那道闪光的分界线却消失了。她伸手去够，用手摸索着想找到片刻前崔斯坦驻足的地方。尽管看上去只有空气，但是手指却触到了一堵无形的墙，坚不可摧，更不可逾越。

她现在又孤身一人了。她已经穿越过来了，无法再回去了，而崔斯坦不见了。

迪伦开始浑身颤抖起来，焦躁、震惊，还有恐惧交织在一起，在血管里奔流涌动，让人作呕。她的身子晃了晃，捂着嘴跪倒在地，好像这样就能让自己不哭出来。然而她没法不哭，泪水溢出眼眶，开始时是安静的抽泣，后来就变成了痛苦万状的哀号，眼珠流过脸颊，滴落在地上。

他欺骗了她。他承诺陪在她身边，结果只是欺骗和背叛。她一直被他当傻瓜糊弄，什么都信他，这一定是他早就计划好的。

她的脑海又浮现出他冲着自己微笑的样子，他的眼睛熠熠生辉，然而很快笑容就在他脸上消失了，这张脸上只挂着一张冰冷漠然的面具，他早就知道会是这样。然而那他最后一句话又怎么解释？是谎言吗？

不，她不相信。他爱她，她深信不疑。他们彼此相爱，但他们永远不能在一起了。

她觉得印象中他的脸已经模糊了，各种局部的细节正在一点点消失。她想不起来他的头发到底是什么颜色，嘴唇到底是什么形状。她也不能在脑海中将他留住，记忆如同随风而逝的沙粒。她嘴里传来了令人心碎的声音，痛苦让她的每一根神经都在灼烧。现在她明白自己从此又是孤身一人了，没人见证自己的哀伤，迪伦决定任由绝望将自己吞噬。

她无比沮丧地用拳头捶着那面无形的墙，接着手掌抵在墙上，用尽所有力气希望能摧毁这堵墙，让自己能重新回去。

崔斯坦站在分界线另一端，像站在一面单向透明玻璃镜前的警察一样，看着她精神崩溃。他知道她看不见自己。他的欺骗手段奏效了，他给她带来的伤痛清清楚楚地写在她脸上。他清楚自己骗了她，这个结局完全是他一手策划的。她知道再也看不到他了，尽管这让他心里同样痛苦不堪，但他还是强迫自己注视她的每一滴眼泪，聆听她的每一声哭泣和哀号。他渴望一个箭步冲上去安慰她，拥抱她，擦干她脸上的泪水，再次把她搂在怀中感受她的体温、她柔软的身体。他抬起自己的一只手举到空中，手掌贴着她的手掌，然而只感觉到冰冷与痛苦——一面玻璃墙把他们分隔两地。崔斯坦迈步往前走，想要跨越这道界线，然而无济于事，他穿不过去。

他放任自己向她吐露爱意，他给了她希望，这就是对他的惩罚。他会时时刻刻承受这份自己招致的痛苦。他只希望迪伦能明白他最后的表白是发自肺腑的一片真心。尽管他对她说了很多谎言和假话，然而他对她的爱是诚心诚意的。

他一直都知道自己无法和她一起穿过分界线。他的承诺只是个骗人的花招，是为了让她有勇气迈出最后一步而编造的无耻谎言。为了让她相信自己，他穷尽了各种手段。看着她脸上感激和如释重负的表情，他心里清楚这一刻早晚会来。他亲吻着她，把她搂在怀里时，心里早就清楚他无法把她留在身边。他知道当她跨越界线回头看的时候，就会发觉自己的背信弃义。

他透过隔开两个世界的帷幕看着迪伦哭喊着他的名字，泪水也顺着他的脸颊滑落。崔斯坦心中充满了羞愧、自责、绝望和痛苦。他不顾一切地想把视线移到别处，让眼睛躲着自己亲手酿成的苦果，可是他做不到。

“对不起。”他喃喃自语。明知她听不到，他还是希望以某种方式明白自己的心意。

尽管每多看一秒就像是多受几个小时的折磨一样，最后她还是开始慢慢淡出了他的视线。她优美体型的轮廓开始泛出微光，逐渐变得模糊。她的身体开始归于无形，他眼睁睁地看着迪伦变得透明，慢慢消散，直至最后化成了一缕青烟。她的身体越来越朦胧，他的眼睛贪婪地盯着她的脸，尽力记住每一个细节，尽力把她眼睛里的那一汪碧色锁在心里。

“别了。”他低声说，真希望自己能陪着她走。就在一眨眼的工夫，她已经不见了。他盯着片刻前她还站过的土地，压抑着咽喉的疼痛，深深吸了一口气，然后转身离去。

Chapter 21

崔斯坦走着，身边的景色慢慢变成一片惨白，而他几乎毫无察觉。群山消失了，崩塌碎裂成浮动的沙海，随即又蒸腾成薄雾。他刚才走的那条小路变成了毫无特征的平面，目力所及之处，四面八方全都千篇一律。一道白光闪烁，光的顶点亮得他睁不开眼。

随着光逐渐减弱，无数彩色的微粒开始形成。它们绕着崔斯坦的头顶旋转，然后降落在地面上，形成了背景，那是他下一个引导任务中的灵魂即将离去的地方。他一边走着，脚下的路变成了柏油碎石路面，黑黝黝闪着雨水的光泽。建筑物在崔斯坦两侧拔地而起，亮着灯光的窗子照亮了年久失修的宅前花园。园子里荒草丛生，栅栏破损。街边路沿上停着车，也有几辆停在了铺有路面的花园里，每一辆都样式陈旧，锈迹斑斑。正门敞开着，从里面飘出重重的打击乐和嘈杂喧闹的笑声。整个地方充满了破败、粗俗的氛围，让人看了压抑。

想到要迎接下一个灵魂，崔斯塔既无半分激动也无丝毫的紧张，心中甚至没有近年来惯常的厌恶和冷漠，他只感到一种怅然若失的痛。

他在街道尽头倒数第二间房子前停下了脚步。在一大堆简陋破败的建筑物间，这座房子被打理得格外体面。房前的草坪干净整洁，簇拥着鲜花；垫脚石上雕着飞鸟花纹，铺成了一条引人驻足的小道，直通刚刚用红漆粉饰一新的大门。崔斯坦知道这就是下一个即将与肉体分离的灵魂栖息之所。他没有进门，只是在外面等着。

几个过路的人打量着这位在二十四号门口徘徊的陌生人，他们知道他是外来的。但这里的人习惯自扫门前雪，所以他们只是一言不发地继续走路。崔斯坦心不在焉、目光呆滞，不曾注意到人们探询的神情，甚至没有注意到有人在看他。他对他们好奇的眼神视而不见，对几步之外的窃窃私语充耳不闻。

对于住在这里的那个人，他已经了解了一切自己需要的事情。她独居在这里十年了，除了工作和每周看望一次住在小城另一端的母亲外，平时都很少出门。她不跟当地人交际，他们觉得她势利眼、假清高，而实际上她只是害怕他们。她刚刚在床上被一个窃贼捅死。那人本想在她家里找些值钱东西，结果却大失所望，一怒之下就杀了她。很快她就会睡醒起床，和往常一样继续按部就班完成那些日常琐事。她不会注意到自己的珠宝盒子已经不翼而飞，也不会察觉到用自己几年的积蓄购买的智能数码照相机现在并没有安安稳稳地躺在饭厅的抽屉里。她只觉得自己有点迟到了，因此决定不吃早餐。她出门的时候就会遇到崔斯坦，不管怎样，她都会跟他走的。

现在，崔斯坦心里已经把所有的相关信息都消化吸收了。他只需把事实和故事糅合在一起了解一下就能完成这次任务了。他对这些事情了然于胸，但不会多想一下。他会指引这个灵魂走完这段旅程，因为这是他的职责。他来这里只是因为身不由己。然而他对这个不幸的人不会有任何恻隐之心，既不会对她施以同情，也不会对她好言安慰。他只会引导她，如此而已。

月亮在头顶正上方，一道惨白的月光寻觅并驱散阴影。崔斯坦感觉自己似乎又回到了造化之初混沌脆弱的状态，好像自己的所有感情、所有想法都已暴露无遗，任何人都能看穿自己。他知道还要等上几个小时灵魂才会出现，他不知道自己还能坚持多久。他打心底里渴望离开这里找个地方躲起来，沉溺在痛苦和悲伤中。他的头脑对双脚发出指令，命令它们掉转方向径直离开，一直走下去，直到他彻底抛掉悲伤。

然而什么也没发生。

他迷人的蓝眼睛里又一次噙满了泪水。他当然不可能逃离自己的岗位，在他之上还有更高的自然法则，还有不可撼动的命运。他的痛苦，他的绝望，他放弃自己职责的欲望都无足轻重。他无法掌控自己的命运，他甚至无法控制自己的双脚。

“迪伦。”

她意识到身后有人在喊自己的名字，但是她没有转身。她就像那天晚上独自一人在安全屋里一样，眼无旁骛，只盯着前方。如果她向别处看，崔斯坦就真的不见了。

她在糊弄谁呢？崔斯坦已经不见了，而且再也不会回来了。她只是还没有做好准备接受这一切。迪伦挑衅似的继续注视着前路，用力挫着下嘴唇，直到口中弥漫出血腥味。不，她尝不到的。她的感官已经麻木了。

“迪伦。”

呼唤声再次响起，她的身体缩了一下。她猜不出喊她的人是男是女、是老是少。这声音既不焦躁也不急迫，听起来很客气。

她可不想接受谁的欢迎。

“迪伦。”

迪伦生气了，火冒三丈。她明白了，这声音非要等自己应答，否则绝不善罢甘休。她慢慢地，不情不愿地转过了身子。

她眨了眨眼，完全糊涂了，身后什么也没有。她张了张嘴，本打算喊出声来，希望那声音再响一次，不过她又慢慢闭上了嘴。它响不响又有什么关系呢？

她打算转过身，眼睛盯着地，继续按部就班地走下去，心里还在痴想着崔斯坦会奇迹般突然出现在自己身边。然而就在她转过脸的瞬间，一个与此地格格不入的古怪东西映入了她的眼帘，那是一束光。她的心顿时狂跳了一下，想起了在血色的荒原上见过的那些光球。然而这次不一样，那束光慢慢变大，改变着形状，延伸，最后成形。他在向迪伦微笑，那表情依旧十分客气。一张苍白、完美无瑕的脸，周围是一丛浅浅的金发。他的身体形状看起来跟人类差不多，但是总有地方不大对劲。就像是她曾经见过的那些灵魂一样，亦真亦幻，虚实不明。

“欢迎。”他发出了声音，同时伸开了双臂。迪伦沉下脸来，他正在向自己恣肆地笑，好像她来到这里应该很高兴似的。

“你是谁？”

“我叫萨利，我是专程来迎接你的。欢迎，欢迎回家。”

回家？回家！这里可不是家。她刚刚离开的地方才是家，离开了两次。

“你肯定有话要问我。请先跟我来吧。”

他脸上仍然挂着恰如其分的微笑，胳膊伸开。两只眼睛是金色的，没有瞳孔，但温暖，并不吓人。他在看着她，等着她跟上来。

迪伦缓慢而坚定地摇了摇头。这个东西——叫他东西可能不大公平，不过他确确实实不是人类——看着她，眼神中带着礼貌又含着困惑。

“我想回去。”迪伦冷静地说。

他脸上的困惑随即变成了理解，“很抱歉，你不能回去了，你的身体已经消失了。不过别害怕，你很快就会见到亲人的。”

“不，我不是这个意思。我指的是荒原，我想回到荒原上。”迪伦环顾四周欧石楠丛生的平坦荒野，蓦然回首，那片连绵起伏的马蹄形群山还在。严格来说，好像此时她依然在荒原上。然而自从跨过那道分界线后，她就已经身处异域了，完全不是同一个地方。

“我想……”迪伦变得有些吞吞吐吐。那个东西，萨利，向她投来怀疑的目光。

“你已经完成了跨越。”他说话的语气神秘兮兮的。

迪伦的眉头皱得更紧了，他根本没明白自己的意思。

“我的摆渡人现在在哪儿？崔斯坦在哪儿？”她提到他的名字时有点磕巴。

“你现在不再需要他了，他已经完成了他的任务。请跟我走吧。”这次那个东西转身指了指身后。从小路向前没多远，出现了一个勉强称得上是门廊的东西，然后是一个有五栅门，下端是一道宽阔的拦畜沟栅。门的两边并没有栅栏向外延伸，只有这么一扇门毫无意义地悬在那里，看起来实在荒唐。

迪伦抱着臂，抬着下巴，从牙缝里挤出了一个“不”字，“我要崔斯坦。除非我见到他，否则我不会离开这儿的。”

“我很抱歉，但这是不可能的。”

“为什么？”迪伦马上反问。

萨利看起来好像根本没听明白迪伦的问题，“这是不可能的。”他只是不停地重复那句话，“请跟我走吧。”

他向身旁一错步，又一次指了指身后那扇门。他很有耐心地微笑着，等待着。迪伦觉得，他会这么安安静静地站下去，一直站到她挪步为止。

要是她对他不理不睬，一个劲地往回走，回到大湖那边，他又会对她怎样呢?

他会阻拦自己吗？她站直了往后退了半步，好仔细看看他的反应。萨利依然保持微笑，头稍稍向一侧倾斜，眉头微蹙似有不解之意。迪伦又退了一步，他还是没有动，只是看着她。她可以随心所欲无视他的存在了。

她把视线从他身上移开了片刻，冒险又回头瞥了一眼身后，山峦依旧。她觉得自己能透过那道分隔两界的交界线，依稀辨认出最后那间安全屋的轮廓。那里没有恶魔的身影，也没有危险的迹象，自己可以安全地待在那里。

可是有什么意义呢?

崔斯坦不在那儿。他对自己说了谎，他可能已经开始忙下一个任务，已经陪着下一个被超度者了。

他可能已经忘了自己了。

不，从她的脑海深处某个地方传来了呐喊声，“他说过他爱你的，他是认真的。”

或许是，或许不是。现在无从知道真相了。如果崔斯坦不回来的话，守在那里又有什么意义呢?

迪伦叹了口气，展开胳膊，让它们自然垂下。她的手上一阵抽痛，血液回流到了指尖。她刚才完全没有意识到自己抱臂抱得有多紧，就好像生怕自己散架一样。

“好吧。”她小声嘀咕着，朝萨利的方向先迈出了一步，接着又是一步，“好吧。”

萨利朝她绽放出温暖的笑容，耐心等待着，直到迪伦走到他身边，然后两人并排沿着小路向那扇门走去。

他们来到了门前，而当萨利把门拉开时，让人感觉他仿佛不只是把生锈的金属栅栏转动了一下而已，而像是在此世上凿开了一个洞，让刚才门的位置上出现了另一个世界的窗口。

"请吧。"萨利平静地说，暗示迪伦跨过去。

"我们现在这是在哪儿？"她在另一边小声问。

这是一个巨大的房间，几乎大得不成比例。她看不到墙，但是能感受到自己是在一间屋里。地板干净整洁，不着一色。

"这里是记录室。我想这儿是你起程的理想场所，你可以在这里找到那些曾在这里停留的灵魂。他们先你而逝，也跨越了荒原。"

"怎么找呢？"迪伦喃喃自语，不由自主地生出了强烈的好奇心。

话刚一出口，屋里的陈设自动开始显现出来。屋子的边缘开始收缩，形成了轮廓明显的墙体。书架靠墙排着，从地板一直延伸到天花板，上面摆满了大部头。一条黑色厚地毯出现在迪伦脚下，给整间屋子增添了几分华丽，也隔绝了脚步声。迪伦四下张望时有了一种似曾相识的感觉，她的脑海里浮现出有一次和琼一起去图书馆的画面。当时她才十岁，在她的眼中，那里幽深空旷，静谧沉寂，犹如洞穴或迷宫。她在里面迷了路，最后还是一个温柔和蔼的清洁工在桌子底下发现了号啕大哭的迪伦。眼前的景象难道也同荒原一样是她心像的投射吗？

萨利在她身边柔声说道："我肯定你有要找的家人和朋友。"他停了一下，又说，"需要我帮你找谁吗？是你的祖母穆尔还是你的婶婶伊冯？"

迪伦惊诧地望着他，他竟然对自己亲人的名字了如指掌，"你可以找到每个人的吗？"她问。

"是的，任何完成了荒原之旅的人。我们把每一个灵魂都登记在册了，每一个摆渡人都有一本册子，上面记载了所有他们引领过的灵魂。"

什么？迪伦一边琢磨着萨利的话，一边用目光扫视整间屋子。

但她没有想过去找她的祖母或是三年前死于乳腺癌的婶婶，而是另有打算。

迪伦转身对着萨利，眼睛陡然一亮，“我想看看崔斯坦那本册子。”她告诉他。

萨利愣了一下，然后才反应过来，“这个地方可并不是……”

“就看崔斯坦的册子。”迪伦又重复了一遍。

萨利看起来非常不悦，他的表情中既有担忧也有反对，然而他还是领她绕过了一排排高耸的书架，经过了无数的册子，来到一个黑暗的角落。那里的一个书架上除了一卷大书外空空如也。他伸手把书取下来，绿色的封面已经褪色，书页上镀着一层金，边角看起来软塌塌、烂兮兮的，好像已经被好几千只手指翻动过。

“这就是崔斯坦的册子。”萨利说着，把书放到了一张空桌子上，“您想找什么，我能问一下吗？”

迪伦没有回答，她也不确定自己要找什么。但她还是伸手打开了封面，里面像账本一样，每一页都密密麻麻地记满了。一行又一行的灵魂都用整齐的字体登记在册。每一行上面有他们的名字、年纪，还有一个日期。迪伦有些惊诧地发现，那不是他们的生日，而是他们的死期。

她沉默地翻动着册子。一个又一个名字从眼前划过，成百上千、成千上万，这无数的灵魂多亏了崔斯坦才得以延续，而她只是沧海一粟而已。她抓着沉沉的书册，吃力地从头翻到尾，一直看到最后的空白页，然后又翻回来，找到最后一条记录，是她的。迪伦看着自己的名字以她难以想象的娟秀字体写在上面，感觉有些古怪。这会是崔斯坦写的吗？名字旁边写着她乘车的日期。她的手指抚过下一行空白，不知谁的名字将会被列在其中。

现在崔斯坦又在哪里呢？他已经到达第一座安全屋了吗？

迪伦叹了口气，继续随意翻着册页，她不愿再去想崔斯坦正在引渡别的灵魂。他是她的摆渡人。她的，她苦笑了一下，但眼前的名册让她很难不去想。她扫了一眼名单，皱了皱眉头。

“这是什么？”她指着靠近页底的一行字问道。整条记录都被划去了，一道粗粗的黑墨迹完全盖住了那个名字。

他没有回答。迪伦向左边望去，正纳闷自己是不是已经被抛弃了，但又见到萨利还一动不动地站在那里。他的眼睛瞧着别处，但又似乎什么也没看。

“请问……萨利？”她有些支吾地喊出了他的名字，“这是什么意思？为什么这个名字被删掉了？”

“那个灵魂现在不在这儿。”他回答道，还是没看迪伦。不在？他们就是那些被恶鬼捉住的灵魂吗？如果让她来查找，她能在这儿找到那个死于癌症的小男孩吗？那个被崔斯坦不小心落在了恶魔手里的小男孩。她张着嘴想问，但萨利转过头，带着灿烂的笑容注视着她，让她欲言又止，“为什么你对这本册子那么感兴趣呢？说出来的话，我会帮你的。”

迪伦的疑惑被这灿烂的笑容化解了，一时间心里又没了头绪。那条被涂掉的记录之谜被她放在了脑后。

“你认识这里的每一个灵魂吗？”她指着书问道。

萨利肯定地点了点头。

“我在找一个人，但我不知道他的名字。他是名士兵，纳粹士兵。”

迪伦眨了眨眼，对自己的话也略感吃惊，这绝对不是自己要求看这本名册的理由，然而这个念头就在她脑子里蹦了出来。她马上意识到，自己一直都有这样的打算，至少在潜意识里是这样。她想和其他认识崔斯坦的人说话，她想跟那些像她一样了解崔斯坦的人聊聊他。在崔斯坦给她讲述的所有故事里，那位“二战”时的年轻士兵是最打动她的。

她满以为萨利会摇摇头，向她要更多的信息。然而出乎意料的是，他走到桌子前，自信地翻着那些乳脂色的书页，直到找到了她要的那一页。

“在这儿，”他指了指倒数第二行，“你要找的就是这个灵魂。”

迪伦坐在他对面，盯着那个字迹潦草的名字。

“乔纳斯·鲍尔，”她小声念着，“十八岁。死于1941年2月12号。是他吗？”

萨利点点头。

迪伦咬着嘴唇在思考。十八岁，他那时只比自己现在大几岁。不知怎么的，在她的想象中，他应该是个成年人了，但是现实中他当时可能还是个学生。她突然想到了吉斯夏尔中学那些高年级男生，学生会主席还有那些年级长。他们一点也不成熟，还是傻乎乎的小男生，她想象不出他们穿着军装扛着枪的样子。她更不相信他们明知这个决定会把自己送上死路，还会义无反顾地抗命不遵。

十八岁，既是男孩也是男人。崔斯坦会在他面前变成谁的模样呢？他是怎么让乔纳斯跟自己走的呢？

迪伦从名册上抬起头，望着萨利说：“我想跟他谈谈。”

Chapter 22

面对迪伦这个古怪的请求，萨利既没有争辩也没有请她说出自己的理由。他只是伸出一只胳膊，示意她穿过图书馆。迪伦犹豫了一下，在跟着他走之前，最后再看了一眼那页。她的目光尚未离去，书页上又有东西吸引了她的注意。就在页底上又有一条奇怪的记录，又有一个灵魂的名字被涂黑了。

她还没来得及问萨利这些被删除的奇怪条目是怎么回事，他已经朝一扇门走出几米远了，迪伦甚至不确定这扇嵌在墙里的暗门刚才到底是否存在。她眉头紧蹙，摸着额头，感到有些困惑。

“这是……”她身子转向萨利，想说些什么。

他冲她微微一笑，等着剩下的问题，可迪伦没有继续说下去。不重要了，现在这里有扇门，她必须对它保持警惕，不管门的另一边是什么。只是这一切都太奇怪了。

“要穿过去吗？”她指着看起来很结实的门问道。深色的门可能是红木做的，上面的镶板精雕细琢，跟富丽堂皇的外观相得益彰。黄铜材质的门把手小巧混圆，被擦得锃亮。

萨利点点头。迪伦等着他为自己开门——不是因为自己习惯于别人的绅士风度，而是这里的一切似乎都在萨利的管控之中。然而他没有动，莫非这次又必须由她自己来完成，就像跨越荒原上那道分界线一样？她看着萨利像是要得到一点安慰，然后试探着伸出手抓住了门把手。她轻轻一拧门就开了，萨利往后退了几步，好让迪伦把门完全敞开。迪伦打开了门，又紧张地看了一眼萨利，然后走了进去，观察里面的环境。

里面是一条街道。迪伦顿感轻松，不过里面的建筑物跟自己见过的完全不同——这里和格拉斯哥那些高高耸立、整齐划一的红砂岩公寓大楼有天壤之别。一排排整洁优雅的单层小楼，修剪得整整齐齐的前庭草坪和漂亮的花圃映入眼帘。停在车道或街边的车辆几乎是清一色黑亮的轿车，长引擎盖带着弧度，两侧的上车踏板闪着银光。迪伦家里有时候会请一位上了年纪的邻居过来吃饭，琼会叫迪伦陪他们看看老电影，眼前的这些车就跟片子里的一模一样。阳光正露出云霄，此地传来沉静和谐的沉吟声。

迪伦踏上一条铺设整齐的小道，迂回穿过一块干净的草坪。身后传来轻轻的咔嗒声，她转身一看，入口那扇门关上了，让她觉得自己是刚从屋里出来。这是一栋独立的建筑，上面有屋顶窗，外墙上包着黑色的木料。萨利不知所踪，然而迪伦感觉自己所能做的就是记住这个门，好找到重新穿回记录室的路。

她很快记住了台阶右边黄色和橙色的花盆、钉在门中央的9号铜牌，还有上方狭窄的邮箱，这下子她肯定能找回来了。她转身凝视着前方的街道，耳边响起一种细小的声音，迪伦费力地想听清楚。这声音有点嘶嘶作响，但这种声音背后还能听到一段旋律中的节奏和鸣响，就好像在听还没有调好波段的收音机。她循声在汽车之间来回穿梭，终于看到从一辆闪闪发光的黑色轿车下面伸出来的两条腿。这里的噪声比别处都要响，她发觉自己刚才的直觉完全正确，那里有一台放着老歌的模样古旧的收音机——她的祖母会管这个叫无线电——搁在车顶上，那人有一只脚还在伴着音乐的节拍上下摆动。

她不知道自己是不是已经找到了乔纳斯。

“你好？”她微微弓下腰蹲在车下跟那人打招呼，还是只能看到腿。

但那条腿不再晃了。一秒钟后，传来刮擦的声音。迪伦先是看到那双腿伸长了，随后看到了那人的上身，最后是一张油亮的脸。他慢慢起身，站在了迪伦身前。

他长着一张娃娃脸，这是迪伦对他的最初印象。光滑的圆脸颊上一双蓝眼睛闪烁着，他的金发整齐地梳成了偏分，但还是有几缕头发不肯归位，以一个很奇特的角度翘了起来，让他看上去更加孩子气。如此高大的身体和宽阔的肩膀之上却长着这么一张娃娃脸，真是匪夷所思。

迪伦知道这就是自己正在寻找的灵魂。他跟自己想象中的不一样，不过这个确实就是他——乔纳斯。她突然想起来他是德国人，心里有些疑惑，不知道自己能否跟他交流。她在学校学过法语，但她的德语仅限于会从一数到五。

“你能明白我说的话吗？”她问。

他冲着她微笑，露出一排不怎么整齐的牙齿。

“你刚来这儿没多久，是吗？”他的英语听上去非常地道，只是稍稍带一点口音。

“嗯。”迪伦意识到自己刚才的失礼，脸有些绯红，“对不起，我是刚到。”

他的笑容又扩大了一点，笑中满是同情，“我能听懂你说话。”他很笃定地说。

“你是乔纳斯。”她说。这不是一个问句，但他还是点了点头，“我是迪伦。”

“你好，迪伦。”

沉默了片刻后，乔纳斯开始耐心地打量起迪伦来。他的表情既客气又带着吃惊，还非常好奇。迪伦表情有些不自然，感觉坐立不安。她为什么要求来见他呢？她想问他什么呢？她自己也稀里糊涂，毫无准备，自己脑子里也没想清楚。

“我向他们要求来见你。”她还是开了口，感觉总有必要先解释一下，“我……我想和你谈谈，问你几个问题。如果、如果可以的话。”

乔纳斯静静地听着，迪伦觉得这是在暗示她继续说下去。

“我想问问关于你的摆渡人的事情。”

不论乔纳斯之前如何揣测，也没想到她会问这个。他眨了眨眼，眉头微蹙，但还是点了点头，示意迪伦继续。迪伦在齿间摆弄着舌头，使劲咬下去，直到咬痛才松开。她到底想知道些什么呢？

“他是不是叫崔斯坦？”她觉得最好先从简单的开始问起。

“不是。”他慢慢摇了摇头，像是在回忆很久以前的往事，“不，他的名字叫亨里克。”

“哦。”迪伦嘀咕着，尽量想把自己的失望咽下去，但是还是掩饰不住。那么或许并不是他，也许是萨利搞错了。

“他长什么样子呢？”她问。

“我不知该怎么说，我觉得就是普通人的长相吧。”乔纳斯耸耸肩，好像这个问题很难回答，“他看起来跟其他士兵没什么区别。高个子，棕色头发，身穿军服。”

棕色头发？这个也对不上号啊。

“我想起来了……”他突然长叹一口气，咧开嘴笑了，“我想起来了，他有一双蓝色的眼睛，我从来没见过那样的眼睛。我当时还逗他说，怎么他看起来那么像最纯正的纳粹士兵，有双这样的眼睛。那双眼的颜色是最奇特不过的了。”

“钴蓝色[①]。”迪伦喃喃自语。这颜色马上在她的脑海闪烁起来，历历在目，仿佛他就站在自己身边一样。眼睛周围的面部已经有点模糊了，正在逐渐淡出视线，然而他那冷热交织的目光却依然深深烙在她的心头。就是他，就是崔斯坦，她露出了一丝浅笑。至少这个是真实的。

也许他每遇到一个灵魂，就会换一个自己认为最合适的名字。她想起以前他说过的话，怎样才能让他们跟着他走，比如他曾刻意让迪伦对自己产生好感。想起这些，迪伦的脸又红了。她喜欢崔斯坦这个名字，听起来成熟稳重、老于世故，还带着点神秘，和吉斯夏尔中学里大卫、达伦、乔丹之类扎堆的烂俗名字完全不同。这也是他工作的一部分吗？是他的另一个手段吗？她突然意识到，即使他有一个真实的名字，自己也可能无从知道了。想到这里，一丝哀怨涌上心头，她感觉心口有点堵得慌。

“对，”乔纳斯笑着说，“钴蓝色。这个词用来形容他的眼睛真恰到好处。”

“他……他是什么样子呢？”迪伦下意识地举起一只手，开始咬手指。现在问到了最关键的问题，她突然有些焦躁不安，不确定自己到底想不想知道答案了，她害怕听到自己不愿意听到的内容。

“你的意思是？”乔纳斯皱了皱眉，大惑不解。

迪伦从鼻孔里长呼一口气，咬紧了嘴唇。她实在不清楚该怎么表达。

“我是说他……和善吗？他好好照顾你了吗？”

乔纳斯没有回答她，而是歪着脑袋，一双蓝眼睛认真打量起她来。他的目光尽管比起崔斯坦相形见绌，但也非常锐利。

---

①钴蓝色是蓝色之一，由钴盐产生（钴是一种自然金属）而得名。（摘自维基百科）

“为什么你老是问这些问题呢？”

“什么？”迪伦嘟囔着。她往后退了半步，直到后背轻轻碰到了一辆停在身后的车上。

“你到底想知道些什么，迪伦？”

听到自己的名字被人用一种奇怪的卷舌音说出来感觉有些怪怪的。听起来怪异、另类，完全不像是在说自己。但此刻她的心情躁动不安、五味杂陈，这样蹊跷的发音倒是和她的心境相吻合了。

“迪伦？”乔纳斯的声音把迪伦从遐想中拉了回来。

“我想他。”她垂着眼帘坦白道，稀里糊涂就把实话说了出来。过了几秒后，她抬头看到乔纳斯正在看着自己，表情既同情又困惑，“我们一起经历了很多，我……我想他。”

“你是什么时候到这儿的？”

“就现在。我是说，就在我见到你之前不久，可能一个小时前吧。”不过在这里还用得着算时间吗？

乔纳斯两眼之间浅浅的皱纹加深了，他把眉头拧成了一团。

“你到这儿来就是为了见我？难道你没有家人要见吗？你生命中那些你原以为再也见不到的人？”

迪伦回答之前把目光移开了，对自己实话实说有点不好意思，“我不想见他们，我只要崔斯坦。”

“你这趟旅途中到底发生了什么？”

“什么？”他的问题让迪伦从刚才的思绪中回过神来，转过身来对着他。他一脸愁容地抱着臂靠在自己刚才正在修理的汽车上，竭力把事情搞清楚。

“我不懂你说的话。我遇到亨里克——”他看到迪伦的脸色不对，赶紧改口，“哦，对不起，是我遇到你的崔斯坦时就知道自己已经死了。我几乎马上就知道他是谁，发生了什么事。我很高兴有他陪我走完整个旅途，但是最后我们就分手了。事情就是这样。我继续往前走，他又去迎接下一个灵魂。我想起他的时候，心里也会涌上温馨的亲切感，但是谈不上想念。”

迪伦失望地看着他。他说得没错，他不理解自己的情感，理解不了。实际上，她有可能即使遍访崔斯坦名册上的每一个灵魂，还是找不出一个能跟自己感同身受的灵魂，他们无法理解此刻她心中翻腾的那种刻骨铭心的痛楚，那种感觉就像失去了要害部位一样。

想到这些，既让她略感宽慰，更让她悲不自胜。

迪伦身子侧向一边，缓缓从乔纳斯身边离去。他仍然注视着她，眼中满是同情。但看着他眼中黯然神伤的自己更让迪伦痛苦，她现在只想离开他，找一个安静的去处躲起来，把脑子里那一团乱麻理清楚。

“嗨，谢谢你听我说话。我想……我想该让你回到你的车那儿去了，你正在修车是吗？”

“是。”乔纳斯有些顽皮地笑了笑，胖嘟嘟的脸蛋几乎把他的眼都挤成了一条缝，“我活着的时候总是想买辆车。”他的用词在迪伦听来很别扭，但是她仍然是一副面无表情的样子。

“现在我可以买得起自己想要的东西了。尽管我觉得不管我对它做什么它都会跑起来，但我还是喜欢假装这一切跟我有关系。我从荒原穿过来看到它的时候简直太激动了，一开始我几乎都没注意到自己回到了斯图加特！”他向迪伦报以略带伤感的微笑，“这里至少有一点是好的……让我回家了。”

家，又来了。迪伦的眼中阴云密布，嘴唇不耐烦地噘着。

“我不会回家。”她说。

“你这是什么意思？”乔纳斯像是听不懂似的眯着眼看着她。

“记录室可以带你到任何地方，是吗？”迪伦问。

“是啊。”乔纳斯仍然一脸困惑的样子，“但是当你穿过荒原那道分界线的时候，当你穿过……”他顿了一下，歪着脑袋打量着她，“你没有回家吗？”

现在轮到迪伦大惑不解了，“我穿过分界线后，那个地方看起来仍然像荒原啊。”

“你确定吗？”他追问道。

迪伦朝他一扬眉。她当然非常确定，“我肯定，”她说，“我当时站的地方跟分界线另一边一模一样，只是，只是崔斯——只是我的摆渡人不见了。”

“不对啊。”乔纳斯关切地说，额头上皱纹都显出来了，“其他人我也跟他们交流过。不管是家人还是朋友，他们越过分界线的那一刻就到了这个被他们当作家的地方了。”

迪伦对此不知该说些什么。她觉得，自己既没有回到爸妈离婚以前的家里，也没有到奶奶家里，本应感到难受才对。

可是她并不觉得难受，而是感到了一丝宽慰。她本就应该和崔斯坦在一起，自己的脑子里就是这么想的。虽然自己憎恶那片荒原——讨厌那里冰冷刺骨、寒风凛冽，而且总是要爬山，但那里才是她应该待的地方。

她不属于这里，她总是不适应。

“我不应该待在这儿。”她小声嘀咕着，与其说是说给乔纳斯听的，还不如说是自言自语。她开始要抽身而去，想一个人待一会儿，一个人思考，一个人哭泣。她从声音里强打精神，“好吧，好好摆弄你的车吧。再次感谢。”最后一个词尚未出口，她就已经快步走开，开始用眼睛搜索着那个花盆和9号铜门牌。

“嗨！等一等！”

迪伦的齿缝间发出重重的嘶的一声。她停下脚步，过了一秒钟，迟疑地转过了身子。

乔纳斯离开车朝她走过来，缩短了两人间一半的距离。他的脸上写满了忧虑，这让他看起来几乎像个成年人了。

“你不试一下吗？”他问道，声音小得迪伦几乎都听不到。

“试什么？”

他回答之前先左顾右盼了一番，迪伦扬起了眉毛，充满了好奇。

“回去。”他终于吐出了这个词。

“什么？”迪伦大叫了一声，不由自主地冲到了他面前，“你说回去是什么意思？”回到哪儿？荒原吗？他是说还有回去的路吗？

乔纳斯四下张望，做出“小心”的手势，示意她安静下来。迪伦对他的紧张毫不理睬，但还是在问话的时候把声音放低了。

“你说回去是什么意思？我以为回不去了。”

“是回不去了。”乔纳斯马上回答道，可神色却有些闪躲。

“可是……”

“没有什么可是。”乔纳斯努力往回退，但是迪伦不让他走，跟在他身后亦步亦趋。

“有人肯定尝试过。”她暗想。突然脑海中电光火石般闪过了那些被删掉的名字，莫非刚才她想错了？难道那些灵魂不是在来这儿的半路上丢的，而是在返回的路上消失的？有可能。

“你不可能回去的。”乔纳斯重复着萨利的话，好像这个答案是天经地义的。但面对迪伦明显不相信的表情，他还是没法一直做出一副无辜的样子。

“他们是怎么做到的？”她追问道。德国人沉默不语，“他们到底是怎么做到的，乔纳斯？”

他紧咬着嘴唇，打量着她，“我不知道。”

迪伦与他对视着，心里突然涌起的希望让她忘记了害羞，“你骗人。”她说着，狡黠地看着他。

“我没有骗你，迪伦。我不知道他们是怎么回去的，但是我知道回去就等于自杀。”

迪伦苦笑一声，“可我已经死了。”

他久久地注视着她，“你应该明白我说的意思。”

她花了一秒钟时间想了想。死，真正的死亡是魂飞魄散，的确吓人。一想到这个，她的心在胸腔中痛苦地狂跳起来。可是，接下来……在这个地方待着有什么意义呢？是，最终母亲琼、父亲，还有凯蒂，他们都会穿越荒原跟她会合。她可能会重新过上往日的生活，或是将这种生活以某种古怪的方式还原。她也可能还是像面对荒原之前那样形单影只，落落寡欢。

不值得为这样的等待付出一生的时间。如果她知道崔斯坦终将到来，那么或许她可以忍受在这里徘徊的孤寂。可那样的事不会发生，他永远、永远不会到这里来。想到这里，她感到一阵钻心的痛楚，只能紧闭双眼强忍剧痛。崔斯坦，她仍能无比清晰地回忆起被他亲吻、被他拥紧时那炽热的感觉。那一刻是她有生以来感觉最亢奋的一刻，真是天大的讽刺。

为了再次拥有这份感受，值得冒永远沉沦的风险吗？

值得。

“你连他们是怎么做到的都不知道，为什么这么肯定呢？”迪伦向乔纳斯提出了质疑。他刚刚给了自己一线希望，她不想因为他的消极而退缩不前。

“不，迪伦，你不明白。”乔纳斯冲着她摇摇头，双手惶恐地举在空中，“这里有些灵魂已经见过了无数个世纪的光阴更替。他们认识成百上千，甚至成千上万个曾经试着偷偷回到妻子、孩子身边的灵魂，然而他们中没有一个能重新回到这儿讲述他们的故事。你也见过那些恶魔了，你清楚它们会干什么。”

迪伦咬着嘴唇，陷入了沉思，“你是怎么认识他们的？那些尝试过回去的人。”

他摆摆手，不愿意多谈，只说了句：“传言。”

传言？她往前又进了一步，目光如炬。乔纳斯想往回退一步，但被迪伦挡住了无路可走。迪伦眼神坚定地看着他说：“从哪儿听到的传言？”

Chapter 23

她住在一个用木头搭建的地方，迪伦觉得那最多算个窝棚。棚子的周围是方圆数公里的平原。此处偏僻荒凉，触目只有狂吠不止的群狗，还有头顶上翻滚的雷雨云，且不论这青灰色的云层中到底会孕育怎样的暴雨。伊莱扎是乔纳斯认识的年纪最大的灵魂。乔纳斯告诉迪伦，如果这里还有谁能回答她的疑问，那就是伊莱扎了。

乔纳斯只消穿过那条街上另外一扇门，就把迪伦带到了伊莱扎的住处。刚才还建筑物林立的地方，眼下已经变成了遍布漫漫黄沙、无根蓬草的野外。迪伦看着他靠近一扇摇摇欲坠的大门，门上那几块烂木板已经翘了起来，全靠生锈的钉子勉强维系着才没有四分五裂。

他给迪伦指了指那个老女人的屋子，“你以前来过这儿吗？”迪伦问。从屋子的一扇窗子里透出灯光，四周的昏暗让温暖的灯光看起来格外温馨。

“没有，”乔纳斯摇摇头，“但是我不知道除了她还有谁能帮上你了。”

他对迪伦做了个滑稽的表情。迪伦心里清楚，他其实是希望她能在伊莱扎的劝说下放弃。她望着那摇摇晃晃的房子，心里有一点紧张。

“她是什么人？”迪伦问，“她怎么会知道这些事情的？”

“她在这里已经很久了。”乔纳斯回答。

迪伦有些不满意地撇了撇嘴。他根本没有回答自己的问题，但她觉得乔纳斯知道的也就这么多了。

乔纳斯脚步轻快地走到看起来随时可能坍塌的木门廊上，轻敲房门。迪伦此时有些踌躇。尽管她面对乔纳斯时没有丝毫的犹疑，但是一想到要和另外一个陌生的灵魂说话，她还是感到惶恐不安，心生怯意。也许是因为伊莱扎的年纪，已经完完全全是成年人了。也许是因为她根本不认识崔斯坦。无论是什么原因，总之迪伦的脚步是往回缩，而不是往前进。她知道如果不是有乔纳斯的陪同，自己不可能走到现在这一步。

她想改变主意，告诉乔纳斯不必麻烦了。在这片无情的异域，崔斯坦似乎已经渐行渐远了。然而内心深处却有一个声音在喊着：“来吧。”乔纳斯推开了门，向她做出请进的手势。除了随遇而安，迪伦别无他法了。

小屋里温暖舒适的感觉多少冲淡了她的紧张感。炉火正旺，墙上装饰着手工编织物。这是间一居室的小屋，一头的墙角靠着张床，另一头墙壁的窗下是下厨的地方。在屋子中间坐着一位上了岁数的老妇人，她全身裹着毯子，坐在一把老式木摇椅上轻轻摇晃着。迪伦好奇地四处张望，心里漫无目的地想着，这个小屋莫不就是荒原上的安全屋在年久失修之前的样子？

“伊莱扎，这是迪伦，她想——”乔纳斯开了口。

“你想知道怎样才能回去是吗？”她替乔纳斯说完了剩下的话。她的声音听上去轻飘飘的无比虚弱。迪伦惊诧于她竟能立刻猜中自己此行的目的，不禁急忙转头目瞪口呆地看着她，这才发现她双目如炬，目光敏锐。

“你怎么……”迪伦后半截话在伊莱扎的目光中硬生生地咽了回去。

“人们想要知道那个的话总会来我这里。我已经见过成百个像你一样的了，亲爱的。”她温和地说。

“你能告诉我怎么才能做到吗？”迪伦问，她的左手手指交叉[①]别在身后。

伊莱扎仔细端详了她很久，最后说了句：“坐下吧。”

迪伦皱了皱眉，她不想坐下。她焦躁不安，郁气中结。她想要不停踱步，好把自己肌肉抽痛的压力释放出一部分。她想搞明白这个老妇人到底了解些什么，然后就单刀直入，马上开始正题。

伊莱扎看着迪伦，像是完全明白她此时的心思。她再一次指了指屋子里仅剩的一把椅子，“坐下吧。”

迪伦挨着椅子边缘坐了下来，把手指夹在膝盖间，免得它们轻轻摇摆，显得她坐立不安。她盯着老妇人，完全没有注意到乔纳斯已经小心翼翼地安坐在了她身旁的桌子边上。

“告诉我你知道的事情吧。”她请求。

“我什么也不知道，”老妇人回答，“但是我听说过很多事。”

“有什么区别吗？”

伊莱扎对她笑了笑，但脸上的表情却带着一丝伤感，“差别在准确程度上。”

这回答让迪伦的发问暂停了片刻，但她马上又继续说：“那么就请把你听到的都告诉我吧。”

伊莱扎在座椅上挪了一下身体，整了整披肩，“我曾经听

①在西方国家，食指和中指（中指叠在食指上）交叉有祈祷的意思。——编者注

说，”她把最后的两个字咬得很重，“穿回荒原是有可能的。”

“怎么穿回去呢？”迪伦低语道。

“你现在已经知道这个地方的运行规则了，只需要找到那扇门就行了。”

“那么那扇门在哪儿呢？”伊莱扎还没说完，迪伦这句话就脱口而出了。

老妇人看着她心急的样子，略感好笑，嘴角抽动了一下，“任何一扇门都可以。”

“什么？”迪伦的声音一下子变得尖锐而焦躁，“这话是什么意思？”

“你从任何一扇门都可以到那儿。关键不在门，而在于你。”

“这不可能。”迪伦不相信地摇了摇头，“要是从任何一扇门都可以通向目的地，那每个人都会试一试了。”

“不，他们不会的。”伊莱扎温和地反驳说。

“他们当然会！”迪伦爆发了。她心里生气，感觉现在完全是在浪费时间。

“不会，”伊莱扎还是重复着自己的观点，“你说对了，大部分灵魂都会试一试。可当他们每一次尝试着去开门的时候，门都是锁着的。”

“这个地方就是这样，”迪伦小声说，“像个监狱，不会放你出去的。我明白，”她看到伊莱扎在摇头，但仍然继续说下去，“大部分人不想离开。但如果他们愿意的话，应该让他们走。”

“你错了。”伊莱扎说，“不是这个地方不让他们走，而是这些灵魂自己束缚住了自己。”

“怎么会呢？为什么？”迪伦在椅子边上还是坐立不安，她突然产生了浓厚的兴趣。

“他们不是真的想离开。不，这样说也不对。他们是想离开，但他们更怕死。在他们的内心深处，他们知道再次穿越荒原很可能会死。一想到这些，他们就只能老实地待在这里。因为他们知道如果耐心足够的话，如果等待的话，他们就会再次见到自己心爱的人。他们只是不敢冒失败的风险，因为那有可能是自寻死路。”

迪伦听出了话里的警告意味——待在这儿，等待。但伊莱扎并不知道的是不管她等多久，都换不来崔斯坦的陪伴。

“那么怎么让门打开呢？”

伊莱扎摊开手，就好像答案是明摆着的。

“你宁愿让自己的灵魂灰飞烟灭都要回去？”

迪伦认真思索着，真的要这样做吗？是的。听她话的意思，打开门出去应该是毫不费力的事。可是如果她重新返回荒原，接下来又怎么办呢？她怎样才能找到崔斯坦呢？她觉得伊莱扎也不可能知道。曾有其他灵魂也像她一样盼望和自己的摆渡人重聚吗？无论是和崔斯坦一起留在这儿还是回到现实世界，迪伦都不在乎，哪怕他们一起生活在荒原也无所谓。虽然想到那些恶魔，想到要再次面对它们，她忍不住打了一个寒战，但她还是要回去。她只是要……她只是要和崔斯坦在一起。

伊莱扎叹息一声，打断了迪伦的思绪，“总是有年轻的灵魂想要回去，”她喃喃自语，“一直没断过。”

“那么你动过心吗？”迪伦问，她一时间有些心烦意乱。

伊莱扎摇摇头，眼神中带着浓浓的伤感，“没有，姑娘，我老了，我知道用不了多久丈夫就能来陪伴我了。”

“他现在在哪儿？这里吗？”迪伦话出了口才觉得自己这样问太失礼了。

“没有，”伊莱扎的轻声细语小到几乎听不到，“他没有越过荒原。”

“我很抱歉。”迪伦无比愧疚，把头埋在膝盖里，小声嘀咕了一句。

伊莱扎的脸绷紧了，眼泪几乎就要夺眶而出。然而她似乎又强忍住了悲伤，挺直了腰板，使劲抽了抽鼻子。

“我猜你是想知道穿越回去后会发生什么事是吗？”她说。

迪伦耸了耸肩，她还没有想那么远。对她来说，回到她旧日的生活中跟留在这里没什么不同。不过如果她不表现出自己对此感兴趣，又看上去太奇怪了。她还不确定自己要不要把真实的想法告诉伊莱扎，告诉乔纳斯是一回事，告诉她又是另外一回事了。

“我听说……”伊莱扎再一次想让迪伦理解她要承担的风险，“如果你能成功回到你的躯体旁的话，你就能钻回去。”

“它还在那儿吗？”迪伦一脸惊恐的表情，暂时忘记了自己的打算里本来没有还魂的内容，“他们肯定已经把我的身体运走了。我妈妈肯定已经把我埋了。哦，老天爷，我可不愿往棺材里钻。她要是已经把我火葬了呢？”她心里既感害怕又觉得厌恶，说最后一句话时简直已经在尖叫了。

“迪伦，时间对你来说已经停滞了。你的身体还在原地。”

迪伦点点头，认可了这种说法。逃亡计划正在她脑海里慢慢酝酿成形，她仿佛看到自己正在划过那个湖，在山谷里择路而行。她也想到了那股红色的地面，如烈焰燃烧般赤红的天空，但这些恐怖的画面都不能让她动摇，她的决心坚如磐石。她要试一试，她知道自己不管怎样都会打开门，然后冒险一试。她会找到崔斯坦。这个决定让她欣喜不已，脸上露出了淡淡的微笑。她一抬头，看到伊莱扎正在端详着自己。

“这里面肯定还有事，”老妇人慢慢地说，“你没有告诉我全部的情况。”她审视着迪伦的脸，顿时让她很不自在，好像被她看穿了内心。迪伦的表情怪怪的，犹豫着要不要转身离去。

“你不是要回去，”伊莱扎若有所思地说，“不是要一路回到人间。你的目的是什么，迪伦？”

对她撒谎有意义吗？迪伦紧咬了嘴唇一会儿，然后决定向她实话实说。她已经下定了决心，不管伊莱扎说什么都不变了。也许这个老妇人还能帮自己一把呢。

“我想找到我的摆渡人。”她轻声说道。

把心事坦白后，迪伦屏住了呼吸，静等着伊莱扎的反应。老妇人的脸上毫无表情，只有微微皱起的嘴唇表明了她了解迪伦意图以后的心绪。

“那就更难了。”过了难熬的一分钟后，她开口说道。

迪伦的心狂跳不止，“但是并非不可能是吗？”

“也许不是不可能的。”

“我该怎么做呢？”

“你必须找到他。”

迪伦的眼睛眨了几下，感到困惑。这个不难吧？他现在正在摆渡另外一个灵魂。她可以在安全屋等着，他最终会到她这里来的。

接下来她陷入回忆，想起了自己曾经看到的那些朦朦胧胧的轮廓幽幽穿过红色的荒原。想起了那一群黑压压、亦步亦趋地跟着他们的恶魔，还有那些光球。那些光球照亮了道路，指引灵魂们前行，保护他们的安全。现在的崔斯坦对她来说莫非就是这个样子，一个光球？如果是这样的话，她又怎么能从上千个摆渡人中把他认出来呢？一个微小的声音从潜意识中传来——“你会认出来的”。但这声音只响了一次，而且很微弱。因为她大脑剩余的清醒部分对这个声音嗤之以鼻，这可不是什么愚蠢而浪漫的爱情戏，这是活生生的现实。如果崔斯坦真的在那些光球之中的话，如果她无法看到他、听到他的声音，就永远无法把他找出来了。

“我怎么找到他呢？”她问，“我曾经看到过他们，荒原上还有其他的摆渡人。他们并非人类，而是——”

"光。"伊莱扎替她把话说了。迪伦点点头，这个描述最恰当，"但是，"她继续说道，"他仍然是你的摆渡人。即使他曾经指引过其他灵魂，哪怕他已经指引了上千个灵魂。如果你遇到他的话，你还是应该能发现他，就像以前一样。"

迪伦的眼中满是掩饰不住的喜悦，所以还有机会……这是有可能的。她听到身后乔纳斯的低声咳嗽，于是扭头对他微笑。当初自己仅仅是出于直觉才去找了他，如果靠自己去摸索找到这些答案得花多长时间啊？伊莱扎要彻底明白这个地方是怎么运转的又耗费了多少年的光阴啊？

"你是怎么知道所有这些事的？"迪伦问她，脸上的笑容依旧灿烂。

老妇人却没有回应她的善意之举。她叹口气说："我告诉你……你要记着这点……迪伦……我不知道，我真的不知道。你这样做是要冒很大风险的。"

尽管她决意给迪伦泼冷水，然而她的疑虑仍没有打消迪伦突然间产生的乐观情绪，"你觉得自己能在荒原上生存多长时间？"她问迪伦，"就算你找到了他，你的摆渡人，你觉得自己能在荒原上跟恶魔们斗智斗勇多长时间？"

"我们可以待在安全屋里，"迪伦说，"他们进不来。"

"你确定吗？你现在是要改变游戏规则，迪伦。你怎么就知道那些安全屋还在原地，仍然会保护你呢？"

迪伦皱起了眉头，伊莱扎的话让她慌了阵脚，"好吧，那我们离开荒原就是了。"她坚决地说，但是声音已经没那么自信了。

伊莱扎轻蔑地一笑，但表情却带着同情，"那你们要去哪儿呢？"

"他能和我一起走吗？"迪伦怯生生地嘟囔了一句，她刚才还在狂跳的心此时骤然停了一下，心跳声杂乱无章，似乎跟她一样紧张地等着回答。

“去哪儿？”

“这里，那里，任何地方都可以。这不重要。”

“他不属于这里。”

“我也不属于这里。”迪伦反驳说。她尽量不去理会伊莱扎朝她微笑时的善意。

“他也不属于你。他不是人类，迪伦。他的感觉和我们不一样，他不会流血。”

“他真的流过血。”迪伦平静地说。她想告诉伊莱扎，她能感受到他对自己的爱。但她知道这位老妇人不会相信自己的，在她不确定自己到底信任他们有多深的情况下，她也不想出言为崔斯坦申辩。

“什么？”伊莱扎的眼神中第一次出现了疑惑不解之色。

“他真的流过血。”迪伦重复着，“当……当那些恶魔们抓住他的时候，当它们把他拖下去的时候，它们弄伤了他。但是他还是回到我身边了，他身上满是瘀伤和抓痕。”

“这种事我闻所未闻。”伊莱扎慢条斯理地说道。她抬头看着在迪伦身后徘徊的乔纳斯，他也摇了摇头。

“我亲眼见过。”迪伦告诉她说。她身子前倾，盯着伊莱扎，“他能和我一起穿越过来吗？如果他过不来，那我们就回去，穿越回去。”

这位久经世故的灵魂一边思量着，一边在椅子上前后摇晃。最后她摇了摇头，迪伦的心里顿时落下了一层冰霜。

“我不知道。”她说，“也许吧，这是我能给你的最好的回答了。这是一次冒险，”她仔仔细细地打量着迪伦，“这样做真的值得吗？”

崔斯坦在安全屋那把摇摇晃晃的椅子上坐着一动不动，看着那睡眠中的女人。尽管她早已成年——上个月她刚庆祝了自己的三十六岁生日——此刻蜷缩在狭窄单人床上的她看起来依然非常年轻。她棕色的长发披散在肩头，刘海上的短发轻轻抚着眉毛。他能看到她苍白眼皮下的眼球活动，显然正在梦境中。但他的脑子早已被阴霾占据，实在没空去想她在梦中看到了什么。他略感欣慰的是她的眼睛现在闭着。当它们睁开的时候，当它们看着他的时候，它们恰恰正是那最不应该出现的颜色——碧绿色。他又忍不住回头看。

他叹口气，离开椅子站了起来，伸展了一下身体，然后踱到窗边。外面一片漆黑，但这对他来说毫无妨碍，他很快就发现了小屋周围那些黑压压飞旋的魔影，它们用力嗅着、回味着、等待着。它们在他这里又无功而返了，连这个灵魂的味都还没怎么闻到。不仅今天如此，昨天、前天都是如此。实际上，这是他长时间以来最轻松的一次任务。他想，要是迪伦还在的话，她会不会更喜欢现在衰落荒凉的城市和宽阔的大街呢？崔斯坦冷冷地笑了笑。那些废弃的大厦让眼前这个女人每隔三秒就伸长脖子张望一番，要是迪伦的话可能不会被这些高层建筑搅得心神不安。

他总是会这样想到她，把她想成是“这个女人”，他不愿意想到她的名字。尽管她性情温和、令人愉悦，但对他来说，她只是自己的任务，而不是一个人。她开朗的性格让空气中充满了暖意，让天空一直闪烁着蓝光。她也很顺从，毫不怀疑地就相信了他的谎言。每个晚上他们到达安全屋的时间都很宽裕，这样就好，因为崔斯坦的心思根本不在这里。

一片空白，他现在唯一能做到的就是让自己的脑子一片空白。他必须无动于衷、麻木不仁，如果他能集中精力的话，他很可能会对那个女人有愧疚之情。她看起来很和善，彬彬有礼、腼腆内向。命运对她何其不公——在睡觉时惨遭一个蟊贼杀害。她理应得到他的同情、怜悯，然而此时的他却在神情沮丧、自怨自艾，实在没有多余的同情心可以分给她。

这时崔斯坦身后突然传来一声响动，他急忙转头张望，不过很快他就发现是虚惊一场。原来是她在床垫上翻身时的低声咳嗽。崔斯坦有些忧心地仔细观察了她一会儿，好在她并没有醒。他觉得自己实在无法和她交谈。

只是注视夜空还是没办法转移注意力。崔斯坦的手指在窗台上轻轻敲了好一会儿，然后又转过身，重新坐在硬木椅子上保持着守夜的姿势。他推断离日出也许只剩一两个小时了，但愿这个女人就这样一直睡到天亮。

还有很长的时间要打发过去，他已经在这里枯坐了六个小时，一直努力没让自己想起她。他露出一丝苦笑——又创造了一个纪录，接下来的六个小时也不难应付。他闭上了眼，筛选着记忆，直到找到自己要找的为止。身旁沉睡的人眼睛依然是碧色的，然而面容却换了。崔斯坦尽力让自己滑进梦境，脸上的笑意渐浓。

Chapter 24

“你现在有什么打算？”

他们离开了老妇人伊莱扎的小屋。迪伦没有别的地方可去，只能跟着乔纳斯穿回到街道上。现在她才知道眼前再现的是斯图加特的一条街道，在乔纳斯短暂的军旅生涯开始之前，他就是在这座城市度过了孩提时代。他们坐在他那辆车的引擎盖上，收音机里依然在响着迪伦辨不出时代背景的老歌。

她吁出一口气，尽量让脑子理出个头绪来，“我打算回去。”她答道。

乔纳斯注视着她，表情严肃，“你确定这样做没问题吗？”他小心翼翼地问。

“不确定。”迪伦苦笑一声，“但不管怎么样我都要这么做。”

“你会死的。”乔纳斯提醒她。

迪伦脸上的表情似笑非笑，“我明白，”她淡淡地说，“我明白。我应该待在这儿的某个地方，等着我的父母和朋友，找找我的亲人。我应该接受现实。我知道我应该这样的。”

“可是你偏不这样做。”乔纳斯替她把话说了。

迪伦一脸痛苦，低着头看着自己紧紧交缠的双手。她还能说些什么呢？乔纳斯是理解不了的。她不能怪他，连她自己都没弄明白为什么这件事会有可能是错的。

“我妈总说我很固执，”她说完咧嘴一笑，“崔斯坦也说过同样的话。”

“是吗？”乔纳斯也乐了。

她点点头，“我觉得自己一开始真的让他有点不耐烦，我不停地告诉他走错路了。”

现在回想最初见到他那十几天的情景未免觉得滑稽，她不知有多少次让他不得不停下脚步开导她。

“他告诉你圣诞老人的故事了吗？”乔纳斯一边问，自己也暗觉好笑。

“嗯！”迪伦也笑了。好奇怪啊！本来在她的想象中，这个故事应该发生在现代。难道这个故事发生在20世纪30年代？甚至更早？“你知道，他对你评价很高。”她告诉乔纳斯，“他和我讲述你的故事时，说你很正直，令人钦佩。”

“他真这样说吗？”看到迪伦点头，乔纳斯开心地笑了。

“我觉得他也值得人钦佩，”他沉思着说，“他承担了这份艰巨的工作，周而复始地在荒原上奔波。命运对他如此的安排，这不公平。”

“我知道。”迪伦喃喃自语。

这一切本就不公平。对乔纳斯和她不公平，对崔斯坦同样不公平。他理应摆脱他的……好吧，“工作”这个词并不准确。工作是有报酬的，而且完全可以辞职不干，马上走人。不，崔斯坦只是在尽义务，他早就不该再忍耐了。

“你准备什么时候行动？”乔纳斯的问话让沉思中的迪伦回过

神来。

她做了个鬼脸，自己也不确定。她一开始的想法就是等到清晨再开始行动。这样的话她就有一整天时间可以用来寻找崔斯坦，还有时间到安全屋。然而她又想到了另一个问题。崔斯坦曾经告诉过她，她不需要任何的睡眠——到目前为止她已经多久没睡了呢？她依然不觉得困倦。这里还会有夜晚降临吗？太阳依然高悬在空中，跟他们去见伊莱扎之前没什么区别。

如果时间在这里是静止的，那么她只需要考虑自己何时能做好准备就可以了。

要么永远不踏出那一步。

要么就是现在。

她想到了自己可能面临的各种情况——一扇永远无法打开的门，一片荒原，一大群魔鬼，一番大海捞针式的绝望搜寻。这一件件令人恐惧的事让她不寒而栗。

她又能做什么准备来应对这一切呢？显然什么也做不了。

迪伦一时之间感到非常恐惧。她真的能这样冒险吗？她的决心动摇了，自己很有可能在灵魂名册上被一笔勾销，彻底删除。迪伦的理智与恐惧感做着激烈的斗争。在门的另一端，等待她的将会是血色的天空和飞旋的恶魔。她这样做到底是为了什么呢？

崔斯坦。他蓝色的眼睛，他握着她的手时的浓浓暖意，他那将自己心灵深处点燃的柔软嘴唇。

“时不我待。”

伊莱扎说过，任何门都可以。只要她确定，任何一扇门都可以将她带回想去的地方，但迪伦已经知道要从哪一扇门出去了。不一会儿，她就已经站在门前了。她呼吸着一盆盆橘色与黄色的花朵散发出的醉人气息，眯着眼睛看着挂在大门正中的金属牌上耀眼的阳光。不管怎么说，刚才就是这扇门把迪伦带进这里的，现在从这扇门离开这里似乎正合适。

她研究了一下那个小巧的门把手。乔纳斯已经向她解释过了它的奥秘，她只需要凝神静气想着自己的目的地。这样，当她打开门的时候，就能到那儿了。她在自己的头脑中想象出荒原的景象——高耸起伏的群山、凛冽的寒风，还有阴云密布的天空。她的手开始向前伸，突然又停了下来。不对，这不是真正的荒原。没有了崔斯坦的陪伴，她知道自己将遇到什么。她有些畏缩着回忆起了一个跟刚才完全不同的景象，景物上空覆盖着深浅不一的红色。那才是她真正要去的地方。

她全神贯注、咬紧牙关，再次伸出了手。

“迪伦。”乔纳斯一只手拦住了她的腰，让她停了下来。

迪伦如释重负般吐出一口气，心中竟然因为那片刻的打扰涌出一阵窃喜。她转过身看着乔纳斯。

“你是怎么死的？”

“什么？”迪伦完全没想到他会问这个问题，目瞪口呆地看着他。

“你是怎么死的？”他又重复了一遍。

“怎么了？”她满心疑惑地问。

“呃，我是想说……如果你能成功的话，我也真心希望你能成功……”他脸上闪过一丝微笑，“……你就能重新回到自己的身体里，就能跟以前一模一样。只不过以前发生在你身上的事仍会存在。所以，我想问问，你是怎么死的？”

“火车事故。”迪伦从一动不动的嘴唇里小声挤出了这几个字。

乔纳斯使劲地点了点头，又问：“你伤在哪里？”

“我不知道。”

当时四周一片漆黑，寂静无声。她根本不知道自己已经死了。如果那时车厢里有灯光的话，她会瞧见什么呢？是否会看到自己的身体瘫在对面的座位上？还是被碾碎了，抑或是掉了脑袋呢？

如果她当时的伤有那么严重，还魂后身体还能用吗？

迪伦轻轻摇了摇头，想要在这些可怕的思绪占据她的意志力之前把它们清走。她提醒自己，决心已下，义无反顾。

“我不知道，”她说，“但是不要紧。”她想，崔斯坦才是重中之重，“再见了，乔纳斯。”

“祝你好运。”他有些狐疑地对着她微笑。迪伦心里知道，他觉得自己肯定不会成功的。她转过身，不再理会他的疑惑。

“嗨，还有一件事。”

这次迪伦的叹息声真的很沮丧，“什么？”她问，但不再转头看他，手依然朝门把手伸去。

“替我向他带个好吧。”他顿了一顿又说，“我希望你能活下来，迪伦，或许我会再见到你的。”

他向她道别，沿着小路慢慢向后退。迪伦回身看着他们之间的距离越来越远，心中荡起一丝恐慌。

“你不再待会儿了？”她问。

其实她是想请求他跟自己一起走。但她不能这么做，也不会这么做。

他摇了摇头，继续慢慢向后退。

“我不愿意再看下去了。”他老实承认。

他朝迪伦快速挥了挥手，露出最后的微笑，然后沿着街道快步离去。迪伦看着他穿过马路，在车辆之间穿行，直到他走进一幢房子里。现在，她孤身一人了。

大街上冷冷清清，静得诡异。她用近乎轻快的步子转了身，第三次也是最后一次面对这扇门。心脏在胸膛里怦怦直跳，由于紧张，她的上嘴唇上沁出了亮晶晶的汗珠。她在心里已经想象出了一幅梦魇般的景象——整个世界都沐浴在一片血红色中。她用手指抓住了那块冰冷的金属，嘴唇在颤抖。她不断喃喃自语着：“荒原，荒原。”继而握紧了圆形的门把手，最后深吸一口气，转动了它。

迪伦以为什么也不会发生。她觉得自己很可能会遇到一股无法移动的强大阻力，大门会紧紧锁住，自己怎么也打不开。她原以为自己会一直站在那里，不断寻觅勇气和信念，直到自己确定，完完全全地确定，真的想这样做。

然而门在她的手上轻轻松松就开了。

她吃了一惊，把门完全打开，然后从开口处向外窥探。

荒原。

灼热的紫红色荒原。天空布满了焦橙色和紫罗兰色，已经是下午三点左右了，太可怕了。

她想起了和崔斯坦在一起的最后一天，那时的阳光还很灿烂，那时她还相信他会跟自己一起走。她当时走的那条小路现在就在她面前延伸，路面没有呈现出砂石的金褐色，而是深黑色。路面似乎在连绵起伏，好像有东西在上面沸腾冒泡一样。整条路像糖稀一样微微闪光。

迪伦屏住了呼吸，抬起脚轻轻落下，路面倒还结实。犹豫了片刻之后，她又迈了一步。她终于松开了那扇门。无须转身回望，在门关上的那一刻她就已经知道了，因为她不再是孤身一人了。

是那些灵魂。她刚一转身回到摆渡人的世界，就被众多的灵魂包围了。他们跟她记忆中的一模一样——朦朦胧胧，虚无缥缈，像幽灵般在空气中轻轻游荡。他们也有面庞和身体，然而看上去却亦真亦幻，似有还无。他们的声音也是一样。以前她从安全屋里观察过他们，那时迪伦跟他们隔得很远，只是在小屋围墙的保护下听过他们的声音。而现在他们的声音非常响亮，迪伦感觉四周简直人声鼎沸，只不过他们说的话一点也听不真切。感觉就像是听到水下传来的声音，或是用玻璃杯扣在墙上听到的动静。而围绕着他们、专注地绕着他们兜圈子的便是恶魔们了。迪伦倒吸了一口冷气，然而尽管恶魔们把她吓得够呛，却并不朝她这里移动。她不由自主地向身后瞥了一眼，看着那扇已经紧闭的大门。她应该再回去吗？

不。

“走吧，迪伦，”她在心里对自己说，“动起来。”

她的双腿这次很听话，于是她开始向前迈出僵硬的步子，她越走越快，几乎小跑起来。她尽自己所能直视着远方那一片环抱的群山，她知道那个湖就在这些山边，而在水岸上就有一座安全屋。

沿途她闻到一股浓浓的硫黄味，她双脚周围还有烟雾缭绕，仿佛不久之后便会凝结成一双双利爪向她袭来。她不知道这是否只是自己的幻觉，但她的确感觉双脚很热，好像有一股热力穿透了鞋底慢慢渗透进来。空气也热得让人难受，迪伦感觉自己仿佛身处某个沙漠中心，没有一丝风，热得让人心烦意乱。空气里有股沙尘的味道，她的嘴唇已经干了。她尽量用鼻子呼吸，肺部还在渴求更多的空气。她知道自己现在快要换气过度了，但是又没有办法控制。

先到第一座安全屋再说——这是她现在必须要做的，她也顾不了后面的事了。先到那儿再说。

她的手紧紧握成了拳头，眼睛注视前方。她老是忍不住要看看那些路过的灵魂，但直觉告诉她这样做很危险。她用余光可以看到恶魔们忽隐忽现的黑影，没有那个发光球体的吸引，它们似乎还没注意到迪伦。但是如果它们发现了她的话……此刻她没有摆渡人的保护，很容易就会成为它们猎取的目标。

“不要看，不要看。”她一边急匆匆地赶路，一边低声重复着。

向前、向前，她不停地向前走着，只盯着眼前的群山，看着它们随着夕阳的下沉在她视线里越变越大，越来越阴沉。

夕阳像一块火炭，开始在陡峭险峻的群山之巅缓缓推移，迪伦恰好在此时赶到了安全屋附近。她稍一用力便上气不接下气，但她必须跑得再快些，努力跟上日光衰减的速度，还要努力牢牢盯着前方。大群的灵魂纷至沓来，从她身边涌过去。但她心里一直非常害怕，看都不敢看他们，只听得到零零星星的只言片语，全都不知所云。间或还有撕心裂肺的号叫声传来。

然而随着天色越来越晚，迪伦注意到身边的灵魂也加快了步伐。她能感受到他们急切的心情，眼角余光也能瞥见那些令人目眩神迷的白光在昏暗中熠熠生辉，指引着灵魂们继续走下去。这些灵魂们正在以身试险，他们要在夜晚来临前到达那道分界线，然而还有很长的路要走。这一点他们的摆渡人很清楚，魔鬼们也清楚。

他们发出的声音是迪伦以前从未听到过的，像是尖叫和大笑混杂在了一起。那声音听起来既愤恨又喜悦，既绝望又激动，让迪伦毛骨悚然。要想忍住不转身去看这声音的源头几乎是不可能的，迪伦简直迫不及待想要看看到底是什么生物能同时既兴高采烈又痛苦不堪。之前她一直担心这片血色荒原上原来的那个安全屋还存不存在，此时当她终于看到安全屋的时候，心中一块巨石方才落地。它就在那里，犹如荒漠中的一块绿洲。迪伦奋力冲进屋门时，几乎要失声痛哭了。

之后便是一个漫长的夜晚。

她点着了火，倒在床上。她闭上眼睡去，不是因为太累，只是为了逃避，为了把时间熬过去。然而她不仅没有坠入无意识的梦境，反而整晚都能听到恶魔们的狂笑声，那是它们在享用动作过慢、没有被摆渡人安全带过去的猎物。

Chapter 25

“我死了。”

这不是问句，所以崔斯坦并没有费事回答。他只是直勾勾地望着前方，让摇曳的炉火把自己带入半清醒半恍惚的心境中去。他打心里讨厌眼下这段时光，厌恶她哭哭啼啼、悲叹抱怨、恳求哀告。事实上，如果不是这个女人发觉了事情的真相，他们几乎就快到山谷了。如果不是有这些恶魔的话，他们本来可以一口气走到分界线——崔斯坦之前带领过成千上万的灵魂，但还从来没有像这次这么顺利过。这个女人太胆小、太柔弱、太听话了，她对崔斯坦说的每一个词从来都没有质疑过。她像一张白纸一样，干干净净，一尘不染，简直让人受不了。

那些恶魔们当然不可能轻易认输，任凭这么一个天真无邪的灵魂穿过荒原。它们曾经胆大包天地在阳光下利用树荫和灌木发动袭击。要避开它们很容易，但是它们一直发出巨大的噪声。要想阻止她分神去追踪这些噪声简直是不可能的。

“我到底出了什么事？”那个女人低沉的声音中充满了恐惧。

崔斯坦眨了一下眼，回到屋子中间看着她。她拱起肩膀，双目圆睁，双臂抱胸，好像正在尽力抱紧自己似的。他注视着她可怜巴巴的表情，强迫自己忽略她的悲伤。然而，他是她的摆渡人，他必须回答她的问题。

“你家被抢了，强盗在你熟睡的时候用匕首捅死了你。”

“那么那些……外面的东西，它们是什么？”

“魔鬼，恶魔。”他只说了这么多，不想做更多的解释。

“它们会把我怎么样？”

“如果它们抓住了你，就会吞噬掉你的灵魂，然后你就会成为它们中的一员。”崔斯坦的目光移到别处，不去看她脸上恐惧的表情。他还是不由自主地开始为她感到难过。他再也承担不起这样的感情投入，不能有第二次了。

两人又沉默了良久，崔斯坦几乎要扭过头来参详女人脸上的表情。他能听到她抽抽噎噎的哭泣声，他最不想面对的就是这样的场面。

“你知道，一开始我还以为你要打劫我呢。”她终于开始安静讲话了，声音比他预想的要沉着很多。她干笑了一声，接着说，“看到你在我家外面站着，我还以为你也是在附近活动的一个恶棍，打算来顺我点什么东西。我都准备要报警了。”

崔斯坦没有看她，只是点了点头。他当时从她透过窗子打量他的表情中看出了她的心思，为此还担心了一会儿。这全是因为他的穿着打扮、年纪与相貌，对这个女人来说这样的形象完全不合适。他本该变得岁数更大一点，一副中年绅士派头才对，那才是她会信任的那种人。他不该还像从列车里迎接迪伦时那样，依旧是大男孩的模样。

为什么自己没有变化呢？这完全说不通。以前他从来留不住上一次执行任务时的相貌。然后，当他们离开那条街道时，他敢肯定有人在看着他。虽然不明白为什么，但他不喜欢这种感觉。这样一来要忘记迪伦、把痛苦抛在脑后就变得更加困难了。

“如果我当时尽力想从你身边逃走会发生什么？”她最后说。

他对着炉火说：“我会阻止你的。”

又是一阵沉默，女人细细揣摩着他的话。崔斯坦想让自己继续发呆，但是他没法从思念中解脱出来。他发觉自己竟然希望那个女人说话，好打破沉默。过了一会儿，她真的又开口讲话了。

“我们要去哪儿？”

她当然会问这个问题。早在好多好多年前，崔斯坦就已经想好了一个固定的回答。

“我会引着你穿过荒原。当你完成这段旅程后，你就安全了。”

“我到了哪里就安全了？”她追问道。

“往前。”

往前。每次都是他们继续往前走，而他则返身离开。他早就已经安于这种极不公平的命运安排了，这些事也不会对他造成任何困扰，直到……

前方还有来世在等着这个女人，想必她可以从那漫长的时间里挤出片刻闲暇帮他寻找一个灵魂吧。他张开嘴，心里话几乎就要脱口而出了，然而在他还没决定自己到底想说什么之前，又闭上了嘴。

迪伦已经去了自己永远到不了的地方。他的手够不着她，他的声音她也听不到。他连回话都没办法传过去，何苦又要给她送口信呢？

他叹了口气。

“明天的路很艰险。”他说。

那条山谷变幻莫测，险象环生。他必须集中精力，先当好摆渡人。

晨曦中的荒原也没有丝毫的凉爽。迪伦已经在小屋门槛上站了一会儿，心里万分纠结。现在恶魔已经在屋外聚集，如同飞鸟一样在湖面上空盘旋俯冲，但还没有靠近她。在安全屋的保护下，她可以继续耐心等待。她决定待在这里，平平安安地等着崔斯坦。但如果他还没有走这么远怎么办？要是他带领的那个灵魂岁数太大，走得太慢怎么办？而且，她非常渴望见到他，一想到要等下去——不管等多久——对她来说都是一种折磨。她必须现在就出发找到他。

但是还有一个大湖挡在前面。她在这个湖里溺过一次水，一下水，她就免不了要扑腾。水下有不明的生物，她上次已经被它们戏耍、拖拽、撕扯过。如果不是崔斯坦无意间抓到了她的牛仔裤，把她拖回了安全地带，她根本不可能从水里出来。她依然记得湖水的味道——腥臊恶臭、污浊不堪，湖水滑过舌尖时像油一样黏稠，而且那一切都发生在她心像投射出的石楠丛生的荒原上。

而在现在这个灼热的荒原上，情况变得更糟。湖水翻腾、毒烟四散，湖面上雾蒙蒙的，看起来一片虚空，似乎连那条破烂小艇的重量都承受不起。不过船还在，在水面上轻轻荡漾，这总算让她多少有些宽慰。因为翻过船，所以迪伦一直在担心它有可能已经沉下去了，或是年久失修，老不堪用，被波浪撞成碎片了。然而它还在那里，在她当时掉下船的地方。

湖心。

迪伦轻叹一声陷入了沉思。现在的她只有两个选择——要么涉水到湖心上船，要么走路绕过这个湖。选择前者就要在油乎乎、黑黢黢的湖里涉水，而且浑浊的深水中还潜藏着怪物。相比之下，走路对她来说更可行。然而前路漫漫，她必须要和太阳展开一场脚力大赛。她完全不敢确定自己能赢。

所以眼下的选择没有最糟，只有更糟——是在污水里扑腾还是在黑夜中冒险呢？

崔斯坦以前想到的最好办法是利用这艘小艇，不去管水下的危险。那是因为路程太远——而且目前的这片荒原也太热了——天黑之前根本没有办法绕过这个湖。她以前曾在冰冷的湖水中活了下来，但从来没有在天黑之后赶过路。

那么只有选择水路了。迪伦顺着通向岸边的小斜坡一路小跑，耳边只听得到脚踩在岸边小石子上的嘎吱声。天色尚早，还没有看到有其他灵魂经过。他们这会儿应该正像她一样走出安全屋，准备穿过湖区。在等待黎明的漫漫长夜里，在她想挡住外面的鬼哭狼嚎却无可奈何的时候，她也会想到他们。她看不到他们的安全屋，但他们一定就在附近躲避黑暗与恶魔。但其他灵魂让她感觉不自在，他们看起来太可怕……太古怪了。而且，尽管她清楚自己这样想太荒唐了，但她还是非常嫉妒那些灵魂仍然有摆渡人做伴，而她还要去寻找自己的摆渡人。

她不知道自己该怎么办，但她不想再去考虑这个了。走一步算一步，这就是这里的生存之道。下一步就是渡过这个湖。

她差点在水边止步不前。湖水舔着她的运动鞋鞋尖，再往前走就意味着让肮脏的水接触皮肤，送给水中潜伏的怪物一个抓住自己的良机。迪伦犹豫了，她紧咬着嘴唇，但是现在要么向前，要么退后，真的再没有其他选择了。她深吸了一口气，强迫自己的双脚继续移动。

冰火两重天。这两种感觉在同时向迪伦袭来，她不禁倒抽了一口气。湖水比普通的水要黏稠得多，每走一步都有很大的阻力。水先是漫到了膝盖，然后又到了大腿。尽管她看不到河床，但还是在蹚着往前走，不断搅动着水中的砂石。到目前为止，一切尚好。虽然很不舒服，但现在还能站住脚，尚未感觉有什么水下生物在用爪子抓着自己。又往前走了几步，她不得不把手抬出水面。柏油一般的湖水没到了迪伦的腰部，她感觉一阵恶心。她希望自己在不得不借助游泳前行之前就能走到小船那儿。

现在她把视线全放在小船上。之前她有些多虑了，船不是位于湖中心，但距离她仍至少有一个泳池的长度。她本来还盼着一直涉水走到小船那儿，现在希望终于破灭了。她又往前走了一步，水就已经到了胸口，接着又没到了喉咙。她抬起下巴，尽量不让嘴沾到水，但是湖面上的毒烟直窜进鼻腔，让她感到窒息、恶心。她冻得浑身剧烈抖动，差点没有觉察出有东西先是缓缓地绕着自己的左腿滑动，接着又到了右脚踝，然后又游到了腰间。

只差一点。

“妈呀！这是什么啊？”她尖叫起来，仍然高举的胳膊奋力向下挥击，想要赶走已经抓住自己外衣的那个东西。她突然感觉手掌一阵剧烈的刺痛，接着那个东西悄悄溜走了。但很快它又绕了回来，从背后咬住迪伦，死死地抓着她的风帽，衣服领子立即勒住了她的喉咙。

迪伦在水里来回扑腾，连踢带踹，又挥又打。油腻腻、黑乎乎的水珠四下飞溅，钻进头发里，溅在脸颊上，落在眼睛和嘴巴里。迪伦的眼睛什么也看不见，只能吐着水，一边使劲从那个东西的利爪下把外套夺了过来，一边拼命朝小艇游去，且战且行。她显得笨手笨脚，而且也已经筋疲力尽，但还是没有让这个不明生物抓牢自己。她离小船已经越来越近，几乎就要到了。她伸出手，手指摸索着船的边缘，终于抓住了。她的手指绷紧，开始酸疼。突然她感觉自己无法呼吸了，有三个东西咬住了她的外套，它们的合力拉扯让她根本挣脱不了。

它们潜入水中，拽着她一起往下猛冲。迪伦张嘴呼叫，水却没过了脸，有毒的水灌进了她嘴里。惊慌失措的迪伦把肺里所有的空气都呼了出来，急于把嘴巴清理干净的她没有时间思考。肺部刚一收缩，感受到挤压与窒息后，马上就开始急着要换气。她紧闭着嘴，努力克制呼吸的渴望。她的身体一直往下沉，记忆片段又跃上心头，但这次崔斯坦不可能来救自己了。

崔斯坦。他的面庞在她脑海中浮现，无比清晰，这让她又有了继续搏斗的力量。她拉开外套拉链，一番挣扎扭动后挣脱了衣服，然后不顾一切地向上踩水，一直向上、向上、向上。不知是因为游了太远还是因为搞错方向游向了水底，她终于再也无法克制呼吸的强烈渴望了。

就在她觉得自己即将因为缺氧晕过去的时候，她的头钻出了水面，满满吸了两肺的空气。她像没头苍蝇一样伸手去够船，泪如泉涌，在脸颊上留下黑漆漆、黏糊糊的泪痕。她双手使劲抓住小船，又爬了上去。

她趴在那里喘了好一会儿。在不得不转头重新面对那些恐怖的水下生物之前，她先努力触探了一下，看看是不是有什么东西缠着自己的脚踝，不过除了冰冷之外别无其他感觉。她艰难地翻过身，重新坐回到硬木座位上。因为寒冷和恐惧，她的身体在发抖，并感到一阵阵眩晕。全身的衣服都湿透了，挂满了黏糊糊的湖水。但所幸她仍然活着。

现在她必须尽快划水前行了。船上没有桨，但她想起上次崔斯坦找到了船桨。迪伦闭上了眼，手指在膝盖之间的空地上摸索。

“拜托，快出来啊。”她喃喃自语，沿着船板乱抓，“必须得找到崔斯坦，没有桨我到底该怎么过去啊？”

什么也没摸到。迪伦睁开了眼，眺望湖水，距离那一头的岸边至少还有半英里。湖面无风，连一丝来无影去无踪的微风都没有，船上也没有帆。她也绝不可能再下水游泳。她被困在船上，完全束手无策了。

“浑蛋！”她的叫喊在一片静谧中听起来非常响亮，有些骇人，“我讨厌这个地方！快把该死的船桨给我！”

她咚咚咚地走到船的另一端，然后再返身回去，一屁股坐回座位上，彻底不知所措了。

正在这时她却看见那一对船桨静静地躺在桨架上，仿佛一直在等着她发现。

迪伦看着它们，完全惊呆了。

“哦，”她说着，仰头半信半疑地望着天空，“谢谢你。”

连她也不确定自己到底在跟谁说话，尽管此处并没有谁在看着她，迪伦还是感觉自己刚才那通怒气冲冲的发泄有点蠢。她抓起船桨，把它们没入墨黑的烟雾中，开始划起来。

划船居然超乎想象地艰难。迪伦隐隐约约想起，以前曾问过崔斯坦想不想让自己轮换着划桨，当时他还哂笑着冷嘲热讽说不想永远待在水上。他划船的时候看起来毫不吃力，而迪伦现在发觉对于自己来说这是根本不可能的。小船并不朝着她想去的方向前进，而且在烟雾缭绕的诡异水面行船犹如拖着整个世界在走一样。更糟的是，她攥着桨柄的手一直在打滑。她的拇指内侧受到摩擦，一阵阵抽痛，尽管与腿上和后背的痛相比，这种痛几乎察觉不到。划了很久，依然没有前进多远。

大概划到还剩一半路程的时候，眼前的一幕暂时转移了她的注意力。一条船从对面驶过来。船身缓缓划过水面，船上乘客的身影在日光下显得影影绰绰。第一条船刚刚经过，紧接着又驶来一条。很快整个湖面上布满了小船，这一支朦朦胧胧的小型船队在湖面上搅起了一片雾气。

她很难不去注意那些船上的灵魂以及徘徊在湖面上空的恶魔。它们随时准备把这些灵魂从船上拉下水，拖到浑浊的湖水深处。只有背对着来时的方向才能划船，所以迪伦只有盯着来船的方向，而又尽量不去看这些船。她努力把注意力放在自己的船尾，但是这个很难。各种动静在视野的边缘层出不穷，所以她不得不一直压制抬眼的冲动。

特别是当一艘船遇上麻烦的时候更是如此。迪伦的小船周围水面仍然平静，但她不用抬头也知道正在发生什么。首先是声音的变化——不是湖水温柔拍打船舷的声音，也不是那上百个含混不清的谈话声，而是刺耳的哭号。不是魔鬼发出的那种尖厉的喉音，她敢肯定，那声音是一个灵魂发出的。然后是光的变化——引导灵魂的光球本来发着柔和的光，几乎和夕阳的红光别无二致。但距离尖叫方向最近的那个光球陡然变亮了很多，看上去就好像突然把有色眼镜摘掉了一样，整个世界的颜色在那一瞬间变得正常了。

她快速瞥了一眼那条船，它就在自己前方大概一百米的地方。船身剧烈地左右摇晃，犹如遭遇了飓风袭击。要盯着船看很困难，因为在船中间浮动的光球发着非常刺眼的光亮，但她依然无法移开自己的视线，它好像在召唤迪伦。不，她明白了，它是在召唤自己引导的灵魂……但是那灵魂却置之不理。

那灵魂盯着湖水深处。

就在迪伦眼前，湖水立了起来，形成了一个扭曲诡异的形状。从迪伦的视角看上去它就像一副利爪。爪子从湖水中分离出来，张开，变成十几个，不，二三十个蝙蝠一样的小生物。

这就是湖中的不明生物。

它们蜂拥而至绕着那灵魂飞行，船身开始颠簸倾斜，危险地翘了起来。就像之前一直在等待指令似的，绕成一圈的恶魔们终于加入了攻击。

“不！”迪伦尖叫一声，她在船体开始倾覆的前一秒就已经明白要发生什么了。

话一出口，她马上用手捂住了嘴，然而为时已晚。它们听到了她的喊声，现在那个光球在狂乱地闪烁，而湖中怪物们继续把那个灵魂往深水拖拽，完全对此熟视无睹。接着那些恶魔们向她涌过来。没有光球，也没有摆渡人的保护，它们不需要等到天黑就可以在她身上大快朵颐了。

“该死！该死！你个白痴！”

迪伦开始疯狂地划船，拼尽全力划桨，可这样还不够，船移动得太慢了。这些恶魔都是会飞的，它们高高飞翔穿越过雾气，好像就是以此为食似的。她刚刚匆忙划了三下，它们就已经拉近了和迪伦之间一半的距离。她已经能听到它们兴奋的号叫声了。

迪伦停止了划桨，屏住呼吸。她看着它们，静静等待。她很清楚当它们在自己的胸口凿开一个口子的时候是一种什么感受——就像心上结冰一样。在它们抓住她之前的最后几秒钟内，她只是好奇这个过程会持续多久，疼痛的程度有多深。

它们已经赶完了最后的几米距离。她闭上眼睛，实在不愿意看到它们的那副尊容。

然而什么也没有发生。

它们还在那儿，她清楚这一点。她能听到它们发出的嘶嘶声、低吼声、尖叫声。迪伦的脉搏在沉重地跳动。尽管血红色的骄阳似火，她的后背还是在淌冷汗。但除此之外，身体并无其他异样的感觉。满心困惑的迪伦把眼睛睁开一条缝，只容许窄窄的一道红光渗进来。

它们还在，她能看见它们群集在自己周围。她又闭上了眼，紧张得五官扭作一团。它们为什么不袭击自己呢？它们离自己咫尺之遥却没有攻击，莫非这是因为自己闭着眼的缘故？这真让人难以置信，可除此之外她实在找不出其他的解释了。迪伦几乎不敢呼吸，闭着眼睛摸索着寻找船桨。她小心翼翼地慢慢把桨放在水中，然后开始划起来。她努力地划船，渐渐地在水上缓缓前行。那号叫声越来越大，变成了声嘶力竭的咆哮，但声音里满是沮丧。它们仍然没有碰她一下。

“不要睁眼，不要睁眼，不要睁眼。”迪伦随着划桨的节奏小声念叨着。她努力紧紧闭着眼，浑身都在颤抖。更糟的是，她看不见船前进的方向，而她也清楚自己的划桨技术还没有好到可以闭着眼划出一条直线。谁知道自己会怎么收场呢？不过只要离开这片水域，她就谢天谢地了。她尽力回想从水岸到山上的安全屋还有多远，好像不是一段很长的路。只有一座山，只有一座山，只有一座山。她一面聚精会神地想着，一面仍紧闭着双眼。

身后突然一颠，几乎让她所有的艰苦努力都付之东流。在那一瞬间，她想到恶魔们终于开始进攻了。由于恐惧，她的眼睛一下子睁开了。还来不及赶紧再闭上眼，她就看到一团黑乎乎的东西朝自己俯冲下来。她想把桨片按在水里使劲划船，然而它们碰到了某种坚硬的东西，手上一震，两只手腕震得生疼。与此同时传来了响亮的刮擦声，迪伦的头脑来不及做出判断，只觉得血气上涌。

是岸边的沙滩，她终于到了岸边。小船不再轻轻颠簸，直接冲上了岸。

迪伦仍然闭着眼，笨手笨脚地从船上爬下来。尽管已经在岸上搁浅了，小船依然随着她身体的挪动倾斜摇晃，迪伦不由得叫了一声，身子失去了平衡，摔倒在船舷外。这一跤似乎摔得很远。当她两脚着地时，不由大吃一惊，心中叫苦不迭，一股寒气涌上双腿。

她竟然还在水中。

Chapter 26

迪伦意识到自己仍在水中，随之而来的恐惧感几乎让她慌了手脚。她猛地睁开眼看到恶魔们如一群苍蝇般在她的头顶盘旋。她赶紧闭上眼，但仍能感到冰冷的湖水在拍击着她的膝盖。似乎有什么东西正在绕着她的脚踝滑动，似一条盘旋蜷曲准备绷紧身体的蛇，这是自己的幻觉吗？惊慌失措的迪伦赶紧把左脚抬出水面，但那个东西又游弋到了她另一条腿边。这次确定无疑了——肯定有什么东西在那儿。

迪伦一声尖叫，猛然反应过来。她闭着眼，蹚着水朝岸边走。她的步态无比笨拙吃力，因为每走一步都要完全抬起运动鞋，抖一抖脚踝免得又被什么东西缠上。她不能睁眼。她的头脑里一片空白，犹如这一切经历的起点——那节空空荡荡的车厢一样。在她的想象中，水下那东西介于滑溜溜的鳗鱼和伸着钳子的螃蟹之间，或者就像安康鱼一样，一张巨嘴里面排满了利齿。想到这些，她心里既恶心又害怕，只能一步也不停地继续走下去，直到听见自己的脚踩在鹅卵石上发出的嘎吱声。

迪伦不堪重负，疲惫不已。她瘫倒了，匍匐在地，手指摸到了那些石子。已经上岸了，她告诉自己，已经上岸了，你安全了。

但她仍然不敢睁开眼，她彻底迷路了。她知道有一条上山的路，但那条路是在她的那个荒原里的，这里不一定会有。即使有，如果她无法睁开眼的话，又该怎么找着这条路呢？

迪伦一时没了主意。她的五官痛苦地拧成一团，一滴泪水从她紧闭的眼皮间悄然滑下，一直落到她手上绽开。她努着嘴，双唇颤抖，双肩也因为抽泣而抖动着。她被困在这里进退两难了。难道其他灵魂也都只能止步于此吗？

她在原地待了有十分钟，十分钟宝贵的白昼时间。突然她脑子里冒出一个念头——或许只要不看那些恶魔，她还是可以睁开眼的。如果她低着头只盯着路面，无论那些东西如何尖叫来吸引她的注意力都毫不动心，如果她能做到这点的话……

这总比一直坐以待毙到晚上要强吧。黑漆漆的夜，刺骨的寒冷，还有尖厉的号叫……迪伦知道，到了晚上自己肯定就完了。

她小心翼翼地喘了几口气，试探着睁开了眼，但只敢垂着眼帘，等待着。只隔了三秒钟，一个恶魔向地面俯冲，擦着鹅卵石，然后径直向迪伦的脸飞来。迪伦本能地眨了一下眼，但是仍然尽力不去看它，只把视线放在地面上。终于，那个恶魔突然改变了方向，充满怨怼地叫了一声，从她的耳边呼啸而过，带起的风吹起了迪伦一缕头发。

迪伦低语道：“好。”

应付一个恶魔还算容易，但迪伦发现，现在她睁开眼后，其他盘旋在她头顶的恶魔们纷纷效尤，一个个向她身边俯冲下来。一时间空气中充斥着黑色的旋涡，让视线模糊不清。但她不为所动，笨拙地站起身，不得不伸手保持身体平衡，被气流冲得辨不清东西南北，周围震颤的空气让她的两臂上一下子冒出了很多鸡皮疙瘩。

她缓缓转头左右张望，寻找那条路。它本来应该靠近舢板棚的，尽管船还在，但她却没有看到那间摇摇欲坠的破棚子。看不到棚子就意味着找不到路，但她真的非得找到这条路吗？她知道自己要上山，这就足够了。也只能这样了，因为下午的时间正以惊人的速度流逝。

她瞅着地面，视线集中在那些光滑的黑色石子上，然后沿着岸上深紫红色的土路向前走。山坡上长满了一簇簇植物，但不是她已经习以为常的石楠和茂盛的荒草。这些植物呈黑紫色，叶片逐渐缩成细针状，茎上满是参差不齐的刺。它们闻起来臭烘烘的，迪伦的牛仔裤一蹭到它们，就能闻到一股刺鼻的腐烂气味。她现在已经离开了湖区，热浪重新袭来。她的湿衣服变干发硬，上面那些斑斑点点的污泥开始随着流下的汗液粘在身上。她的头顶在阳光的炙烤下变得滚烫。

真是苦不堪言。她无法呼吸，筋疲力尽，每一秒钟都有恶魔俯冲下来，试图抓住她。她不敢抬头看还要走多远，但是一直弓着身子走路让她腰酸背痛。现在的迪伦提心吊胆、疼痛难忍、精力衰竭，她嘴一咧又开始哭起来。那些恶魔们咯咯叫个不停，好像能觉察出她马上就要放弃抵抗，彻底屈服了。她似乎无法再振作起来了，眼泪模糊了视线，她的行走路线开始变得摇摆不定。

脚下的碎石子路终于变成了坚硬的岩石，这说明她已经快到山顶了。迪伦突然踢到一块不肯让路的石子，脚被绊了一下，她赶忙把两臂挡在身前，喘着气，眼睛依然注视朝自己飞驰而来的地面。

倒地之后，她的双手首当其冲。接着胸口也蹭到了路上，她猛然抬起头，发现自己正与一个恶魔四目相对。一瞬间她看清了它那张皱巴巴的小脸上射来的恶毒目光。接着它就朝她俯冲了下来，迪伦顿觉浑身发冷，就像之前沉在冰湖中的那种感觉。

只要看见了一个恶魔，再想躲着不看其他的恶魔也就不可能了。它们蜂拥而至，一齐向她袭来。连拉带扯，钻入她的骨骼深处。迪伦身在地面，就先给了居高临下的恶魔们以可乘之机。她感觉自己的身体在下沉，一点一点滑下去，好像紧实的土路此刻已经变成了流沙。

“不！”她惊慌失措地大喊，“不要，不要！”

她历尽千辛万苦走到现在可不是来送死的。崔斯坦的面容又一次浮现在她眼前，那双湖蓝色的眼睛是摆脱现在糟糕处境的灵丹妙药，就像吹来了一阵新鲜的空气，让迪伦一下子变得充满斗志。她极为吃力地站起身，把缠在手上和头发里的恶魔们甩了出去，然后开始飞跑。

她感觉腿上火辣辣的，肺部一阵阵剧痛，无数恶魔的利爪勾进了她早已被汗水湿透的T恤衫里，侵入了她的头发中。迪伦盯着山顶，拼命不让它们抓住自己。恶魔们嘶吼着，如一群怒蜂围着迪伦的头嗡嗡乱飞，但迪伦仍在飞奔。她已经到了山顶，知道下山要容易多了。

下山的确是太容易了。她跑得太快了，太快太快了。她的双脚跟不上从陡峭的山坡下去时的惯性。和恶魔们搏斗她没有赢的可能——她也不打算和它们缠斗，索性让自己顺着惯性往下落，向前猛冲，除了尽全力飞跑，除了尽量站稳，她什么也不去想。如果她在这里摔倒了也就前功尽弃了。她的身体不由自主地左右摇摆，根本没时间思考视线应该集中在哪里。

突然，那间安全屋出现了，就在迪伦的前方。坡度平缓了不少，这让她能稍微控制一下自己的速度。她与小屋只有咫尺之遥，马上就要冲进去了。恶魔们自然也明白这一点，于是加紧了进攻，紧贴着她的脸盘旋着，近得她能感受到它们的小翅膀抽打在她的脸颊上。它们围着她的腿，想再把她绊倒。但它们个头太小了，为时已晚。迪伦一直凝视着安全屋，无论这些魔鬼做什么都不能转移开她的视线。

迪伦飞身绕过房子的拐角，冲进屋内。她知道自己不必如此，但还是砰的一声关上了门，耳边立刻清净了。她站在屋子中间，浑身颤抖着使劲把氧气灌进正在紧张收缩的肺部。

“我成功了，”她轻声说，“我成功了。”

她感觉非常疲惫，就像刚刚划船穿过那个湖时一样。由于惊魂未定，再加上血管中过度分泌的肾上腺素，她一度感到体内热气翻涌，浑身灼热。然而在光线昏暗的小屋里，空气冷却得很快，不一会儿她就又打起寒战来。

迪伦揉着自己裸露的胳膊。她也不全是因为寒冷才颤抖，那些魔鬼们还在围着窗子飞，它们的阴影在地面旋转。她尽力不理睬它们，但是要做到这点并不容易。它们的号叫声直接刺进了她脑中，石屋里寂静无声，实在没有什么东西能分散她的听力。

她坐在一把椅子上，抬起腿在座位上歇歇脚，下巴靠在膝盖上，蜷缩成一团好暖和些。但这点温度还不够，很快她的牙齿开始打架。迪伦起身径直挪到壁炉前，这里不像在上一间安全屋里那样有火柴可以点火，但她想起自己以前是怎么点着火的，也想起那双桨是怎么出现在船里的。她把旁边小篮子里的木柴垒成了一个歪歪斜斜的三角形，然后全神贯注地盯着三角形的中间。

“拜托了，”她低声恳求，“求你了，我需要取暖。”

什么也没发生。迪伦闭上眼，默想着自己的哀求，屏住呼吸，手指交叉着许愿。先是传来噼啪的一声，接着是噼噼啪啪的声音。当她再次睁开眼时，火已经点着了。

“谢谢！”她情不自禁地低声说道。跪在冰凉石地板上的感觉很不舒服，但她没有起身。尽管火没有要熄灭的迹象，但是微弱的火势只能发出一点点热度，她只能将手指伸在跃动的火苗正上方感受那美妙的暖意。火光也很微弱，屋外的阴影却越来越重，迪伦就守在原地，她真希望屋里能有蜡烛照明。

火慢慢变大，寒意逐渐消散，让迪伦痛苦不堪的寒战也慢慢消失了。衣服在炉火的烘烤下散发出一股湖水的恶臭，她皱起了鼻子，感觉自己污秽不堪，简直不敢想象自己现在是副什么模样。环顾四周，她看到了一个带溢流的平沿水槽，还有一个梳妆台。以前她曾在这间安全屋里洗过衣服，她记得上次已经用光了所有的肥皂，但只要能把污泥冲洗掉，比刚才干净些，也能让她感觉好得多。她在一个抽屉里找出了那套肥大的衣服，这次不用担心崔斯坦看见自己穿这件不伦不类的衣服了。

她暗自觉得好笑，想起当时自己光着大腿在屋子里晃来晃去，内裤被毫无遮挡地搭在一把椅子上的样子，那时的情景多么尴尬啊。

现在没有崔斯坦讲故事，水槽注满水似乎要比上次的时间更久；这次也没有那一小块肥皂了，她简直不知道洗不洗那些挂满泥点子的脏衣服有什么区别。但她还是尽全力把污泥从衣服上搓掉，然后把它们晾在椅子靠背上。她穿上了衣橱里那套肥大的衣服。上次她曾在床上紧紧依偎在崔斯坦温暖的臂弯中，这次她却没有理会那张床，而是蜷缩在炉边一块褪了色的地毯上，现在躺在床上毫无意义。这里只有她一人，外面恶魔的叫声不绝于耳，她再也不会睡觉了。

黑夜慢慢流逝。迪伦试图清空思绪，只是看着炉火陷入恍惚。这个办法是崔斯坦告诉她的，在穿越荒原的最初几天，晚上那些灵魂入睡时他就用这个法子打发时间。要做到无思无欲并不容易——外面的每一丝声音都会让她心惊肉跳，她转头透过窗子窥探着外面墨黑色的世界。时间过得异常缓慢，终于窗外血红色的黎明让她醒过神来，她呻吟了一声离开毯子站起身。僵坐了一夜，现在她浑身的肌肉都是痛的。她笨拙地慢慢挪动，抖掉那身不合体的衣服，重新穿上自己那身又破又硬的行头。它们看起来仍然污秽不堪，但闻起来味道要好点了。她这样想着，把T恤的下摆提到鼻子前，小心地嗅了嗅。她很为自己的牛仔裤忧心忡忡了一会儿，想重新把裤脚卷起来，免得带着硫黄味的污泥轻而易举就溅在上面。接着她又摆弄了一会儿头发，想把头发扎成干净利落的发髻。

她知道，自己实际上是在故意拖延。现在早就过了出门的时间，她是在浪费白天宝贵的时间，然而今天肯定会凶多吉少。她已经穿过了湖区，没错，但现在她还得越过荒原找到下一个安全屋。没有了崔斯坦的陪伴，眼前的这片荒原除了红色的砂岩和黑色的灌木外几乎毫无特征，一派荒凉景象。她必须专心赶路，绝不能再去看其他的灵魂，也不能看为他们指路的光球，还有绕着他们盘旋的恶魔。哦，对了，除了躲避那些，她还得想方设法寻找属于自己的光球，它可能看上去像崔斯坦，也可能完全不像。

不可能，完全不可能。

突然一阵难以抵挡的恐惧感袭来，她紧紧抓住身前的椅子，紧闭双眼不让泪水流出来。哭泣解决不了问题，况且她现在还面临着两难抉择——到底是向前走还是往后退。那条船还在那儿，正好就停在岸边。她可以划船回去，在最后那间安全屋里躲一晚上，明天就能重新跨过那条分界线。

然后就是完全、彻底、永恒地孤独下去。

迪伦深吸了一口气，屏住呼吸，然后徐徐地把气呼出来。她使劲干咽了一下，把害怕和疑惑都抛在了一边。她想象着崔斯坦看到自己、看到自己回来找他时会是什么表情。她想象着他将自己紧紧揽入怀中时他双臂的触感，还有他身上的味道。她把这些画面定格在自己的脑子里，穿过狭窄的屋子，打开了门。

她刚一离开小屋的庇护，那些等待多时的恶魔们就开始了凶残的舞动。它们绕着她盘旋，朝她俯冲，就是为了吸引她的目光。她对恶魔们置之不理，只把目光牢牢地锁定远方的地平线，好像在看向它们，实则是盯着远方。就像车上有一块挡风玻璃，无数雨点飞溅其上，隔着这块玻璃注视车外一样。要做到不让眼睛聚焦很难，这让她的头很痛，但这样总比全程一直低头盯着地面要容易多了。此时血红色的太阳混杂了烟灰色和深紫色，尚未完全升起。她迷离的眼神扫过群峰和山谷，想辨认出自己熟悉的东西——不管是道路、地标，或是其他什么都行。

什么也没有。她几乎可以肯定，自己以前从未来过这里，她又一次感到了深深的恐惧。一个恶魔有惊无险地紧挨着她的耳朵呼啸而过，冲她发出嘶嘶的威胁声，差点就让她心慌意乱、手足无措。尽管她此时有些畏缩，但还是在尽力克制自己退回去的冲动。她告诉自己，再好好想想，总能认出些什么来的。

可是什么也没有。这里空空荡荡，除了狰狞可怖、参差不齐的岩石和血红色的地面外什么也没有。在遥远的前方，一群灵魂正向她这里飘移而来。

她在心里大喊："你们是从哪儿来的啊？"

安全屋，他们一定是在某个安全屋附近过夜的。他们似乎都是从同一个方向来的，迪伦推断，现在唯一可行的办法就是迎着他们走，但愿他们的足迹能指引她走到自己的安全屋。

迪伦很高兴自己终于做出了决定，她特意大步流星地向前走去。此时的她正在离开自己唯一能确定方位的安全屋，她竭力不去想这些事，因为这只会让恐惧感越来越强烈，此后再跟恶魔们搏斗就更困难了。

崔斯坦，她今天会遇到崔斯坦。她一遍遍这样想着，默默祈祷。这给了她力量，让她艰难地穿过前方倾斜坎坷的道路，让她在高悬的太阳无情炙烤大地时继续奋力前行。这力量让她忽略了余光瞥见的那些不停地朝自己冲过来的阴影。

日至中天，骄阳似火。迪伦开始陆陆续续遇到第一批迎面走来的灵魂。他们都步履沉重、疲惫不堪，看起来表情困苦，有许多还在哀号哭泣。有些灵魂忽隐忽现，他们脸部没有皱纹，他们投在地面的影子也很短，这是夭亡早殇者的灵魂，是那些猝然离世的儿童。他们让她想到了崔斯坦曾经摆渡过的那个身患癌症的小男孩，虽然她提醒自己，那个可怜的灵魂已经落到了贪婪的恶魔手里，说不定现在他也在这些可恶的魔影之中。

她不得不一一打量这些过往的灵魂，因为现在给他们中任何一个引路的就有可能是自己的摆渡人。然而没有任何一个闪烁的光球跟她打招呼，一个接一个的灵魂从她身边经过，迪伦的希望开始破灭，她现在真的是在大海捞针。如果她长途跋涉一路走来直到出事的列车那里仍然没有找到他，她就真的不知道该如何是好了。

迪伦到达安全屋时吃了一惊，她没想到找到正确方向之后，这个安全屋会这么近。离日落还早得很，阳光仍在炙烤着她的额头。她还在审视着经过的灵魂，但是现在过来的灵魂已经少多了，他们都在匆匆赶往自己的下一处避难所。

这间小小的石屋子几乎被高耸其上的两座山峰投下来的巨大阴影遮住了。如果迪伦刚才一直留心的话，她就能看到前方深邃的盆地，并且认出自己现在身处何方。崔斯坦以前就告诉过她，那条山谷一直都在那里。

安全屋悄然出现。一看到屋子破败的围墙和衰朽的窗户，迪伦不由如释重负地叫出声来。房子尽管寒酸简陋，但是让人觉得温馨惬意。虽然腿很痛，她还是紧跑几步，消灭了最后的距离。体力耗尽的迪伦几乎是从门外栽了进去，磕磕绊绊地到了床边。她胳膊肘靠在膝盖上，双手支着下巴，四处张望起来。

尽管她很高兴自己又成功了一次，但她并不情愿回到这里。她曾经在这间安全屋里独自煎熬了一天两夜，近乎绝望地盼着崔斯坦回来。看着熟铁做的壁炉，还有屋里唯一的那把椅子——自己当时就在上面坐了整整一天，望着外面真实的荒原，那也是她第一次看到这番景象——往日的记忆与情感如潮水般奔涌而至，惊慌、恐惧、孤立无援。

绝望感马上就要让她窒息了。不，她努力让自己从这种情绪中挣脱出来。今时不同往日，她也和以前不一样了。她强撑着站起身来，抓起椅子把它拖到门边。她打开门，一屁股坐在门槛里面，盯着外面看，注视那些恶魔和那条血红色的峡谷。

明天一早，她就要出发去寻找崔斯坦。她暗自发誓，这一次她绝不会再受恐惧心理的摆布，这一次一定要找到他。

Chapter 27

“我们必须走快一点才行了。”

崔斯坦回头看着那个女人，面带愁容，然后抬头看了看昏暗的天空。他们花了很长时间穿越泥滩，以至于虽然天色已经昏暗，他们仍有整整一条峡谷要穿越。但这不是她的错，要从黏稠的淤泥上跋涉过去，还要绕过高高的野草迂回行进，这些实在是太难为她了。她需要帮助，只是崔斯坦不愿意碰她。

但他现在后悔了。周围的空气中充斥着号叫声，此刻虽然还看不见它们，但它们一定就在附近。光线也变了，一层厚厚的乌云飘浮在他们头顶，因此白昼会比平时还要短一些，他想这是难免的。要期望这个女人还能保持镇定从容、心满意足的心态太不现实了，自从她知道自己的死讯，这就不可能了。

对于自己的死，她没多说什么。她也曾流下眼泪，但只是默默地哭泣，好像她不愿意打扰崔斯坦似的。又是一件值得庆幸的事，这个灵魂的确让他的工作变得非常轻松。他一直对她冷若冰霜、敬而远之，他自己心里也觉得不是滋味。但这是能让他继续撑下去的唯一办法了，否则，现在他们不可能走这么远。

“拜托了，玛丽。”崔斯坦有些窘，他实在不愿意称呼她的名字，“我们得走了。”

“对不起。”她低眉顺目地赔不是，“我很抱歉，崔斯坦。”

崔斯坦苦笑了一下。神情恍惚的他告诉玛丽的还是自己在上一个任务中的名字。他悲痛欲绝，实在想不出一个新名字来，而且这个名字也符合他现在的形象，但他恨这个名字。每次她说到这个名字的时候，他都会听到迪伦的声音。

她开始向前走，这一次她的步伐显得更坚定。但就在他们的前方，长长的黑影正越聚越多，来者不善。崔斯坦只看了一眼，就清楚再坚定也是不够的。

他叹了口气，咬了咬牙，“跟我来。” 说着，他抓住了她的胳膊向前走，带着她越走越快，到后来几乎是深一脚浅一脚地慢跑起来。他也在慢跑，为了更省力，他干脆放下她的胳膊，直接抓起了她的手，拽着她往前跑。号叫声越来越响亮，恶魔们开始向下飞落，搅动得空气也震荡起来。那个女人听到了这些变化，她把崔斯坦攥得更紧了。他能够感受到她的恐惧，还有她对自己百分百的信赖。她的每一次呼吸都会伴随轻轻的啜泣，哭声穿透了他的肩胛骨，直刺入他的胸中。这种感觉太痛苦了，他真想放开她的手，从她身边跑开——尽管不是想把她丢给恶魔不管——他只能努力克制自己的冲动。

“不远了，玛丽。”他给她打着气，“安全屋就在两山之间，我们就快到了。”

她没有回答。但他听到她的脚步加快了，刚才他的胳膊拽着她时那种费力的感觉松弛了，她已经从慢跑变成了全速冲刺。他心头一松，加紧往前飞奔。

“崔斯坦！”这声音在飘进他的耳朵之前几乎被风裹挟而去，

但他还是听到回声，扬起了头，“崔斯坦！”

是自己心里出现了幻觉吗？还是恶魔们发明了折磨人的新把戏，好分散他的注意力，让他不知该往哪儿看？否则荒原上不可能出现这个声音。一切都结束了，她 已经走了。

“崔斯坦！”

“这不是她，不是她！”他喃喃自语，把那个女人拽得更紧了。迪伦已经走了，他还要完成自己的使命，他必须把这个女人送到安全屋。就快到了，就快到了。他抬起头，全神贯注地注视着那间小屋。门是开着的。

“崔斯坦！”

在门口处站着一个身影在朝他挥手。只是一个模糊的轮廓而已，但他知道那是谁。不可能是她，根本没有这种可能的，但那就是她。

崔斯坦吃了一惊，松开了女人的手。

迪伦的手捂住了嘴，瞬间意识到自己刚才闯下了大祸，但为时已晚。

她看到了他穿越山谷。一个格外耀眼的光球，如同火焰吸引飞蛾一样吸引了迪伦的注意。待到她凝神细看时，怪事出现了。这片荒原那极度绚烂的红色，连同黄昏宛如勃艮第红酒般的深紫色都变得闪烁不定，忽隐忽现，颜色频繁转换着，好像信号很差的电视。血红色转成柔和的绿色、棕色和淡紫色，那是她的苏格兰荒原的色调。

迪伦从椅子上一跃而起，身子向门边探去，脚趾已经踩在了门槛上。恶魔们充满期待地狂叫起来，但她的动作戛然而止，只是在向外张望。

崔斯坦，她看得到他。是他，不是闪烁的光球，而是有身体、有面容的活生生的人。迪伦笑了，大口吸气，好像自从他离开之后自己就没有再呼吸过。他在飞跑，随着画面逐渐清晰，她终于看到了他手上拽着什么东西。眼前的景色停止了摇曳闪烁，固定成了她之前熟悉的覆盖着石楠的荒野。其他灵魂消失不见了，恶魔模糊成了一道道阴影。要不是它们发出的嘶嘶声和呼叫声，她就要跑出去迎接他了。

她看着看着才发觉他正拉着另一个灵魂。看不清那是谁，那个形象看起来扭曲变形，不像之前见过的那些灵魂一样透明，但还是看不真切，似有还无。是一个女人，她也在奔跑。看到他们手拉着手时，迪伦感到一阵醋意袭来。

就在那时她开始大喊崔斯坦的名字。她必须要一而再、再而三地喊，确保他能听到自己的声音。最后他真的抬头向安全屋张望了，她欣喜若狂地奋力挥手，他也看见了她。迪伦看到了他的表情——惊愕、恐惧，还有欢喜，三种表情交织在一起。

于是他松开了那女人的手。

就在那一刹那，那些在他们周围旋转徘徊的黑影，如雷云一般在他们的头顶盘旋的黑影，以迅雷不及掩耳之势对准那个女人扑过去。惊慌失措的她把手伸向空中胡乱抓着、挣扎着。迪伦捂着嘴，眼睁睁地看着那些恶魔们得手。眼前的一幕比亲身经历更恐怖、更真切、更真实——这个灵魂就这样被抓入了湖水深处。

这都是她的错。

它们抓着那女人的头发和双臂，对她的身体发动袭击，所有这一切都在转瞬间进行。崔斯坦马上转回头，正好看到了这一幕。他伸手想要使劲把她拉回来，然而已然徒劳无功。恶魔们继续攻击这个女人。崔斯坦一脸错愕，但一秒钟后这副表情就被一脸决绝的怒容取代了。他奋起还击，一个接一个地把恶魔从她身上拽下来，但是它们马上又会从另一个方向迂回过来。迪伦站在门口，眼睁睁地看着这个女人的灵魂被拖入湖中。

她内心涌动着强烈的负罪感，这沉重的内疚之情简直要把她压垮了。是她害死了那个女人，不管她是谁，都是迪伦害死了她。她有丈夫吗？有小孩吗？她之前是不是还指望着跟他们重逢呢？她脑海中猛然闪现出伊莱扎的画面，迪伦仿佛看到她无休无止等待的身影，等着那个永远也无法到来的丈夫。这一切都是因为她刚才的大喊大叫，她用手捂住嘴不让自己再喊他。但大错已然铸成，现在做什么都太晚了，那个女人已经死了。

崔斯坦没有回头看她，而是低头注视着那个灵魂消逝的地方——一片高高的荒草。剩下的恶魔像鲨鱼一样盘旋在他头顶，露出森森的牙齿，随时准备扑过来把它们的猎物撕碎，而他似乎浑然不觉。

当其中一个俯冲下来，撕扯他的肩膀时，当另一只直接向他的面门猛撞时，他都毫无反应。迪伦看得目瞪口呆，那顺着他的脸颊往下流的是血吗？为什么他一动不动呢？为什么他不自卫呢？

他为什么不向安全屋这边跑？不向自己这边跑呢？

恶魔们一个接一个地朝他扑过来。看着他就这样无动于衷地立在原地，它们似乎无比欢欣鼓舞。迪伦根本来不及想，就冲出房门跑到了路上。天色现在已经非常昏暗了，身后小屋里的炉火比白天看起来亮多了。要是他还是一动不动，要是她到不了他身边……

“崔斯坦！”她气喘吁吁地飞奔到他身边，“崔斯坦，你在干什么？”

魔鬼们在她的脸周围飞来飞去，但这次她完全忽略了这群横冲直撞的东西。

“崔斯坦！”

他似乎终于醒过神来。他转过头，仍然被四处弥漫的黑影笼罩着，他那张最初呆滞的脸似乎刚从一场沉思中清醒过来。迪伦大踏步向他扑过来，他也迎了上去。

他轻声叫了声她的名字，镇定了一下马上喊道："快跑！"

不管刚才是什么让他动弹不得，现在这些都不复存在了。他一只手紧紧攥着她的小臂，箍得她生疼，向她刚来的方向一路狂奔。魔鬼们发出刺耳的尖叫声和吼叫声，但他跑得太快了，它们来不及抓住他，只能无可奈何地把魔爪抓向迪伦，一路紧紧跟随。有时它们离得只有一米远了，崔斯坦一边赶路，一边还要应付着恶魔们的利爪与尖牙。他低着头，下巴紧绷，手紧紧攥着迪伦的手腕，一路奔向安全屋。

"你究竟到这儿来干什么？"他们刚一进屋，崔斯坦就怒气冲冲地质问起来。恶魔们的叫嚣渐渐消失了，屋子里显得平静安宁，然而崔斯坦似乎每个毛孔都要冒出火来。

"怎么了？"迪伦困惑地看着他。难道他看见自己不高兴？他看似冰冷实则炽热的眼神告诉她绝不是这样。这双眼在注视她的时候闪烁着光芒。那种光芒不是光线造成的幻觉，看上去有些让人害怕。

"你来这儿干什么，迪伦？"

"我……"迪伦的嘴张开又合上，却说不出话来。这样的对话场面是她之前没想到的。拥抱太少了，气氛太冷了。

"你不应该来这儿。"崔斯坦接着说。他焦躁不安地在屋子里踱步，手在头发里捋来捋去，然后抓起了一把头发，"我带着你穿过了荒原，到了分界线，你不应该再回来。"

迪伦心里涌起一种异样的感觉。她的脸颊发烫，肠胃痉挛，心脏在胸膛里怦怦乱跳，跳得她一阵阵疼痛。她垂下眼帘，接着崔斯坦就看见大颗大颗的泪珠顺着她的脸颊从下巴滴落。

"对不起，"她对着石板地小声说，"我错了。"

现在她明白了。当初他的那些话不过是为了哄她平安通过分界线而编造的谎言，他心里根本就不是那么想的。她想到了刚才他正在引导的那个灵魂，想到了自己的愚蠢竟无意间害得她枉送了性命，想到了刚才他们逃离险境时手牵手的样子。那个女人也像自己一样轻而易举就相信了他的谎言吗？她愤然看着地面，怒火中烧，突然感觉自己真是太幼稚了。

“迪伦。”崔斯坦再喊到她的名字时温柔了许多，他语气的变化给了她抬起头来的勇气。他停止了踱步，正在用更为柔和的目光审视着她。迪伦难为情地擦了擦脸颊，使劲吸了一下鼻子，把残存的眼泪憋回去。当他靠近的时候，她尽力把目光转向别处。然而他径直朝她走来，直到最后额头贴着迪伦的额头，“你来这儿干什么呢？”他喃喃低语。

同样的话，但这次不是指责，而是询问。要是她不闭上眼，要是她不用面对面看着他，这个问题就容易回答多了。

“我回来了。”

他叹息了一声，“你不应该回来的。”顿了一下，他又问，“你为什么又回来呢，迪伦？”

迪伦吞了一下口水，心中困惑。现在他怒气全消，他们的额头挨在一起。如果她现在有勇气抬起眼的话，他的脸就在她眼前。她又疑窦丛生，心乱如麻。现在只有一个办法可以探明实情，她深吸了一口气。

“为了你。”她等待着他的反应，然而没有任何反应，至少她没有听到。她依然没有勇气睁开双眼，“你是认真的吗？你上次说的每一句话。”

又是一声叹息。这含义可能是沮丧、尴尬或是后悔。迪伦颤抖着、等待着。某个温暖的东西抚上了她的脸，难道是他的手？

“我没有欺骗你，迪伦。说那番话时我没有骗你。”

她仔细体味着他的话，呼吸逐渐变得急促。他是真心的，他和自己一样动了真情。迪伦的唇上露出羞涩的微笑，但她尽力控制着胸中正在升腾的热情，她还不确定自己是不是该相信这番表白。

“睁开眼。”

迪伦一下子变得很害羞，踌躇了一会儿，然后抬起了眼皮。她做了个深呼吸，抬起头，直到和他的目光平视。他们之间的距离之近超出了她的预想，近到连呼吸都交融在一起。他依然捧着她的脸颊，把她的脸慢慢引向前，直到他们的嘴唇贴在一起，他蓝色的眼睛依然在注视着她的眼。片刻后，他用力把迪伦搂在自己怀中。

“我没有骗你，迪伦，”他在她耳边轻轻地说，“但是你不该来这里。”

迪伦的身体变得僵硬，她试图挣开他的怀抱，但他搂得很紧，不愿让她离开。

“但一切还是得照旧。我还是无法和你一起走，而你也不能待在这里。你也看到了刚才那个女人的遭遇，早晚那也会发生在你身上的。这里太危险了。”

迪伦屏住呼吸，仔细思索着他说的每一个字，心中涌起一股强烈的内疚感。

“是我害了那个女人。”她伏在他的肩头低声说。她的声音很微弱，但崔斯坦不知怎么还是听到了。

“不！”他摇了摇头，这个动作让他的嘴唇擦在了她的脖子上，痒痒的，“是我害了她，是我放开了她的手。”

“都是因为我……”

“不，迪伦。”崔斯坦打断了她的话，语气更加坚定，“这是我的责任，是我害了她。”他深吸一口气，双臂把她搂得更紧了，几乎让她有点不舒服的感觉，“她的死全是我的错。这个地方就是这样，如同地狱。你不能待在这儿。”

“我想和你在一起。”迪伦恳求地说。

崔斯坦对着她轻轻摇了摇头。

“这里不行。”

“那和我一起回去吧。”她苦苦哀求。

“我告诉你，我去不了那儿，我从来都去不了那里。我……”他的上下牙齿一扣，发出一声沮丧的声音。

“那么到另外一边的世界怎么样？”迪伦又一次往后退，努力要挣脱，而他仍试图紧紧搂着她，“到我的世界去，和我一起从荒原穿越回去。回到那趟列车上，我们就能……”

崔斯坦注视着她，两道眉毛拧得更紧了。他轻轻摇了摇头，把手指放在她的嘴唇上。

“这个对我来说也是不可能的。”他说。

“你试过吗？”

“没有，但是……”

“那么其实你也不知道行不行，和我谈过话的那个灵魂说……”

“你和谁谈话了？”崔斯坦眯起眼睛问。

“一个老妇人，她叫伊莱扎，就是她告诉我怎么回到这里的。她说我们也许能够成功，要是……”

“也许，”崔斯坦狐疑地把这个词又重复了一遍，“迪伦，我们没有回头路了。”

“你真的知道吗？”她追问道。崔斯坦犹豫了。她明白了，其实他也不知道，只是心里相信不可能，这两者不是一回事。

“难道不值得我们一试？”迪伦问。她焦躁不安地咬着嘴唇。如果他真的像他以前说的那样爱她，难道他就不想试一下吗？

崔斯坦把头从一侧摆到另一侧，表情阴郁而绝望，“这是孤注一掷，风险太大了。”他说，“你之所以相信这个女人，是因为她说了你想要听的话啊迪伦。我只知道我们在这里并不安全，如果你待在荒原，你的灵魂不会幸存下来的，明天我就把你送过湖去。”

迪伦浑身发抖，不仅是因为想到要再次穿过大湖才会这样。她往后退了一步，双臂交叉放在胸口，脸上带着不达目的誓不罢休的表情。

“我不想再回到那儿了，起码不想独自回去。我要回到那列火车上去，和我一起走吧，好吗？”最后一个词满是恳求的语气。的确，她再也不愿意独自回到那趟车上了。没有他在身边，回去就毫无意义。她历尽千难万险，经历了所有这一切，全都只是为了回到他身边。当时她也不知道会发生什么，明知前途未卜，但她仍然这样做了。他也愿意冒险吗？愿意为了她冒险吗？

她看到崔斯坦舔了一下嘴唇，叹了口气，看到他脸上犹豫不决的表情。他现在拿不定主意，自己该说些什么才能打动他，让他改变主意呢？

“求你了，崔斯坦。我们就试一下好吗？如果不行的话……”如果不行的话，恶魔可能会抓住她。她不会独自从那道分界线再穿越回去，不过现在最好不要提这档子事，“如果不行的话，你可以再带我回来。但是我们能不能先试一试呢？”

他脸上的表情凝重而痛苦，“我不知道我能不能这样做，”他说，“我没有选择……我是说，我没有自由选择的权利，迪伦。我的双腿，它们并不属于我。有时它们会把我带到某个我不得不去的地方，比如……”他仰起头说，“比如它们曾经让我离开你。”

迪伦注视着他，“你还是我的摆渡人啊！如果我从你身边跑掉，如果你没办法让我跟你一起走，我跑了，你一定要跟着吗？”

“对。”他说，还没有注意到她正在往哪个方向走。

迪伦冲他一笑说：“那我就在前面带路好了。”

迪伦知道自己无法完全说服崔斯坦，但是他也没有尽力劝自己不这样做。他们曾一起坐在那张单人床上，他听着她讲述上次在分界线分别后的种种遭遇。每一个小小的细节都很吸引他，因为她所经历的这些事都是他见所未见的。当她说到自己去拜访乔纳斯的时候，他不禁笑了。不过后来她承认正是这位前纳粹士兵领着她去找了伊莱扎，后者帮助她打开了返回荒原的门。听到这里他的眼神有些阴郁，有关萨利的事也很吸引他。当迪伦向他解说那些记录室里的名册时，他的眼睛惊讶得睁大了。

“你看到了我的摆渡名册？”

迪伦点点头，“所以我才能找到乔纳斯啊。”

崔斯坦思索了一会儿，然后问：“名册上剩的空白页还多不多？”

迪伦看着他，被这个问题弄糊涂了，“我不大清楚，”她闪烁其词地说，“大约三分之二是记满了的。”

崔斯坦点了点头。看到她疑惑不解的表情，他向她解释说：“我只是好奇是不是……我把名册填满了，我的工作就要结束了。”

迪伦不知道该说些什么。他说这番话的时候眼神中透着痛苦和悲哀，迪伦不知怎么接他的话。

“奇怪，”沉默了许久后他说，“我甚至拿不定主意自己想不想看到那个名册。我是说，如果有机会的话，不知道看到所有受自己摆渡者的名字时会是一种什么样的感觉。”

“自豪，”迪伦说，“你应该感到自豪。所有这些灵魂，所有这些人都是因为有你才活了下来。你明白我指的是什么。”他对这个措辞感到好笑，开心地看着她；而她则用胳膊轻轻抵了一下他的肋骨。如果他们还有思想和感受，那他们就是活的，想必是这样的吧？

“我想是吧。认真算一下的话，我摆渡过去的灵魂要比失去的灵魂多。”

迪伦突然有些透不过气来，她一下子想到了那些被删去的记录。

“我看到有些名字被划掉了。”她平静地说。

他点点头，“他们就是那些失去的灵魂，半路被恶魔们捉走的那些。但让我欣慰的是他们还是被记录在案了，把他们的名字和要对他们的死负责任的人的名字放在一起才公平。”

迪伦的嘴唇颤抖着，刚想轻声啜泣，但是立刻又忍住了。崔斯坦转过头看着她，目光专注又带着好奇。她只好坦白自己的想法。

“那么还应该有一本为我预备的册子。”她喃喃自语。

“为什么？”崔斯坦大惑不解地看着她，完全没明白她的脸上为什么露出了痛苦的神色。

“今天，”她用沙哑的声音说，“都是我的错。那个女人的灵魂应该记到我的名字旁边。”

“不。”崔斯坦转过身，双手捧起她的脸，“不，我都告诉过你了，这是我的错。”

大颗大颗滚烫的泪水顺着迪伦的脸颊滑落，滴在他的手指上。她摇摇头，不接受他的说法，“是我的错。”她喃喃地说。

他用拇指拭去迪伦脸上的泪痕，轻柔地把她拉过来，两人的脸紧贴在一起，额头挨着额头，下巴靠着下巴。迪伦心中仍翻腾着内疚感，但突然之间这种感觉变得不是那么强烈了。她几乎无法呼吸，他的手抚摸着她，她全身的皮肤都麻酥酥的，热血沸腾着涌遍全身。

“嘘。”崔斯坦柔声说，误把她急促的呼吸当作了抽泣声。他微笑着靠近她，他们之间最后一毫米的距离也消失了，他轻轻地吻开她的双唇，他的嘴唇温柔地在她的唇间滑过。让她感到意外的是，他先是往后退了一下，钴蓝色如火的目光注视着她，然后把她的身子往后推，靠在了墙上，开始了更深入、更如饥似渴的亲吻。

破晓时分，天空变得晴朗、蔚蓝。迪伦站在小屋的门槛上，愉快地抬头仰望。眼前的荒原比起之前那个让她苦苦煎熬的火炉似的荒漠要好千万倍。崔斯坦走近她，看到天色后也露出了浅浅的笑容。

“太阳。”他仰望着阳光灿烂的天空说。

迪伦冲他顽皮地一笑，眸子里闪着光，比起荒原的色彩来，她眼中那一汪碧波更显灵动和美丽。崔斯坦也不禁对着她笑起来，尽管此时他心里像灌了铅一样。

她的办法肯定行不通，但迪伦就是不愿意相信。他害怕让她伤心失望，他承受不了。他隐隐感觉她很快就会感到失望的，但此刻只能竭力不去想这些。她在这里，此时此刻是安全的。他应该尽量享受这额外的与她在一起的时光，这是他之前从不敢奢望的。

他只是希望，这一切不要随着鹅毛笔潇洒一挥、把她的名字从自己的名册中一笔勾销而结束。

“我们走吧。”迪伦说着，迈着大步上了路。此时沐浴在晨光中的山谷看起来既宽阔又富有魅力，然而崔斯坦只是站在门口，目送着她渐行渐远。

她大概走了一百米，这才意识到身后没有踩在砂石路上的咯吱声应和自己的脚步。崔斯坦看到她停了下来，半歪着头，听着他的动静。一秒钟后她完全转过头来，她警觉地睁大了眼，然后就看到他还站在刚才她出发的地方。

“快点跟上啊。”她喊着，脸上带着鼓励的微笑。

他把嘴抿成一道缝，“我不知道自己行不行……”他对着她喊道，“这太有悖常理了。”

“试一下。”迪伦鼓励着他。

崔斯坦叹息一声，心情愈加沉重。他已经答应了迪伦自己会试一试的。他的眼睛闭上了片刻，把全部的注意力放到自己的脚上，心中暗想“走”。他本以为什么也不会发生，本以为自己会牢牢定在地上动弹不得，会有一股非常强大的压力把他留在原地。

然而，他居然轻而易举地就上了路。

崔斯坦赶紧停住脚步。他几乎不敢呼吸，等待着天空中飞来一道闪电，等待着那一击之下的剧痛，这是对他胆敢违抗无言的天命的惩罚。然而什么也没发生。他觉得不可思议，在满腹狐疑中继续朝迪伦走过来。

“感觉太蹊跷了。”他在快到迪伦跟前时低声说，“我一直等着有什么东西会来阻止我。”

“但是现在为止还什么都没发生，是吗？”

“是啊，什么都还没发生。”

“好极了。”迪伦现在感觉自己勇敢极了，她用手指勾住他的手指，开始继续赶路。崔斯坦被她温柔的手牵着跟在后面。

山谷没有给他们制造任何麻烦。实际上这里风景很好，他们看上去就像任何一对手牵手漫步乡间的年轻情侣一样。此时既看不到恶魔的身影，也听不到它们的叫嚣。那些家伙就在那儿，在她的肩头盘旋。它们就盼着她放松注意力，不看她的摆渡人。一想到这些，迪伦就烦躁不安。她很想问问崔斯坦看到了什么，不管那是自己眼中的茂盛野草、石楠覆盖的山峦，还是荒原的本来模样。但不知为何她始终张不开口，她很紧张，生怕自己一旦说起了那些事，一旦她把注意力转移到这个上面，眼下所有的奇妙幻象就会土崩瓦解，他们又会回到烈日的炙烤中。她知道，穿越那片荒原要困难得多。算了——无知便是福。

山谷外是一片开阔的沼泽湿地。和煦的天气丝毫不能吸干湿地中的水分，也无法晒干踩上去咯吱作响的淤泥。迪伦厌恶地看了看这片泥潭。这里臭气熏天，迪伦想起之前她的脚踝在这里被牢牢吸住，动弹不得的情景。在走过宁静的山谷后，此地提醒着她一个严酷的事实——她仍身处荒原，随时都有丧命的危险。

她身旁的崔斯坦夸张地长叹了一声。她看看他，先是被这声音弄糊涂了，然后才发现他的眼中闪着一丝狡黠。他冲着她傻乐，一副迁就纵容的模样。

“要我背你吗？”

“你真是太好了。”

他白了她一眼，但还是转过身，好让她能爬到自己的背上。

“谢了。”等他把她背好时，她在他耳边轻轻说。

他似乎很愠怒地哼了一声，但迪伦能看到他脸上的笑意。

一直保持一个姿势，没过多久他的胳膊就酸了。她背起来沉甸甸的，但他并没有抱怨，在一摊烂泥里择路而行。哪怕背上加了额外的重量，他看上去也根本不会陷进泥泞的沼泽中。没多久这片湿地就被他们远远甩在身后，而迪伦的注意力也早已被眼前一座巍峨高山的陡坡吸引住。她皱了一下鼻子，恨恨地呼出一口气。她觉得自己很可能没办法说动崔斯坦把自己背上山。

“你在想什么呢？”他问道。

迪伦不愿意承认自己内心的想法，她转而问了一个一直默默折磨她内心的问题。

“我在想……你去了哪里？在你离开我之后。”

她昨天晚上把自己的所有经历都和盘托出了，但是她故意避开了这个问题。她不愿意重新提到他当初的所作所为——他是如何欺骗自己、背叛自己的。

崔斯坦听出了她的弦外之音。

“对不起，”他说，“对不起，当时我只能那样做。”

迪伦轻轻吸了一口气，决心不让自己难过。她不想让他感到内疚，不想让他知道这对他的伤害有多大。她想，至少他当时没有看到自己精神崩溃的样子。

“还好啦。”她低声说，抓紧了他的肩膀。

“不，”他说，“我当时对你说了谎，我对不起你。但是当时我觉得……我觉得这对你来说是好事。”他说最后一句话时语气生硬，迪伦不由自主地感觉心中发寒，“当我看到你痛哭流涕时，当我看到你哭喊着要找我时……”说到这里，他的声音开始颤抖，“我心里的痛楚超过了魔鬼们带给我的所有伤害。”

迪伦的声音非常微弱，“当时你还能看见我吗？”

他点点头，“只有一分钟左右，”他露出一丝苦笑，“以前我最喜欢的就是这个时候。完完整整的一分钟时间里，除了自己我不用对任何人负责。在那一瞬间，我还能瞥见远方，那个灵魂称之为家的地方。”

迪伦在他背上身体发僵。她想起来乔纳斯曾经说起过同样的事，他一瞬间就回到了家，回到了斯图加特。

“但这样的事没发生在我身上，”她缓缓地说，“我还是没有离开荒原。”

“我知道。”他叹息着说。

“为什么不行呢？”她好奇地问，“为什么我就不能想去哪儿就去哪儿呢？”

她在心里默默数着他的步伐，崔斯坦坚定地迈了三步，然后回答说：“我也不知道。”他说得很含糊，听起来不像是实话。

脚下的地开始变硬了，崔斯坦马上就把她放了下来。开始迪伦还有些愠怒——因为不舍依偎在他身上时的那股暖意，还有被他背着的奢侈享受。崔斯坦重又拉起她的手，低头对着她微笑。她也对他报以微笑，然而她一看到前方陡峭的山坡，笑容马上就消失了。

“你知道的，我真的很讨厌爬山。”她直言不讳地说。

崔斯坦像在安慰她似的捏了捏她的手指，然而脸上的表情却很顽皮，“我们总可以掉头回去的。”他指的是再穿回沼泽。

“不可能。”迪伦回答。晴空中耀眼的太阳此时已经降到了天穹顶点以下。

“是啊，”崔斯坦轻声附和，“我们不可能再穿回去了。”

“而且那样对我来说毫无意义，”她说，“如果我不和你一起走，我就不回去。”

崔斯坦做了一个鬼脸，但他不想争辩什么，“那就跟我走吧。”他一边说着，一边开始拉着她的手前行。

跋涉，跋涉，再跋涉；向上，向上，不断向上。迪伦的小腿肚子很快就变得酸胀，呼吸也很吃力。他们攀得越高，风势也越来越猛。随着午后时光慢慢流逝，一簇簇浓密的乌云开始在天空聚集。尽管天气变换、寒意袭人，但迪伦还在出汗，手心都湿乎乎的。她有些尴尬，只好把手从崔斯坦那儿抽出来。虽然整个早上一直温暖、阳光明媚，然而露水依然顺着漫山遍野的野草和石楠缓缓往下淌。冷水浸透了她的牛仔裤，曾经熟悉的那种越来越不舒服的感觉又回来了。

“你能慢一点吗？”她喘着粗气说，“或者稍微休息一下呢？”

“不行。”崔斯坦的回答直截了当。但当迪伦打量他时，却诧异地看到他的眼睛没有看她，而是盯着天空。由于不安，他的脸紧拧着，嘴不快地向下撇，“就快到傍晚了，我不想你停在这么显眼的地方。”

“就一分钟，”迪伦央求道，“我都还没听到它们的叫声呢。”

可是这话刚出口，瑟瑟风声就变了，其中掺进了别的声音，那声音更尖厉、更刺耳。哀号与尖叫，是恶魔们。

崔斯坦也听到了这声音，“快走吧，迪伦。”他以命令的口吻说。他不顾迪伦的反抗与挣脱，紧紧抓住了她的手，开始继续向山顶大步走去。

Chapter 28

崔斯坦知道迪伦很累。他从她沉重的脚步和艰难的呼吸中听出了她的疲惫。从她摆动迟缓的双臂与每走一步都要拉他一下的动作中能感受到她的疲惫。他很清楚这一点，他自己心里也不好受。但如果夜色降临时他们被困在了山上，那些恶魔们绝不会心慈手软。迪伦似乎已经彻底不害怕它们了——也许是因为她觉得崔斯坦能保护她免遭这群恶魔的毒手——但她这是拿生命开玩笑。恶魔们现在恼羞成怒，她体会不到这一点，但他心里清楚。这种恼怒不仅是因为它们始终没有在她穿过荒原时捉住她，更是因为她竟然掉头回来了。她回来后一次次挫败了它们，而且还是孤身一人，在没有摆渡人保护的情况下完成的。

它们决心一定要让她为这种傲慢自大付出代价。

崔斯坦想起了以前安慰她时说的话——永远不会失去她，永远不让恶魔抓到她。他以前一直对此非常有信心，现在他已经不敢确定了。拜迪伦所赐，现在整个游戏都改变了，他也改变了，他不知道这场全新的战斗都有什么新规矩。现在他虽然摸到了一点头绪，但还是无法缓解自己的担忧。

登顶后他略停了一会儿，好让迪伦赶上来喘口气。如果迪伦真的能得偿所愿，如果他们真的能冒险长途跋涉回到那辆列车上，那么在他们要翻越的所有山峰中，这座山算不得是最高的，但它的高度足够让崔斯坦将这四面八方绵延的山路一览无遗。

其余的摆渡人正带着闪烁的光芒朝他缓缓走来，他们走下倾斜的山坡，走上蜿蜒的溪谷，就像他以前那样，催促着他们保护的灵魂们赶往安全的地方。很奇怪，他以前不常注意他们，现在却感觉自己像一块海中的石子在阻挡潮水一样。他的所有直觉都告诉他掉头回去，加入他们奔赴荒原边界的旅程，但他心里在努力压抑着这个念头。

夜幕正在降临，他要是那样做，迪伦的死期就要到了。

“快点，”他一边催促着迪伦，一边又开始往前走，“快点，迪伦，安全屋就在山脚下。”

“我知道。”她平静地说，呼吸已经平复了。

她当然知道，以前她来过这里。崔斯坦苦笑了一下，继续赶路，搜索着一条走下砂石山坡的安全路线。

尽管崔斯坦顾虑重重，他们还是一溜烟地连走带跑下了山，在夜幕来临、恶魔包围迪伦之前就进了屋，把恶魔们沮丧的叫声关在门外。他如释重负地长吁一声，把头靠在已经弯曲变形的木门处歇了一会儿，然后才起身点火。迪伦站在窗边向外张望。火点着了，他走到她身后，搂住她的腰，可她还是一动也不动。

“你在看什么？”他在她耳边低语。

“没什么，”她眉头紧蹙轻轻地说，“但有点不对劲，不是吗？他们一定在那里。你能看见他们吗？”

“恶魔吗？”

“不，”迪伦摇摇头，“我说的是其他的灵魂，其他的摆渡人。”

崔斯坦默然，过了许久才说道：“我能看见他们。”

迪伦忧郁地点点头，心里琢磨着他的话。她的头靠在他的肩上，眼角的余光正好能看到他撇着的嘴。

“时间晚了。”她说。

“是晚了，”他紧紧搂着她说，“不过我们现在在这里是安全的。”

他的话并没有让迪伦脸上的愁容舒散。

“那些恶魔们进不来的，迪伦，这你是知道的。我们现在绝对安全，我保证。”

“我知道。”她喃喃地说。

“那你这是怎么了？”

“现在还有多少灵魂仍然在外面？”她转头面对着他问。炉火的光在她的眸子里闪烁摇曳。

崔斯坦注视了她一会儿，然后又面朝着窗子，眼睛扫过远方的旷野。

“没有很多了，”他说，“他们中的许多人已经进安全屋了。”

她的目光又转回窗子，伸出一只手扶在窗棂上。外面又突然响起了呼啸声，崔斯坦忍不住想把她的胳膊从窗边移开，他不想让恶魔们觉得她是在奚落、挑衅它们。

“你能帮我也看到他们吗？”她突然问，“就像我以前独自一人时看到他们那样。”

“你为什么想看到他们？”他问。

她耸耸肩，“我就是想看看而已。”

这个请求貌似没什么危害，但崔斯坦看到她额头紧蹙还噘着嘴的奇怪样子，心里还是有些惶恐。他叹息一声，把她往自己身边又拉近了一些，两人的太阳穴紧挨在一起。他集中精力盯着窗子，在头脑中清除了荒原的外表幻象，露出下面真实的地狱。迪伦静静地喘息着，他知道自己的办法起作用了。

“我看到他们了！”她尖叫起来，“就像以前一样！”停了一会儿她又问，“他们在干什么？”

崔斯坦的声音听起来冷冷的，“逃命。”

他们刚刚进安全屋不过几分钟，甚至连火都还没有点着，但就在那一刻，下午已经消失在暮色中，光线融入黑暗里。只能看见三个灵魂，他们时隐时现，他们的摆渡人在敦促他们冲刺完最后一段路，他们也在拼命迂回前进。崔斯坦绷紧了嘴，表情痛苦。他们不可能全部幸存。

突然间，他从迪伦身边走开，把那个红色的荒原也带走了。

“别啊！”她转头对着他说，“让我再看看。”

“不。”

“崔斯坦，让我再看看！”

“你再看下去会后悔的，迪伦。我向你保证。”

迪伦脸色变得煞白。她琢磨着他的话，咽了一下口水，“谁在那儿？”她声音嘶哑地问。

他紧闭双唇，拒不回答。

她一个箭步冲到他跟前，又问了一遍：“谁在那儿，崔斯坦？”

他叹口气，没有看她的反应，目光又移向了窗外。他依然能够清楚地看到那三个落在后面的灵魂。

“一个老人，一个女人，还有……”他的声音越来越小。

“还有谁？”她追问道。

“一个刚学会走路的小孩儿，一个小女孩。”

迪伦手捂住了嘴，她奔向窗边，脸贴在窗玻璃上。

“现在她在哪儿？”她问，“她还在外面吗？我要看看。崔斯坦！再让我看看荒原!"

他摇摇头，她看到了映在窗玻璃上的崔斯坦的表情。

"崔斯坦！"

"不，迪伦。"他双臂交叉放在胸前，态度很坚决。自己看到这一幕就已经够糟糕了，他不愿意让迪伦也目睹这恐怖的一幕。那个女人已经不见了，安全地到达了目的地。而那个老人已经被拖了下去，此刻还有两三个恶魔正在它们行凶的现场徘徊。

只有那个刚学会走路的孩子不知什么缘故还在那里，但是肯定也坚持不了多久了。

"发生了什么事？"她大声问道，用手使劲敲着窗子，把崔斯坦吓了一跳。窗子被她这一敲颤了颤，但还算牢固，"让我看，崔斯坦！我想知道发生了什么。"

发生了什么？那个小孩被一大堆恶魔团团围住，崔斯坦很难看清她，只能分辨出一个大概的轮廓，紧紧缩在她的摆渡人的怀抱里。尽管隔着很远很远的距离，崔斯坦依然能看到她惊恐的表情。她嘴巴大张着，拼命喊叫，眯缝的眼睛里满是泪水。她那张惶恐万状的脸深深烙在了崔斯坦的脑海里，这又是一个他永远不会忘记的记忆片段。

"崔斯坦！"迪伦的尖叫声把他的注意力拉回到了她身上，"现在怎么样了？"

"他们被包围了。"他低声说。

她咬着嘴唇，一脸绝望，手更加使劲地压着窗玻璃，好像自己能够对他们施以援手似的。突然她转过身盯着他。崔斯坦抬起两只手，向后退了两步。他知道她要说什么。

"你得去帮帮他们！"

他对她摇摇头说："我不能。"

"为什么？"

“我就是不能去。每个摆渡人都只对自己引导的灵魂负责，无权去管其他的灵魂。”

迪伦用不可思议的目光怒视着他，“但是这太荒唐了。”

“事情本就是这样。”他也变得很激动。

她回身背对着他，她这番严厉的指责委实刺伤了他。这又不是他的错，规则又不是他定的。

“他们还要走很远的路吗？”她心平气和地问。

崔斯坦再次向窗外望去，他们还在那里。

“不，”他告诉她说，“但他们走不了，魔鬼太多了。”

太多了。迪伦闭上了眼，冰冷的窗玻璃让她额头发麻。她回忆起来这样的感觉——它们拖拽着、抓挠着、撕咬着，穿透了她的身体，只留下冰冷和恐惧。一想到那个可怜的孩子现在正在经受这一切折磨，她的眼睛盈满了泪水。这不公平，不能袖手旁观！

但崔斯坦怎么可能任由她冒险呢？

突然，她脑子里冒出了一个疯狂的念头。崔斯坦说离得不远，所以他们不需要多长时间，只要一分钟左右就够了，或许只要几十秒。他们只要分散恶魔们的注意力就行了……

她转身就开始朝门冲去，她浑身热血沸腾，决心压过了恐惧感。只要分散恶魔几秒钟的精力，他们就得救了。她可以办得到。

“迪伦！”崔斯坦大声喊着她的名字。她听到他在挪动步子，感觉到他在伸手阻拦她，手指擦过了自己的后背。但是太晚了，她已经夺门而出了。

她也不知道自己要往哪儿去，那个正在苦苦挣扎的灵魂又身在何方，所以她只好摸索着顺着小屋的正前方走去。身后响起沉重的脚步声，是崔斯坦追了出来。她听到他在喊自己的名字，声音里既有惊恐也有愤怒。然而瞬间过后，她的耳边就充盈着吼叫声和嘶嘶声，淹没了其他一切声音。周围的空气在剧烈地波动，迪伦感觉自己犹如沉入了冰水中一样，胳膊上马上冒出很多鸡皮疙瘩。然而她还在飞跑，如果恶魔们把注意力放在她身上，这就说明她的策略起作用了。

突然间，不知什么东西像钳子一样紧紧抓住了她，比她之前经历的魔鬼们的拉拽更加有力，但同时又很温暖。迪伦马上意识到了是谁在拽自己，旋即就听到了崔斯坦愤怒的咆哮声。

“你到底在干什么，迪伦？”

她不理会，徒劳地扫视着黑暗中的荒野。他尽力把她拽回去，而她在拼命挣扎。

“他们还在这儿吗？你现在还能看见他们吗？”

“迪伦！”崔斯坦用力拉她，毕竟他比迪伦要强壮得多，终于把她拉回来了一步，而她还在继续拼命挣脱，“迪伦，快停下来！”

恶魔们的声音和崔斯坦的声音纠缠在一起，很难分清。迪伦只感觉自己受到了来自四面八方的攻击。她的脸在刺痛，有一小缕头发已经被拽下了头皮。崔斯坦的胳膊死死抱着她的腰，让她简直无法呼吸。她踉踉跄跄，一只脚在和崔斯坦的拉扯中绊住了他的腿，她感觉身体正在向地面倾倒。恶魔们得意地发出刺耳的笑声，这时的迪伦才意识到自己真的是在冒险。

她把自己的命连同她和崔斯坦在一起的机会都押上了。

她出来多久了？一分钟？或许一分十几秒了吧？应该足够了。她马上不再挣扎了，由着崔斯坦拖着自己向安全屋，向那片亮光奔去。

崔斯坦再次砰的一声关上屋门。他背靠在门上，大口喘着气，尽力压抑着让脉搏狂跳不止的恐惧感。迪伦跌跌撞撞地走到屋子中间，崔斯坦能感觉得到她正在看着自己，但他继续正视前方，使劲压着心头怒火。

“他们安全了吗？”她静静地问。

“什么？”他转过头对着她怒目而视。

“那个小孩子还有她的摆渡人，他们安全了吗？我以为……我以为如果能分散一下魔鬼的注意力……”

崔斯坦目瞪口呆地看着她，“你刚才就是为了这个？为了一个素不相识的人牺牲自己？”他的声音一下子变大了，声调也高了不少，“迪伦！”他一时竟说不出话来，陷入了沉默。

“他们安全了吗？”她又问了一遍，轻声细语像是一种温柔的责备。

“嗯。”声音是从牙缝里挤出来的。

迪伦嘴上浮现出一丝羞怯的笑，他们能幸存下来就是对她的肯定，证明她刚才的选择是正确的。崔斯坦看她还在笑就更加生气了，恨恨地挫了挫牙。

“再也不要做这样的傻事了！”他以命令的口吻说，“你差点就被它们抓走了，你知道吗？”

迪伦垂着头，心有余悸，低声说了句“对不起”。她现在浑身颤抖，跟自己魂飞魄散比起来，她更害怕他生气，“我只是情不自禁想做点事情帮他们，我受不了眼睁睁地看着别人就这样被那些恶魔捉去。”

泪水模糊了她的视线，看到她的可怜模样，崔斯坦的脸色渐渐和缓了。

Chapter 29

对迪伦来说，崔斯坦的怒气似乎消散得很慢。他坐在屋子里一把硬靠背椅上，抱着臂，执拗地注视着壁炉。有那么一两次她试着想和他说说话，结果最后都冷场了。她只有独自退回到那张狭窄别扭的床上，侧身躺下，头枕着胳膊，痴望着他的身影。

她并不后悔。自从因为自己的粗疏大意，害得那个可怜的女人丧了命，她心里一直背负着沉重的罪恶感，现在她可以减轻一点良心上的不安了。她知道自己永无可能让那个女人再活过来，但至少她在这里也做了一点点好事。而且她也没有受伤，没有被魔鬼抓去。她想，崔斯坦真的没必要生那么大的气。

其实，崔斯坦并没有生气。他盯着炉膛，心里不是怒火中烧，而是像灌了一坨冰冷的铅，只觉疑虑不安，前途未卜，忧心忡忡。他们现在回去，路程已经走了一半，并且已经克服了最危险的险阻，重重障碍都没能让迪伦止步，放弃这种冒险的举动，重新回归荒原边界外安全的新生活。他纳闷自己为什么不和她争辩，为什么纵容她拉着自己离她本应该待的地方越走越远。答案是明摆着的，这让他心里更加窝火。

那是因为他心里希望她是对的。

软弱，就是这么回事。他性格太软弱了，所以才会对她让步妥协，幻想在旅途的终点能与她永远在一起。他的软弱，今天晚上几乎让她葬送了性命。然而回想过去，观察她盯着自己的样子，看着她睁大的双眼中那种无所畏惧的光芒，崔斯坦明白自己根本无法拒绝她。他知道，他完全能够重新掌控局面，逼着她跟着自己走。他在前些日子里就是这样做的。

他能够这样做，但却不愿这样做。

崔斯坦叹了口气，站在那里，把椅子踢到一边，"有双人床的房间吗？"他一边问，一边踱到她身边，指了指摇摇欲坠的床。

迪伦对他一笑，脸上的表情显得如释重负。她往墙边退了退，给他腾出地方舒展身体。他们并排躺着，头对头，脚碰脚。他只能搂着她的腰，否则就有从床上翻落之虞。但她似乎并不在意，她的笑意渐浓，面带一片红晕。

"刚才的事我真的很不好意思。"她喃喃低语道。接着她微微做了一个鬼脸，又换了一种措辞，"对不起，让你担心了。"

崔斯坦苦笑了一下。这根本就是两码事，但这可能是他能得到的唯一道歉了。

"我以后绝不再那样了。"她又补了一句，"我保证。"

"好啊。"他哼了一声，然后轻轻地吻了下她的额头，"休息吧。"他小声嘀咕地说，"明天我们还要赶很远的路呢。"

他在床上翻身平躺好，把迪伦拉到自己胸前。她的头依偎在他的肩上，暗自微笑。如果凯蒂现在看见自己会怎么说？她不会相信自己说的话。如果她和崔斯坦真的穿越了回去，在MSN上要和她聊个够。然后他们会回到学校，她尽力想象着在班上崔斯坦坐在自己身边，写着作文，看着纸飞机从头顶飞过时的场景。他会怎么评价那些吉斯夏尔中学的白痴们？迪伦能想象出他惊骇的表情。她恬然一笑，但当崔斯坦转头好奇地看着她时，她却没做任何解释。

清晨，浓雾笼罩着荒原，让一座座危峰在视线中隐迹藏形。崔斯坦没说话，只是把罩衫的长袖拽下来盖住胳膊。然后他看看迪伦，她的T恤很薄，上面已经开了很多口子，很难抵御早上冷空气的侵袭。

“嗨，”他说着，把胳膊从袖子里退出来，“穿上这个。”

“你真的让给我穿？”迪伦一边问，一边伸手去接。她满心感激地把厚厚的衣服套在头上，然后把衣服袖子往下拉，直到它们完全盖住她的双手，“哦，现在感觉好多了。”她的皮肤接触到他残留的体温，不由打了一个寒战。

他开怀大笑，上下打量着她。她冲他羞涩一笑，知道自己可能看上去就像是披了件大人衣服的小孩。对她来说，这件罩衫简直太大了，但穿着很温暖。她缩着下巴，想用衣领暖一下鼻子，这时她闻到了他身上的味道。

“准备好了吗？”他问。

迪伦眼望着最近的一座山，山顶依然锁在低垂的云雾中。她坚定地点了点头。

他们迈着坚实的步伐上路，整个早上都在爬山。尽管四周盘旋的浓雾正在消散，退向高空，但尚未完全散尽，空气依然寒冷。迪伦告诉过崔斯坦她要带路，但崔斯坦还是走在了前面。他只能这样做，迪伦不知道要走哪条路。她尽力回想第一次来时的道路，朝相反的方向行进。

她的目光扫到了某个她清楚记得的熟悉景色，迪伦心里一阵惊喜。

“哦！”她大叫了一声，突然停了下来。

崔斯坦又走了两步，然后也停了下来，回头好奇地望着她。

“怎么了？”

“我知道这个地方，”她说，“我想起来了。”

那是一片草地。绿草萋萋，紫色、黄色和红色的野花点缀其间。一条窄窄的土路从草地中心蜿蜒穿过。

“我们就快到安全屋了。”她说。果然，话刚一出口，她抬头就看见草地远处正是那间小屋。正是在这间小木屋里，她弄明白了为什么只有自己爬出了车厢。

尽管太阳藏了起来，但光线依然充足。至少这一次他们不用着急地赶路了。崔斯坦似乎悠然自得，紧紧攥着迪伦的手，信步而行。小路太窄了，实在容不下两人并排走。然而当他们的腿轻轻掠过那些野花时，一股清香绽放，弥散在空气里。眼前的景色过于完美，犹如梦境。

这么一想，倒是激活了迪伦脑海深处的记忆片段。那也是一个梦，梦中的她和一个英俊的陌生人手挽手走路。那是这一切匪夷所思的事情开始前迪伦做的最后一个梦，但是梦的背景和此时大不相同——湿漉漉的树林换成了现在宁静祥和、赏心悦目的草地。然而那种心境，那种幸福满足的感觉却和此时一模一样。尽管当时始终看不清梦中人的面容，但迪伦的直觉告诉她那就是崔斯坦。在这所有的一切发生之前，难道她心里早有预感？天意如此？命中注定？这似乎是不可能的，但……

“你看，我有个想法。”她的声音很低，不想破坏此刻的宁静。

“说下去。”崔斯坦鼓励道，但是语调有些谨小慎微。

“是关于我穿过分界线时发生的事情。”

“哦？”他鼓励她继续说下去。

“嗯，我觉得……”她把崔斯坦的手抓得更紧了，“我觉得自己之所以来到荒原上是因为命中注定。”

“你来到这里不是天意。”他回答得很干脆。

“是，这我知道，”她冲他一笑，没有受他紧张神情的影响，“但是我觉得我和你在一起是天意。”

迪伦说出她这个新发现后，两人都没有说话。迪伦没有再去观察崔斯坦的反应，而是环顾四周，醉心于美景。她知道自己是对的，自信带来了内心的平和与满足。在这里，在这个她本无权进入的地方，她忽然有种轻松自在的感觉。

“你知道，这太有意思了。”她若有所思地说，掩盖着崔斯坦一直无语带来的沉默。哪怕他心里不同意，她也不想听到他亲口否认。

“什么很有意思？”他低声说。他松开她的手，但一只胳膊搂住了迪伦的肩，手指把玩着她的一缕秀发。

迪伦觉得一股寒气顺着自己的皮肤游走，脖子上的汗毛都立了起来，自己很难集中精力。但崔斯坦把脸转过来对着她，等着听下文。

“我是说重新变成正常人，”她说，“你懂的啦，吃吃喝喝、睡睡觉，和人聊天。重新回归过去的生活，假装这一切从来没发生过。”突然她脑子里冒出一个想法，“我……我会记得这一切的，是不是？”

崔斯坦想了片刻。她感觉他耸了耸肩。

“我不知道，”他最后承认，“你正在做的事情以前从来没人尝试过。我也不知道会发生什么，迪伦。”

“是我们正在做一件以前从没有人尝试过的事情。”她纠正道。

他没再说什么，但她看到他的嘴撇了一下，表明他此时正眉头紧蹙。

迪伦叹了口气。如果她想不起来这里的经历说不定倒是好事。

回到吉斯夏尔当一名中学生，每天和母亲抗争，和附近的那些白痴们擦肩而过，这倒容易多了。现在她都无法想象自己重新做那些事情时的样子了。

说不定遗忘比记住要好得多。

接着，她意识到自己至少有一件事不能忘。她转过头看到崔斯坦正在盯着自己，他脸上的表情让她纳闷，他是不是真的能看透浮现在她脑子里的想法。

“我会记得你。”她低声说。

她不知道这是在安慰他还是安慰自己。

崔斯坦苦笑了一下，“但愿如此。”他说。接着他低头吻了她。当他起身的时候，她注意到他拇指和食指间藏着什么东西。是一朵花，纤细的花茎在鲜亮的紫色花瓣重压下微微弯曲。

“给你，”他把花轻轻插进迪伦浓密的发髻中，“这花更衬出你眼睛的颜色。”

他的手指顺着迪伦的脸颊缓缓划过，迪伦的脸臊得通红。崔斯坦哂笑着又重新拉起了她的手，他指间温柔的压力在催促她步子稍微快一点，以防万一。

对迪伦来说，那一晚过得太快了，同时又过得不够快。她一面想尽情品味与崔斯坦相处的每分每秒，一面又担心每次他们像这样停下来，他就会想方设法找一些理由，劝她返身回去。但他今天心情不错，一直在说说笑笑，促狭打趣。虽然迪伦还不能完全确定他是不是真的这么开心，但自己的情绪也不由自主地被他带动了起来。他甚至说服迪伦跟自己一起跳起了舞——除了小屋外寒冷黑暗中恶魔们的鬼哭狼嚎声，没什么声音可以伴奏。所以他开始小声哼唱，虽然略微有些跑调。

外面的光线开始变化时，迪伦还在惊诧时间过得飞快。可一到晨空破晓，她马上就去催崔斯坦赶紧上路。而他却显得不慌不忙，踩灭了炉膛里最后一点散发着光热的余烬，掸去鞋上厚厚的一层尘土。然后，尽管已经没什么再拖延下去的理由，他还是一口回绝了迪伦，不让她打开屋门，一直到太阳从远处东面群山的峰顶之上升起。

阳光终于透过玻璃洒满了小屋。迪伦没好气地说：“我们现在可以走了吗？”

“好啦，走吧！”崔斯坦回答。他冲着迪伦恣肆地笑着，她急不可耐的样子让他直摇头，“以前早上我都叫不动你，就差拖着你到外面去了。”

想起那时自己噘着嘴发牢骚、哭哭啼啼的样子，迪伦也不禁莞尔，“刚开始的时候我肯定让你吃了苦头吧？”她坦白道。

他笑了，“要说吃苦头可能言重了，也许说是噩梦更合适……”他越说声音越小，对着她眨巴了一下眼睛。

“噩梦！”一直站在门边向外张望的迪伦走过来半开玩笑地推了一把他的胳膊，“我可不是什么噩梦！”然后她又转身，注视着门外，看着荒原上等待他们穿越的连绵群山，“感觉这样走要容易些，像走下山路。”她耸耸肩，又假装嗔怒地瞪了崔斯坦一眼说，“那我们出发吧！”

迪伦的热情在第一座山爬到一半的时候就荡然无存了。她感到小腿火辣辣的，左肋深处传来一阵阵刺痛，每一次喘息都伴随着疼痛。不过现在崔斯坦似乎倒愿意奋力前行了，迪伦几次三番抱怨，数度要求休息，他都装聋作哑，充耳不闻。

迪伦对着他宽宽的肩膀伸出舌头，做了个鬼脸。她并不真的期盼到达最后一个安全屋，因为在她的记忆中那完全是一片废墟——没有屋顶，只有一面墙依然挺立。这也是他们和那条隧道之间最后一道真正的屏障。迪伦知道，她就是知道，崔斯坦会利用这最后的机会劝自己放弃。

她猜得没错。他们刚在安全屋安顿下来，恶魔们的咆哮声就马上减弱了，听起来就像追在身后的瑟瑟风声，能这么早到达全是拜崔斯坦寸步不停所赐。炉火欢快地噼啪作响，他坐在她对面，目光严肃地盯着她。

迪伦心里长叹一声，但依然不动声色。

“迪伦……”崔斯坦踌躇着，咬着脸颊内侧，“迪伦，事情有些不对劲。”

她噘着嘴，压着火没有大喊大叫，“你看，我们都已经走到这一步了。你答应过要试一试的。崔斯坦，我们这一路长途跋涉，我们现在不能回去，不是没有……”他举起一只手打断了这通连珠炮似的讲话，她突然住了口。

“我不是这个意思。”他说。

迪伦想接着刚才没说完的话继续讲下去，不过转念眉头一皱，眨眨眼睛问：“那你是什么意思？”

“是……我出问题了。”

“你这是什么意思？”她一下子紧张起来，眼睛睁大地看着他，“你怎么了？”

“我不知道。”他的呼吸有些颤抖。

“感觉不舒服吗？你病了吗？”

“不是……”

他犹犹豫豫，一副举棋不定的样子。迪伦心里像结了一层冰一样，“崔斯坦，我不明白这是怎么回事。”

“看看这个吧。”他淡淡地说。

他撩起自己的T恤，露出腹部。从他的肚脐处朝下长着一道并不浓密的金色汗毛，这让迪伦有些分神。不过她很快就看到了他指的是什么。

“什么时候的伤？”她轻声问道。

一道红色锯齿状的裂口划过他的身体右侧。伤口两边的皮肤红肿发炎，周围还有浅一些的伤痕。

“恶魔们围攻你的时候留下的。”

迪伦目瞪口呆地看着他。她以前从没想到自己的行为会伤害崔斯坦。看到他在座位上挪动身子时痛得龇牙咧嘴的样子，她自己也痛苦万分。整整两天了，他是怎么尽力隐瞒伤势的呢？她是不是太自私了？否则怎么会察觉不到呢？她对自己感到极度失望。

“对不起，”她喃喃地说，“都是我不好。”

他把衣服放下来，藏起伤口，“不，”他摇摇头，“我想说的不是这个。迪伦，我是说这个伤口，”他解释道，“现在它应该已经消失了才对。以前我也受到过恶魔们的攻击，几天之内就会不治自愈的。可现在……好像我已经变成了……变成了……”他脸上露出了痛苦的表情。

迪伦吃惊地注视着他，他想说的可是“人”？

“还不止这些，”他接着说，“我离……离开你，”他提到这个字眼的时候有点结巴，“去下一个灵魂那里，到玛丽那里时，我的身体并没有变化。”

“什么？”迪伦干张着嘴说不出话来了。

“我那时还是现在这个样子，一模一样。”停了一下他又说，“以前这样的事从没发生过。”

迪伦沉默了许久，思索着，“你觉得这意味着什么？”最后她问道。

“我不知道。”他低声说。他将自己心中萌发的希望牢牢地封存起来，不愿意向任何人承认这丝希望，甚至对他自己也不例外。他笑了笑说，“我甚至都不应该在这儿。”

“为什么？”迪伦困惑地皱起了眉头。

他耸耸肩，像是答案一目了然似的，“当我失去玛丽时，我本该当时就被拉走，被送去迎接下一个灵魂的。”

“可是……当时还有我在那儿啊。”

“我知道。”他点点头说，“一开始我也以为可能就是有你在，所以我才没有走，我必须要待到你被再次安全送回去为止。可是这样的想法可能不对，可能我现在……”他踌躇着，尽力想搜出一个合适的词，“可能我现在报废了或是发生了诸如此类的事情吧。”他冲她笑了一下，“我是说，我本来不可能像现在这样往回走的。这不正常，迪伦。”

“或许你没有报废，”她缓缓说道，“或许，就像你说的那样，当你的活做够了，摆渡了足够多的灵魂，你就解脱了。”

“也太多‘或许’了。”他朝她温柔一笑，“我不知道，不知道这到底是什么意思。”

迪伦似乎没有感受到他的不安和谨慎。她坐得笔直，嘴角绽放出灿烂的笑容，眼神发亮，“嗯，嗯，除此之外……”她朝崔斯坦身体右侧点点头，看到他在用右手遮掩，“……一切都在朝着对我们有利的方向发展，或许我们就应该顺势而为。”

“或许吧。”他说，眼神中仍带着疑惑。他不想把一切事都告诉迪伦，但潜意识深处一直在隐隐担忧。他们穿越荒原，越走越远，他的伤口似乎也在逐渐恶化。迪伦感觉到自己正在奋力挣扎重获新生，可崔斯坦却禁不住担心等待着他的是不是截然不同的命运。

Chapter 30

虽然迪伦一直在宽慰崔斯坦，但想起要回到那条火车隧道、爬回自己的尸体上，迪伦还是十分紧张。她想起了乔纳斯之前说过的话，他提醒她要回到原来的尸身。她希望车厢里不至于太黑。她也不知道自己伤得有多重，到底是什么东西让自己的灵魂出了窍。她不知道当自己还魂苏醒后这伤会有多痛。

还有，最糟糕的是，她害怕等回到车厢里醒过来后，只剩自己一个人。那样的话，她返回尘世、起死回生反倒坐实了崔斯坦的猜测——他不可能和自己在一起。他不知道如果这样的事发生的话她该怎么办。她只能希望甚至暗自祈祷命运不要这么残酷。

这是一场豪赌。每次一想到这些，她的胃里就翻江倒海，一阵恶心。然而她实在别无他法，别无选择。崔斯坦坚信他的身体无法穿越荒原上那道分界线，他又不能让迪伦待在这儿。还有别的路可走吗?

真的走投无路了。

要担心的事实在太多了，然而不知怎么的，尽管忧心忡忡，他们荒原跋涉的最后一天里，太阳始终高悬天空，阴云也无影无踪。迪伦想，这全是因为自己和崔斯坦待在一起，否则她实在想不出别的原因了。不管发生什么，只要她和崔斯坦待在一起，她就能挺过去，应付得来。明媚的阳光也让人觉得宽慰，把那些烦恼都压制在意识深处，驱赶到了本属于它们的阴暗角落。

迪伦满心期盼自己能认出这趟旅途的终点，能辨认出某些地标。它们会告诉她目的地就在眼前，让她心潮澎湃，鼓起勇气。然而最后那座山和之前翻越的那些山峰别无二致，不过他们不知不觉间就登上了这座山的峰顶，俯瞰山下那一段锈迹斑斑的铁轨。

就是那儿，她当时就是在那里死去的。她俯视着铁轨，等待着心中涌起某种感情。是怅然若失、哀恸伤心，或是痛苦不堪，而最后她心头慢慢浮现出的只有恐惧和焦虑，那种她一整天都在拼命压抑的紧张感。她强忍着，默默下定了决心。

她的手从牛仔裤口袋里伸了出来，用手指摩挲着崔斯坦送她的那朵丝绸般顺滑的花瓣。花被摘下来后已经枯萎了，但她还是舍不得扔掉，反而像护身符一样紧紧捏着它。它将迪伦和荒原联系起来，把她和崔斯坦联系在一起。迪伦只希望它能让她和崔斯坦永远在一起。

她沉稳地深吸了一口气，“我们到了。”她多此一举地说。崔斯坦不可能看不到铁轨，它们是连绵起伏的群山间唯一可看的东西。

“是啊，我们到了。”

他的声音听起来不像她那样紧张或急切，而是充满了忧伤。就好像他已经断定这次冒险一定会徒劳无功，他很害怕迪伦会失望。他的悲观情绪并没有影响到迪伦，因为她自己心里也难掩重重疑虑。

“那么我们就沿着铁路走好吗？”她问道。

崔斯坦只是点了点头。

“嗯，”她把胳膊前前后后甩了十几次，有些紧张，“好吧，我们开始吧。”

崔斯坦没有动，她意识到他是在等她先走。她连续做了两次深呼吸，腿似乎不听使唤，感觉像灌了铅一样，沉甸甸的无法从露水深重的草地抬起来。这是因为自己害怕，还是荒原不想让她走？

“一定会成功的。”她对着天空喃喃自语，声音小得连崔斯坦都听不到，“我们一定要回去。”

她的嘴绷紧了，显出决绝的样子，然后步履艰难地向前走。一只手紧紧抓着身边的崔斯坦，一步一步挪移。现在他走路一瘸一拐的，一只手一直捂着身体右侧，但他会没事的。如果她能和他一起走完这最后的一小段路，带他回到她的世界，他就会安然无恙的。她强迫自己相信这一点。

他们往山下走，直到迪伦走到枕木上，看到像梯子一样的铁轨才停下来。她转过头，待向崔斯坦求证她走的方向无误后，就开始顺着铁路线向隧道口走去。铁轨沿着乡野蜿蜒铺开，所以一开始迪伦没有看见它们。可是突然之间，它们就在一个转弯处出现了。巨大的山峦在铁路沿线岿然屹立，铁轨似乎在向大山曲折前进，然后就消失在远方，不知通向何处。他们越走近，山脚下黑漆漆的山洞似乎也越变越大。最后迪伦终于看清了铁路钻山的入口，她走了进去，但这远不是终点。

黑色的山洞张着大口，似乎在召唤她。迪伦哆嗦着，脖子上的汗毛都立了起来。万一，万一，万一呢？潜意识中的种种疑虑此刻化成了她耳边疯狂的窃窃私语，但她尽力不去理会它们。她高扬起下巴，迈着坚定的步伐向前继续走。

“迪伦。”崔斯坦拉住了她，迪伦转过脸面对着他，“迪伦，这样行不通。”

“能行——”

“不，不行的。我没办法进到你的世界，我不属于那里。除了这里，我不属于任何地方。”他似乎在半愤怒半绝望地哀求她。

迪伦在牙齿间转着舌头，盯着他。他第一次看起来像个十六岁的男孩，弱小而迷茫。他的迟疑不仅没有吓到迪伦，反而增添了她的勇气。

“你为什么来这里呢？”她质问道。

崔斯坦抬起一个肩膀半耸了一下，看上去倒非常像一个笨手笨脚的大孩子。

“崔斯坦？你为什么要过来？”

“因为……因为……”他重重吐出一口气，“因为我爱你。”他说话的时候低着头，没有看到迪伦脸上闪现出的惊喜表情。片刻后他抬起头看着迪伦说，“我希望你是对的，迪伦。可你这条路是行不通的。”

“你保证过会试试的，”她提醒道，“要有信心。”

听到这话，他惨笑一声，“你还有信心吗？”他问。

“我心里有希望，”她脸红着说，“还有爱。”迪伦望着他，一双碧眼射来热辣辣的目光，“相信我。”

她长途跋涉一路走来只为了这个机会，现在她不能回头，不能连试都不试一下就回去。而且，他们也不能待在这里，崔斯坦受伤了。不管之前发生了什么，现在的荒原正在伤害他。崔斯坦错了，他不属于这里，他需要离开。迪伦把这些念头在心头默念，尽力不去理会头脑深处传来的声音，“他之所以会受伤，之所以会痛苦，全是因为你正逼着他离开荒原。”她挺起胸继续向黑暗深处走去。崔斯坦别无选择只能跟上，她不肯放开他的手。

一开始在黑暗中分不清方向，他们的脚步声经过封闭的墙体传来回声，空气中有股潮乎乎的味道。迪伦打了个冷战。

“这里会有恶魔吗？”她小声问。这里的气氛异常安静，但它们肯定可以潜伏在这种潮湿荒凉的地方。

“不会的，”崔斯坦回答，“它们无法靠近你的世界。我们现在是安全的。”

他的话对迪伦来说只算是小小的安慰，还不足以驱散山洞里的寒气。这寒意让迪伦胳膊上起了一层鸡皮疙瘩，上下牙也在不停地打架。

“你能看见什么吗？”她不喜欢这沉默的气氛，“我们靠近火车了吗？”

“快了，”崔斯坦说，“就在我们正前方，没几米远了。”

迪伦放慢了脚步。这里黑得伸手不见五指，她可不想撞到列车前的减震器上。

“停！”崔斯坦大喊了一声，她应声停了下来，“伸手摸一下，你已经到了。”

迪伦用指尖试探着，手还没有伸直，就已经触到了某个冰冷坚硬的物体。那趟火车。

“帮我找找门在哪儿。”她说。

崔斯坦抓着她的胳膊肘，带着她走了几米。

“这里就是了。”他说着，把她的手放在半空中，刚好到他肩膀的位置。她的手四处摸索着，感觉手指下面是污垢和橡胶，那是列车门前的踏板。她意识到踏板很高，他们必须要攀爬上去。

“准备好了吗？”她问。没有回应，但她感觉得到他的手放在自己的胳膊上，“崔斯坦？”

“准备好了。”他小声回答道。

迪伦往前走，准备爬上去。她把崔斯坦的手拉过来，盘进掌心。她不能冒险，不能松开他的手。她才不管这样有多不雅观呢，她不想又一次上当受骗。

“等等。”他使劲拽她，她只好转过头。崔斯坦的另一只胳膊游移到她的腰间，把她拉进自己怀里。隧道里的路高低不平，所以这一次他的脸正和迪伦的脸平齐。他的呼吸让迪伦觉得脸痒痒的。

“看，我……”他先开了口，随即又沉默不语了。她听到他一声声沉重的呼吸。他捧着她的下巴，往上抬了一点点，“以防万一。”他小声说。

崔斯坦的吻像是在道别一样。他的嘴唇如饥似渴地贴过来，吻得她简直无法呼吸。他放开她的脸，手指滑进她的秀发间，把她拉得更近。迪伦紧闭着双眼，尽力忍住泪水。这不是告别，不是。这绝不是她最后一次感受他温暖怀抱，和他相互依偎。不是。

他们以后还会有像现在这样百万次的亲吻。

“准备好了吗？”她又问了一遍，这一次她几乎窒息得说不出话来。

“没有。”崔斯坦在黑暗中回答。他的声音沙哑，听起来可以说是非常害怕。迪伦紧张得胃部一阵痉挛。

“迪伦，”崔斯坦在她耳边喃喃地说，“我希望你是对的。”

迪伦在黑暗中笑了笑，但愿如此。

“我不知道该怎么做，”她平静地说，“我觉得我们应该先找到我的身体。我想，应该是在列车中部。”

她小心翼翼地往前慢慢挪动。车厢里一片死寂，然而她的脉搏跳动声听起来却异常响亮。崔斯坦在她身后仅一步之遥，可迪伦连他的呼吸声都几乎听不到了。她的肠胃剧烈地痉挛。如果这个办法行不通怎么办？如果她的身体破损严重无法修复怎么办？

那横在自己的灵魂和躯体之间的东西是什么？他们不得不越过去的东西是什么？鲜血、残肢，还是那个蠢女人的大包小包？迪伦想想忍不住笑了起来，笑声有些神经质。她转过头想把笑话和崔斯坦分享，这才发现自己的运动鞋转起来有点过于轻松了，鞋下面沾着一层滑滑的东西。她确定，这可不是什么溢出来的果汁。她感到一阵恶心，赶紧抬起脚，可脚跟却被什么东西绊住了。她一下子失去了平衡，把另一只脚也带得有些打滑，不过不知什么东西挡在了前面。她的重心又开始往后倾，这次有点矫枉过正，她摇摇晃晃地又往后倒去。

落地前她还有时间猛吸了一口气。她奋力伸出手，免得直接摔倒在坟场一样的地板上。这次她两只手都伸了出去，空空的手里什么也没攥着。

Chapter 31

尖叫声。

这里本应该寂寂无声。静谧，死一般的肃穆沉寂。

然而只有尖叫声。

迪伦睁开眼，马上感到目眩。一道强烈的白光刺进她的脑袋。迪伦努力想转身摆脱，然而那白光却在电光火石的一瞬间也随之移动，紧紧跟着她，吞噬了身后的黑暗。迪伦看着这道光，目瞪口呆。

这道白光来得猛烈，然而转瞬间就消失了。迪伦晃晃悠悠地站在那里，眼前跳动着五颜六色的光点。不知不觉间一张脸出现在视线中，迪伦不由得吓了一跳。接着它便填满了视野。这张苍白的脸上满是闪亮的汗水和红墨水般的痕迹。这是一张男人的脸，嘴边的胡楂很浓密，看口型他好像在急切地说着什么。迪伦努力集中精力想听清他说些什么，但尖厉的耳鸣声让她什么也听不见。

她摇摇头，把注意力集中在这个人的嘴上。慢慢地，她终于明白了，那个人在一遍遍重复着相同的一句话。

“能听见我说话吗？看着我。能听见我说话吗？能听见我说话吗？”

迪伦明白了他在说些什么后，这才意识到自己可以听到他讲话。他实际上是在大声喊叫，声音紧张而嘶哑。怎么刚才自己就听不见呢？

“能。”她终于吐出了一个字。嘴里满是热乎乎黏稠的液体，不可能是唾液。她咽了一下，感觉舌尖有股金属的味道。

那个人看上去如释重负。他又用小手电照了照她的脸，亮光晃得她的眼睛眯了起来。接着那人又用手电把她的身上从上到下照了一遍。迪伦看见他把光对准了自己的双腿，脸上露出焦虑的神色，接着又重新看着迪伦。

“你能动一动胳膊和腿吗？有感觉吗？”

迪伦尽量集中注意力。她能有什么感觉？

火烧火燎的感觉。疼痛，极度的痛楚，剧烈的疼痛。她屏住呼吸，哪怕胸口轻微的起伏也让她觉得害怕。她到底怎么了？

全身每一处都在痛。的的确确就是……每一处。她的头感到阵阵抽痛，肋骨像是被什么东西紧紧挤压着，胃里好像有一池酸性的岩浆在燃烧。再往下呢？她闭上眼，尽力感觉双腿的反应。它们在哪儿？也许她感觉不到它们只是因为折磨人的疼痛正从全身各处如潮水般袭来。迪伦惊恐万分，感觉心脏开始剧烈跳动，狂乱的心跳让她全身每一处痛感都急剧飙升。她尽力想挪挪脚步，换换位置，感觉不舒服极了。

“喔——呜！”她这一声听起来像是喘息，又像是呜咽。她只把双腿挪了一点点，可能只有一厘米左右，然而浑身迸发的痛苦让她发出足以窒息的颤抖。

“好了，好了，亲爱的。”那个男人皱了皱眉，他咬着小手电，手在迪伦腰下挪动着。然后他停了一下，把手在马甲上蹭了蹭。迪伦的眼睛掠过那件黄绿色对比强烈、其丑无比的马甲。他的肩上别着一个徽标，但迪伦的注意力不在这儿。他刚才擦掉的是血吗？他刚才摸到了她腿上的伤口，血是从那里来的吗？她的呼吸开始变得急促，每一次呼吸都让肺部刺痛。

“亲爱的？”那个人抓着她的肩膀，晃了晃。

迪伦强迫自己看着他，尽力要把眼前可怕的事情想清楚。

“你叫什么名字？”

“迪伦。”她的声音带着哭腔。

“迪伦，我要离开一下，就一分钟。不过我马上就回来，我保证。”

他冲她笑笑，然后起身，沿着车厢一路挤过去。迪伦看着他离开，这才注意到这节窄窄的车厢里满是穿着马甲的男男女女——消防队员、警察，还有医护人员。他们中大多数人都蹲在座位旁，或者夹在刚出现的人缝中，他们跟迪伦谈话、交流，温言抚慰她。每个人的脸色都很凝重。

然而迪伦只想一个人静一会儿。

“等一下。”她哑着嗓子说。然而话说得太晚了。她抬起手，伸向他消失的方向，但稍微一动就让她异常疲惫，她的手缩回来，无力地垂到脸上。脸湿漉漉的，她的手指一摸，发现上面沾着泪水、汗水和血水。她把手撤回来，仔细端详，那层混合物在手电和应急灯这些人造光源的照射下闪闪发亮。

发生了什么事？崔斯坦去哪了？

她想起刚才自己身子往下倒，为防不测，胳膊向外伸，当时脑子里只想着不要摔倒在地，和地上的那些尸体躺在一起。

她松开了他。她松开了他为了自救，为了脸不至于沾到人死后残存的血迹上。

她松开了他。

迪伦的肺部很痛，但她忍不住气喘吁吁，而且感觉一阵反胃。眼睛像被什么东西蜇了一样，喉咙里堵得厉害。此刻不管什么伤痛都变得无足轻重了，迪伦的泪水肆意地流淌。

她松开了他。

她从唇缝间挤出一个“不”字，“不，不，不。”

她几近疯狂地在地板上挪动着身体，然后把手插进裤袋，手指绝望地摸索着，全然不顾自己的每个动作都会引来一阵剧痛。她的心脏有一阵子痛苦地停止了跳动。那朵花，它还在，如果花能穿越过来……

可是他在哪儿？他在哪儿呢？为什么他没有躺在自己的身边？

是不是在自己撒手的时候失去了他？

“对，就是她。迪伦？”有人叫她的名字，这让她分神了片刻，“迪伦，我们要把你轻轻移到担架上，亲爱的。没问题吧？我们需要把你抬到外面，好好检查一下你的伤势。只要把你送上救护车，我们就会给你止痛的。你能听明白我说的话吗？迪伦，亲爱的，要是听明白了就点点头。”

她顺从地点了点头，她听明白了。她正躺在一辆救护车上，止痛药固然好，能帮她平息腹部的灼烧感，然而它们却无力医治她心里裂开的口子，那种怅然若失、空落落的痛楚。她究竟做了些什么啊？

人们费了一会儿工夫把她抬到一个丑陋的黄色担架上。她的脖子被一个高高的塑料颈围固定住了，她只能盯着天花板。人们都轻手轻脚，不断好言安慰着她，生怕一不小心加重她的伤势。迪伦几乎听不到他们说话，她能做的只有回答他们的问题，从嘴里费力地挤出一个“是”或者“不”。他们把她抬起来的时候，她感到了片刻的欣慰，因为这时她既不用听他们讲话，也不用回答他们的问题。

把她抬出车厢花的时间似乎要更长。不过当他们出了车厢，脚踩到了隧道路面的石头上时，她就感觉到他们的脚步立刻变得轻盈起来。他们似乎急着把她抬到外面，越快越好。迪伦的心里丝毫没有因此而惊慌。

躺在担架上的迪伦在颠簸中朝前移动着，周围的空气变得跟之前大不一样了。一阵阵微风吹散了郁积的潮气，水雾凝成的小水珠滴在她蓬乱的刘海上，让她燥热的额头略感清凉。一些医护人员们正在前头带路，迪伦尽力想回头看，看看四周。无奈脖子已经被牢牢地固定住了，肩膀也被皮带绑着，所以她根本没办法大幅度移动身体，而且来回翻动几下眼球也会让她的脑袋一阵刺痛。不过，在气喘吁吁地躺到担架床上之前，她还是瞥见了一团模糊的自然光晕。她快要出去了。

身后响着沙沙的脚步声，每一步都小心翼翼。两个人就这样把迪伦稳稳当当地抬入了秋日傍晚灰蒙蒙的暮色中。迪伦看着出现在半山腰的精巧的石拱门，他们抬着她穿过石门，随后渐行渐远，石门张开的大口随即湮没在黑暗中。出了隧道口大概走了十米，他们转了方向，开始步履蹒跚地攀上陡峭的路堤。就在此时，迪伦看到了他。

他坐在隧道出口的左侧，手放在膝盖上，注视着她。在这个距离望过去，只能辨认出他是个男孩，大概十几岁的样子。山风吹乱了他浅茶色的头发，拍打着他的脸。

“崔斯坦。”她低声说，轻松和喜悦一下子充盈在胸中。她看着他出现在了自己的世界里，如痴如醉。

他成功了。

这时，一个人走过来隔在了他们之间，是一个消防队员。迪伦静静地看着他俯下身子，给崔斯坦的肩上披上了一条毯子。那人在向他询问着什么，迪伦看到崔斯坦摇了摇头。接着他慢慢地、有点笨手笨脚地从草地上站了起来。对着消防队员讲完了最后一句话后，他开始朝她的方向缓缓走来。就要走到她跟前时，他冲她一笑。

“嗨。”他喃喃地说，伸出一只手轻柔地拍了拍迪伦身上的毯子。他的手指顺着她身体一侧慢慢划过，最后紧紧抓住了她的手。

“嗨。”她也轻声回了一句，嘴唇颤抖着露出了微笑，“原来你在这里。”

“我在这里。”

致 谢

请容我衷心地对以下诸位致以深深的感激，正因为有你们，《摆渡人》才得以问世：

我的丈夫克里斯，感谢你对我的信任，并充当了我作品的官方“评论家”。我爱你。感谢克莱尔和鲁斯那么迅速地读完了整本书，并且告诉我你们很喜欢它！我还要将挚爱和感激献给我的父母——凯特和约翰。感谢你们一直以来的支持，并教会我爱上小说。

感谢我的经纪人本·伊利斯，感谢你拉着我的手，对我不吝赞美之辞。同时还要感谢泰伯勒出版社(Templar)的海伦·波伊尔，谢谢你一直对《摆渡人》充满信心，并帮我把故事塑造成形。如果没有你的帮助，由我独自完成的作品，远不会有现在这么丰满。

最后，还要感谢迪伦和崔斯坦。感谢他们出现在我的脑海里，并一直催促着我把他们的故事写下来。

克莱儿·麦克福尔

2013年3月